W pewnym wieku

Tama Janowitz

przełożyła **Aldona Możdżyńska**

Warszawskie Wydawnictwo Literackie MUZA SA

Tytuł oryginału: ***A Certain Age***
Projekt okładki: *Agnieszka Spyrka*
Redakcja: *Maja Lipowska*
Redakcja techniczna: *Zbigniew Katafiasz*
Korekta: *Marianna Molak*

Autor zdjęcia wykorzystanego na okładce:
Radosław Berent

ISBN 83-7319-452-5

Warszawskie Wydawnictwo Literackie
MUZA SA
Warszawa 2003

Dla Jamesa Ivory,
Ismaila Merchanta,
Ruth i Cyrusa Jhabvala

Złe uczynki to straszna rzecz. Nienawidzę ich i nie chcę ich popełniać. Wcześniej zdarzało mi się popełniać błędy, bo nie rozumiałem Boga. Czułem go, ale nie rozumiałem, co robią inni ludzie.

Z dzienników Wacława Niżyńskiego

Część pierwsza

1

Miała ochotę walnąć go łyżką w łeb. Może wtedy przebudziłby się z transu. Wyobraziła sobie, jak mózg, niczym płynne żółtko, wycieka mu znad oprawek okularów. Inni pasażerowie autobusu jadący do Hamptons pewnie szybciutko wyjęliby z weekendowych bagaży croissanty i umoczyli je w mazi, pragnąc poczuć smak bogactwa.

– Florence...! – powiedział Charlie. – Jak się... masz?

Rzuciła się na miejsce koło niego.

– Normalnie bym... wziął samochód – powiedział.

– Zawsze jeździsz w weekendy do Hamptons? – spytała.

Kiwnął głową.

– Tak, ale mój samochód stoi w warsztacie.

– Jest w naprawie – dodała Florence.

Może nadmiar pieniędzy go rozleniwił, rozmiękczył mu mózg – jak ostatniemu cesarzowi Chin. Sprawiał wrażenie spowitego w kokon. Wyglądał jak czymś otulony i odległy, choć siedziała tuż koło niego. Pojazdy z sapnięciem szarpnęły do przodu, po czym znieruchomiały. Powietrze było szare i gęste od spalin. W okolicy nie rosły żadne drzewa, stały tylko stare fabryki i magazyny niczym zardzewiałe statki sterczące z betonu. Jeżeli już teraz były takie korki, to może minąć północ, zanim autobus dojedzie do Hamptons.

– Nie... niezupełnie – powiedział Charlie. – Widzisz, parę... tygodni temu zaparkowałem go... przed tą nową restauracją, u Dereka i Trevora...

– I ktoś... w niego stuknął? – Cokolwiek mu dolegało, okazało się zakaźne. Ona też zaczęła mówić powoli.

– Nie... wiesz, to kabriolet, miał podniesiony dach. Kiedy do niego wsiadłem, pomyślałem, coś tu śmierdzi, a obok, na fotelu dla pasażera zobaczyłem rybi łeb, który jakiś idiota wrzucił do środka.

– Po co ktoś miałby robić coś podobnego?

– Chyba... dlatego, że zaparkowałem przed czyimś domem, a wiem, że w Bridgehampton było dużo skarg na restaurację Dereka i Trevora. Wyrzuciłem ten rybi łeb na chodnik. Było tak ciepło i słonecznie, że opuściłem dach... to trochę... skomplikowane... no, ale... parę dni później poczułem... jakiś straszny smród... umyłem samochód... ale smród nie znikał. Po kolejnym tygodniu spróbowałem jeszcze raz go wyczyścić. Podniosłem dach... bo jechałem do miasta i...

– Dziwne – powiedziała Florence. – Nie wydaje ci się, że mogła to zrobić jakaś dziewczyna?

Albo nie spodobało mu się to pytanie, albo raz zacząwszy, nie mógł przerwać, dopóki nie skończył swojej opowieści.

– A kiedy podniosłem dach... spostrzegłem, że z tyłu, tam gdzie dach się chowa, kiedy się go opuszcza... utknął jeszcze jeden rybi łeb... w którym aż roiło się od larw. W warsztacie nie mogą pozbyć się tego zapachu... wymienili fotele i wyczyścili całe wnętrze, ale nie mogą się go pozbyć.

– Błe. Obrzydlistwo! – Uścisnęła jego dłoń. Była miękka i jakby gumowa, a w porównaniu z jej ręką o długich, pełnych wdzięku palcach, wyglądała jak łapka dziecka. Wydało jej się to nieco smutne: Charlie wyglądał jak przedwcześnie postarzałe dziecko. – Jesteś pewien, że nie zrobił tego żaden z twoich znajomych?

– O Boże, sam nie wiem – powiedział. – W ten weekend po prostu kupię sobie nowy samochód. – Po czym zmieniając temat, wykrzyknął wesoło: – Hej! Znajomy dał mi zdjęcie, które zrobił – mój portret. Jest znanym fotografikiem ze świata mody.

– Bardzo chciałabym je zobaczyć – powiedziała.

– Tak? – Był słodki, kiedy się uśmiechał. Cała twarz mu się rozluźniała, jakby pod warstwami skóry uwięzione było dziecko, któremu pozwalano wyjrzeć na zewnątrz tylko w wyjątkowych sytuacjach. – Rozumiesz, to takie dosyć artystyczne zdjęcie, jestem na nim nagi. – Oba słowa, „artystyczne" i „nagi", wymówił takim tonem, jakby znajdowały się w cudzysłowie.

Otworzył szarą kopertę i podał Florence zdjęcie. Siedział na nim nago na stołku i wyglądał, jakby miał lada chwila spaść; utrzymywał równowagę tylko na dwóch chudych, szeroko rozstawionych nogach, których stopy były uczepione szczebelków stołka. Na jego twarzy malowała się tak wielka duma, że Florence domyśliła się, iż jej źródłem może być jedynie wyrostek dyndający mu między nogami. Klimatyzacja w autobusie mocno chłodziła. Florence sięgnęła po sweter i wkładając go, zastanawiała się, co powiedzieć.

– W tym świetle niewiele widać. – Była zaszokowana, co z pewnością stanowiło cel Charliego. Najpierw zachowuje się jak skończony sztywniak, a potem zaczyna machać jej przed nosem swoimi aktami. Może chciał ją poddać małej próbie, przekonać się, jak zareaguje. Zaczęła grzebać w portfelu w poszukiwaniu batonika z gorzkiej szwajcarskiej czekolady, który skubała przez cały dzień. – Bardzo ładne! – Słowa te zabrzmiały nieco protekcjonalnie, ale najwyraźniej tego nie zauważył.

– Uważam... że to kawał dobrej roboty. Mój znajomy jest bardzo utalentowanym fotografikiem... Ale sam nie wiem, co zrobić z tym zdjęciem. Chyba je oprawię i powieszę w sypialni. – Odwrócił się do niej i szepnął konfidencjonalnym tonem: – Miałaś rację... ten rybi łeb chyba mi wrzuciła taka jedna dziewczyna, z którą chodziłem. Wiedziała, że właśnie sobie kupiłem nowego saaba kabriolet.

– Pewnie złamałeś jej serce – powiedziała Florence. – Zerwałeś z nią i wymyśliła taką zemstę. Ale to wcale nie było śmieszne, tylko bardzo niemiłe!

– To prawda... – odrzekł Charlie z zamyśleniem. – Wiesz, chyba nigdy dużo nie rozmawialiśmy. Świetnie, że teraz mamy okazję pogadać.

– Ja też tak sądzę – powiedziała, szybko głaszcząc jego rękę w błękitnym, bawełnianym swetrze.

Chociaż sprawiała wrażenie powściągliwej, była dziwnie serdeczna; zupełnie jakby tylko poprzez dotyk mogła się upewnić, czy jej rozmówca rzeczywiście istnieje. Jej wygląd chłodnej blondynki harmonizował z chłopięcą spontanicznością – bardziej kalifornijską niż nowojorską.

W autobusie siedziało czterdziestu, pięćdziesięciu pasażerów, wszystkie miejsca były zajęte. Podróżni ze ściągniętymi twarzami, na których malowała się wściekłość, i ze zbyt błyszczącymi oczami wytwarzali klimat paranoi połączonej z lękiem, która przenikała cały pojazd. Hostessa, zgryźliwa otyła kobieta po dwudziestce, sztywno stąpała między fotelami, roznosząc plastikowe butelki z wodą mineralną i kubki. Pewnie pochodziła z Long Island i zatrudniła się na sezon. Miała kwaśną minę wychowawczyni na obozie lubującej się w sadystycznych zajęciach wakacyjnych. Mimo wszystko Florence zawsze czuła większy spokój, udając się na wschód. Migracja na zachód nie okazała się zbyt trafnym wyborem ani dla jej matki, ani dla niej samej. Całe życie czuła się pozbawiona korzeni. Matka po wyjściu za mąż utknęła tam i zakonserwowała się w bursztynowym słońcu Południowej Karoliny. Zawsze namawiała Florence do tego, by bogato wyszła za mąż i przyjechała z powrotem na wschód, by złożyć ikrę niczym łosoś, który wrócił na tarło. I chociaż matka już nie żyła, jakoś udało jej się wpoić to Florence – a może źródło znajdowało się głębiej, zostało wdrukowane w łańcuch jej DNA niczym mapa nieba wyrzeźbiona na starożytnym azteckim naszyjniku.

– Miałabyś ochotę gdzieś wyskoczyć? – spytał Charlie. – Może jutro wieczorem?

Była nieco zaskoczona, ale nie chciała ranić jego uczuć, milcząc zbyt długo.

– Oczywiście! – wykrzyknęła. – Świetnie. Ale będę musiała spytać Natalie o jej plany.

– Ile Charlie Twigall ma lat?

– Około pięćdziesięciu. Może czterdzieści osiem.

– Pięćdziesiąt! – powtórzyła Florence. – Nie mogę uwierzyć, że jest... taki stary. Ma w sobie coś ponadczasowego.

– W ogóle się nie starzeje – powiedziała Natalie de Jongh, która podczas weekendu gościła Florence w swoim domu. – Nie do wiary. Znam go, odkąd skończył przynajmniej czterdzieści lat i od tej pory wcale się nie zestarzał. – Natalie miała czterdzieści dwa lata. – Oczywiście wyłysiał. Kobiety za nim szaleją. Słyszałam, że jest niesamowicie zbudowany. Kiedy jeszcze miał włosy, był znany jako Charlie Grzywa. Ale nawet teraz wystarczy, że wejdzie do pokoju, a baby dosłownie w jednej chwili odchodzą od swoich mężów.

– Umówiliśmy się – oznajmiła Florence. – Na jutro wieczór. Powiedziałam, że sprawdzę, jakie masz plany.

– Niestety, nie będę mogła pójść. Jutro wieczorem wydaję wielkie przyjęcie. Przecież ci mówiłam. Wszystko już zorganizowane. Wiesz, jak starannie planuję takie rzeczy. Nie masz nic przeciwko temu, prawda?

– Och, nic nie szkodzi – powiedziała Florence. – Uprzedziłam go, że najpierw spytam cię o plany. Nie ma sprawy. Powiem mu po prostu, że już coś zaplanowałaś. On mnie nawet nie interesuje. Po prostu trochę mu współczuję.

Natalie obcięła ją wzrokiem.

– Współczujesz Charliemu?!

– Wygląda jak stare jajo!

– Jak jajo! – powtórzyła Natalie. – O Boże, muszę mu to powiedzieć. Uważasz, że wygląda jak jajo!

– Natalie, proszę cię, nic mu nie mów. Obiecaj. Obiecaj, że się nie wygadasz, że moim zdaniem wygląda jak jajo. Ja uwielbiam jajka! Śliczne, nakrapiane jajeczka! Obiecujesz?

– Twój pokój jest na trzecim piętrze – powiedziała Natalie. – Niestety, w tej chwili nie ma kto ci wnieść bagażu. John jest na polu golfowym, a gospodyni nadwerężyła sobie kręgosłup. Teraz gotuje obiad w kuchni. Powiedziałam jej, że chętnie pomożesz, kiedy się rozpakujesz. Nie masz nic przeciwko temu, prawda?

– Oczywiście, że nie.

– To dobrze, bo za dziesięć minut przychodzi moja aromaterapeutka. Jest też moją masażystką. Powinnaś kiedyś zrobić sobie masaż, Florence. Na pewno bardzo ci się spodoba.

– Czy to drogie?

– Nie, jej ceny są bardzo rozsądne. Tylko dwieście za sesję. Chcesz, żeby cię dzisiaj obsłużyła, jeżeli będzie wolna?

– Może innym razem.

– Jak chcesz. Przenocujesz w małej sypialni. Pomyślałam, że będzie ci tam wygodniej. Idź na trzecie piętro, skręć w prawo, potem w lewo, to druga sypialnia po prawej. Zostało w niej trochę rupieci; składuję tam różne rzeczy, bo pozostałe dwie sypialnie na ostatnim piętrze są w remoncie. Ale to ci nie przeszkadza, prawda?

– Och, nic a nic, Natalie – powiedziała Florence. – Cieszę się, że tu jestem.

Natalie powiedziała „druga sypialnia po prawej", ale Florence chyba skręciła w złą stronę: kiedy otworzyła drzwi, runęło na nią oprzyrządowanie kosztownego odkurzacza, zwalając ją z nóg. W pokoju stało jednoosobowe łóżko, ale całe było zawalone pudłami z napisami DOKUMENTY Z COLLEGE'U i ZIMOWE UBRANIA. Taki wielki składzik to świetna rzecz, pomyślała Florence, podchodząc do okna i otwierając je. Nie widziała oceanu, ale na pocieszenie miała widok na kartofliska pofalowane jak woda i sięgające aż do pasa autostrady koloru piasku. Za szosą znajdował się drugi dom, podobny do domu Natalie, ogromny jak liniowiec, ale idealnie kwadratowy, z malutkimi oknami wielkości świetlików. Od ostrego zapachu nawozu zakręciło jej się w nosie i z łzawiącymi oczami zaczęła szukać chusteczki. Zanim udało jej się wydostać z pokoju, musiała przez kilka minut szarpać gałkę na drzwiach, która chyba została zainstalowana odwrotnie, dołem do góry. Niemalże wpadła w panikę, a kiedy w końcu wyszła, uświadomiła sobie, że zamek znajduje się po drugiej stronie, od korytarza. Trafiła do składziku, a jej sypialnia z pewnością leży na drugim końcu holu.

Wróciła na dół i znalazła Natalie w kuchni przy lśniącej kuchence przemysłowych rozmiarów.

– Jak tu ładnie – powiedziała.

Natalie odwróciła się z taką miną, jakby nigdy wcześniej nie widziała Florence i teraz usiłowała sobie przypomnieć, gdzie jest guzik alarmu antywłamaniowego.

– Właśnie robiłam herbatę dla mojej aromaterapeutki – powiedziała w końcu. – Lubi specjalną mieszankę, którą trudno dostać. Udało mi się znaleźć tylko jedno pudełko na Manhattanie i poprosiłam Johna, żeby je przywiózł. Jest absurdalnie droga. Nie mam pojęcia, co zawiera. Na etykiecie napisano, że robią ją w Tybecie czy gdzieś tam.

– Nie wiem, dlaczego przepraszasz za pokój, w którym mnie umieściłaś! – powiedziała Florence. – Jest prześliczny! Ta ciemnoniebieska tapeta w biały wzorek jest ręcznie malowana?

– To nie twój pokój. Mam nadzieję, że nie nabałaganiłaś na łóżku? Przygotowałam go dla gości, którzy przyjeżdżają w przyszłym tygodniu. Przecież ci tłumaczyłam, druga sypialnia w holu.

– O kurczę, przepraszam! Weszłam tam, ale myślałam, że to składzik na szczotki. Nie martw się, zaraz przeniosę swoje rzeczy. – Powinna była się domyślić, że

Natalie umieści ją w składziku. To w jej stylu. Natalie chciała być hojna, uważała siebie za taką, ale w końcu wpadała w panikę, myśląc, że ktoś ją wykorzysta albo polubi z niewłaściwych powodów.

– Dałabym ci niebieski pokój gościnny, ale Ana-Maria nadwerężyła sobie plecy. Nie mogę jej prosić, żeby zmieniła pościel na ostatnim piętrze. Nie masz nic przeciwko temu, prawda?

– Nie, nie – zaprzeczyła Florence. – Naprawdę wszystko w porządku. Oczywiście mogę sama posłać sobie łóżko. – Chciała przez to powiedzieć, że chętnie zmieni pościel w niebieskiej sypialni, ale Natalie źle ją zrozumiała.

– Och, mogłabyś? Prawdę mówiąc, pewnie zapomniałam posłać tam łóżka. Pościel leży w szafie w holu na drugim piętrze. Koc chyba nie będzie ci potrzebny. A umywalka i toaleta – możesz korzystać z tych na dole, koło kuchni. Niestety toaleta przylegająca do niebieskiej sypialni może przeciekać, ale gdybyś chciała wziąć prysznic, to znajduje się na zewnątrz, tuż koło basenu – za bambusowym parawanem.

– Świetnie – powiedziała Florence i wróciła na górę, by przenieść swoje rzeczy.

Po pewnym czasie posprzątała pokój i posłała łóżko, chociaż niektóre pudła okazały się niewiarygodnie ciężkie. Udało jej się jednak poustawiać je pod ścianami, więc przynajmniej miała dość miejsca na podłodze, żeby móc nieco swobodniej wchodzić i wychodzić. W bieliźniarce było mnóstwo prześcieradeł i ręczników, nigdzie jednak nie mogła znaleźć poduszki i koca. Kiedy skończyła, lekko bolała ją głowa, więc na chwilkę położyła się na łóżku. Była to dopiero druga jej wizyta w domu Natalie; już zapomniała, jakie to wyczerpujące i jak bardzo nie lubiła być gościem. Coś stuknęło w ścianę nad jej głową. Samotna mucha, koloru rodzynka i tłusta, może się upiła albo po prostu zakręciło jej się w głowie. Latała powoli tam i z powrotem, uwięziona i lśniąca.

Florence spojrzała na zegarek: dopiero szósta. Ma jeszcze czas na spacer po plaży, a nawet na szybką kąpiel. Przebrała się w kostium kąpielowy, skromne bikini w czerwoną kratkę, i narzuciła na siebie kwiecisty szlafrok plażowy. Natalie powiedziała, by korzystała z łazienki koło kuchni, ale kiedy Florence ruszyła w tamtą stronę, z pokoju obok wyszła jakaś kobieta – Florence kątem oka dostrzegła w środku dwuosobowe łóżko i krzyż na ścianie – i rzuciła jej tak ostre spojrzenie, że dziewczyna domyśliła się, że znowu zrobiła coś nie tak.

– Pani jest Ana-Maria? – spytała.

Kobieta, choć niska i pulchna, miała królewskie spojrzenie starożytnej inkaskiej władczyni i dziwny kształt głowy, której czubek był jak gdyby spłaszczony w imadle.

– Moja łazienka – powiedziała.

– Ojej, bardzo przepraszam – powiedziała Florence.

– Ja, Ana-Maria, *si*. Pani korzystać ta łazienka. – Wskazała na przebieralnię przy basenie widoczną za balkonowymi drzwiami i patio.

Na drugim końcu basenu, skulona w dziwnej pozycji, jakby złamała nogę, siedziała jakaś malutka złota istotka, która mówiła sama do siebie.

– Halo! – zawołała Florence.

Istota odprawiła ją ruchem ręki, po czym zmieniła pozycję i Florence dostrzegła, że rozmawia przez telefon komórkowy, jednocześnie uprawiając jogę, czy też wykonując ćwiczenia rozciągające.

W toalecie w kabinie nie było papieru toaletowego.

– Halo! – krzyknęło stworzenie, kiedy Florence odeszła, po czym rzuciło się w jej stronę niczym koliber, który umoczył dziobek w fiolce z krystaliczną amfetaminą. – Przepraszam, rozmawiałam przez telefon! Jestem Mica Geller, aromaterapeutka Natalie. Wykonuję też masaż. Natalie mówiła, że kiedy z nią skończę, może ty też miałabyś ochotę spróbować. Sprawdzić, czy ci się podoba. – Podsunęła jej pod nos jakiś proszek w małej fiolce. Florence nerwowo zrobiła krok w tył, ale przedtem poczuła silną woń sztucznych cytrusów, mentolu i czegoś jeszcze, co przypominało zapach paliwka turystycznego pod garnkiem z fondue. – Cudowny, prawda?

– Mmm.

– Właśnie go skomponowałam. Możemy wypróbować na tobie. Mieszanka trawy cytrynowej, olejku pomarańczowego, kleiku z drzewa herbacianego, liści eukaliptusa i paru innych składników; jest zrobiona z samych roślin i przeznaczona dla osoby, która niekoniecznie chciałaby dotrzeć do swej duchowości, chociaż powinna. Mam nadzieję, że cię nie obraziłam. Nie bierz tego do siebie, ze wszystkimi rozmawiam w ten sposób. No, ale przyjrzyjmy ci się. – Zanim Florence zdążyła ją powstrzymać, Mica zrobiła krok do przodu i ściągnęła z niej kwiecisty szlafrok. – Jesteś fantastyczna! – wykrzyknęła. – Ale sama dobrze o tym wiesz, prawda? – Florence nie odpowiedziała. – Wiesz, że jesteś fantastyczna, prawda? – dopytywała się Mica.

– Jestem w porządku – powiedziała w końcu Florence.

– Więcej niż w porządku! Powiedz to.

– Szłam tylko na spacer – wymamrotała Florence.

– Nie chcesz tego powiedzieć? Nie możesz mi powiedzieć: „Mica, jestem fantastyczna"?

– Nie jestem pewna, czy...

– Długie włosy blond, mały zadarty nosek... mogę obejrzeć twoje zęby? – Florence ani drgnęła, więc Mica wychyliła się do przodu i rozsunęła jej wargi. – Kto ci robił zęby?

– Nikt.

– O rany. Są piękne. Nikt ci nie mówił, że z takim wyglądem powinnaś zostać gwiazdą kina?

Florence spojrzała na nią podejrzliwie.

– Pewnie.

– Nie żartuję!

Nic nie mogła poradzić na to, że było jej miło – sprawiało jej przyjemność to, że podziwiano ją niczym konia na aukcji. Gdyby tylko mężczyźni choć w połowie ją tak doceniali! Rzucali jej spojrzenia pełne zachwytu, lecz tępe, pozbawione uznania dla szczegółów. Przypominali dzieciaki, które z równym zapałem wtykają paluszki w galaretkę i suflet morelowy, nie umiejąc dostrzec różnicy w jakości. Mica okrążyła Florence stojącą w samym kostiumie kąpielowym.

– Nieźle. – Wyglądała na zdecydowaną wgryźć się w samą istotę Florence, niczym ryba skubiąca skórę rekina w poszukiwaniu pasożyta. – Ale przydałoby się trochę poćwiczyć uda i mięśnie brzucha. – Lekko kuksnęła Florence w brzuch. – Wciągnij brzuch, dziewczyno! Wyprostuj się!

– Co ty robisz? – spytała Natalie. Leżała nago twarzą do dołu na kozetce rozstawionej w salonie. Jej pośladki wyglądały jak dwa naleśniki zostawione do wieczora na talerzu. W pokoju unosił się słodkawy zapach zgnilizny.

– Szukałam cię! – odparła Florence. – Pomyślałam, że pójdę na spacer i trochę popływam, żeby się orzeźwić. Boże, Natalie, jaki ty masz płaski tyłek. – Miał to być komplement, lecz Natalie podejrzliwie podniosła głowę. – Ale z ciebie szczęściara! Co to za zapach?

– Lawenda i bergamotka. Muszę poleżeć jeszcze piętnaście minut. Widziałaś, dokąd poszła Mica? Rozbolała mnie głowa. Mica zawsze powtarza, że kiedy boli mnie głowa, to znaczy, że aromaterapia działa.

– Była na patio – powiedziała Florence. – Mam ją poprosić, żeby wróciła?

– To cholerstwo śmierdzi! – Natalie nagle usiadła, okrywając się białym ręcznikiem. Leżała na warstwie czegoś, co wyglądało jak królicze bobki.

– Na... na czym leżałaś?

– Na kamieniach. Są nasączone zapachem i rozgrzane. Ciepło uwalnia aromat.

– Śliczny zapach.

– Tak uważasz? Podobno świetnie działa. Każda z jej klientek ma własną kombinację zapachową w zależności od potrzeb organizmu. Może jednak przyszła pora, by Mica opracowała dla mnie nową kombinację. Myślę, że to, co mi dolegało, już przeszło.

– Organizujesz coś dzisiaj wieczorem?

– Chyba że masz własne plany! Zamierzałam dzisiaj spędzić spokojny wieczór. Myślałam, że przyjedziesz zmęczona miastem. John wróci dopiero po zmroku, więc będzie tylko nasza trójka i resztki z obiadu.

– Niezły pomysł.

– Wolałabym jednak, żebyś nie szła na spacer. Myślałam, że pomożesz Ana-Marii w kuchni.

– Chciałam tylko trochę popływać...

– Droga na plażę zajmuje pół godziny, więc nie wróciłabyś przed ósmą. Jutro wieczorem ma przyjść osiemdziesiąt osób. Ana-Maria nadwerężyła sobie plecy i obiecałam, że ktoś jej pomoże. – Wyraz twarzy Natalie nieco złagodniał. Florence pomyślała, że przyjaciółka wygląda na zdenerwowaną. Gdyby choć na chwilę odpuściła osobom ze swojego otoczenia, cały wszechświat by pękł jak kruchy batonik. – Tak sobie pomyślałam... Mówiłaś, że Charlie zatrzymał się na weekend u swojej matki, mógłbym go zaprosić na przyjęcie, jeżeli ma czas.

2

– Hej tam! – John, mąż Natalie, postawił przy drzwiach kije do golfa. Był wysokim mężczyzną o delikatnych rysach twarzy, a jednak Florence niepokoiło to, że gdy próbowała go sobie wyobrazić, w jej głowie nie pojawiał się ani jeden obraz oprócz oczu za grubymi szkłami, które przypominały żabie ślepia. Niezależnie od wyrazu twarzy jego oczy zawsze pozostawały zimne i gadzie. Było w nim coś niepozornego, chłopięcego: miał wygląd mężczyzny, który nigdy nie wyrósł ze szczęśliwych lat szkolnych.

– Cześć, John! – powiedziała Florence, starannie obwiązując się w talii paskiem szlafroka, gdy mężczyzna ruszył przez pokój, by ją uściskać.

Potem pocałował Natalie, przysiadając na brzegu kozetki.

– Jak ci się grało?

– Nie najgorzej! Co u ciebie, Florence? Wygląda na to, że dobrze się bawicie. Co porabiacie? Robicie sobie masaż?

– Florence, nie przeszkadzałoby ci, gdyby Mica zrobiła masaż Johnowi, a nie tobie? Wiem, że przed następną wizytą ma czas na jeszcze tylko jeden.

Ponieważ wyświadczyła jej przysługę – zaprosiła kawalera, który stanowił dobrą partię – teraz Florence musiała zostać ukarana. Właściwie przyjęła to z ulgą. Dziwnie by się czuła, gdyby zupełnie obcy człowiek – a do tego tej samej płci – miętosił jej nagie ciało, stopniowo zmuszając je do uległości. Zasadniczo sprowadzało się to do płacenia za torturowanie ciała, podczas gdy umysł chichotał złośliwie, mszcząc się na organizmie, w którym został uwięziony.

– Nie chcę pozbawiać Florence masażu, Nats – powiedział poważnie John.

– Och, nie, nic nie szkodzi – odrzekła Florence. – I tak go nie planowałam.

– Na pewno? – spytał.

– Mmm. Właściwie miałam iść się przebrać, żeby pomóc Ana-Marii w przygotowaniach do jutrzejszego przyjęcia. Zbierze się niezły tłumek! – Jej głos brzmiał nienaturalnie, sztywno, ale John już tak na nią działał. Na jego twarzy zawsze malował się sztuczny uśmieszek.

– Tak? – powiedział, idąc za nią po schodach. – Najpierw szybko wezmę prysznic. Zmyję z siebie cały ten kurz. A potem wezmę jeszcze jeden prysznic, żeby zmyć olejek do masażu! Ale trudno. To co tam u ciebie, Florence?

– Nie wiem, co ci powiedzieć, John. Pracuję u Quayle'a.

– Quayle, Quayle...

– W tym domu aukcyjnym.

– Chyba go nie znam.

– Cóż, nie jest to Sotheby czy Christie. Możesz mi wierzyć, że chciałam się tam dostać, ale powiedzieli, żebym wróciła, kiedy zdobędę więcej doświadczenia. Nic z tego nie rozumiem, bo mnóstwo ludzi tam zaczyna bez doświadczenia. Nieważne. O ile wiem, to ojcowie płacą, żeby ich dzieci zdobyły tam pracę.

– Może i masz rację. Nigdy się nad tym nie zastanawiałem. Słuchaj, lecę na górę i wezmę szybki prysznic... Potrzebujesz czegoś?

Była nieco skrępowana.

– Och, nie. Niczego nie potrzebuję, dzięki.

Miała wrażenie, że już od kilku godzin, zgodnie z instrukcjami Ana-Marii, sieka cebulę na równiutkie kawałeczki. Gospodyni siedziała z nogami w elektrycznie podgrzewanej wanience pełnej mydlin. Od czasu do czasu wstawała, by sztywnym krokiem przejść przez kuchnię i zaskrzeczeć coś do Florence niczym wściekła wiewiórka. Florence widziała, że Natalie odnosi się do Ana-Marii niezwykle ostro, nie miała więc pojęcia, jak ta kobieta wytrzymuje pracę w jej domu. Teraz wszystko wskazywało na to, że Ana-Maria zamierza wyładować cały gniew na Florence. Dziewczyna już myślała, że zemdleje z głodu, kiedy gospodyni wyjęła z lodówki wielką michę sałatki i zaniosła ją do drugiego pokoju, wracając tylko na krótko po parę butelek dressingu.

Do kuchni wszedł John.

– Florence, jadłaś już kolację? – spytał.

– Umieram z głodu.

– Chodź, zjemy razem trochę sałatki, jeśli masz ochotę. Wpadłem tylko po piwo. Napiłabyś się?

– Niezły pomysł. Co pije Natalie?

– Położyła się do łóżka. Od wszystkich tych zapachów rozbolała ją głowa. Zdaje się, że jest na jednej z tych swoich warzywnych głodówek. Wystarczy ci sama sałatka?

– Jasne, doskonale! – powiedziała Florence, oddając nóż Ana-Marii, która rzuciła jej potępiające spojrzenie.

Sałatka była całkiem niezła, chociaż nieco zeschnięta po brzegach – poprzedniego dnia pewnie wyglądała bardziej świeżo. Znajdowała się w niej czerwona i zielona sałata, ciemnozielone liście szpinaku, kawałeczki kruchego bekonu, tarty ser, rozmaite ziarna, maleńkie pomidorki wielkości paznokcia, posiekane jajko na twardo, krążki żółtej i fioletowej papryki, słodka cebula i kukurydza.

– Pycha! – pochwaliła z entuzjazmem, nalewając sobie na talerz trochę sosu z miodu i musztardy. Za niczym tak nie przepadała jak za sałatkami. Tylko one wydawały jej się czyste, one i świeże owoce. John jadł z ponurą miną, w pośpiechu, jakby potrawa pozbawiona była smaku. Zdecydowanym ruchem odsunęła bekon na brzeg talerza. – Jak ci się grało w golfa? – spytała po dość długim milczeniu.

– Nieźle! Dziewięćdziesiąt dwa, co jest dla mnie ponad przeciętną.

– Brzmi nieźle – powiedziała z wahaniem, nie miała bowiem zielonego pojęcia, o czym John mówi.

– A ty grasz w golfa, Florence?

– Niestety nie. To jedyne kursy, na jakie matka mnie nie posyłała. Uczyłam się gry w tenisa, baletu, gry na pianinie. Nawet nie pamiętam, czego jeszcze, ale ona miała z góry ukształtowane pojęcie o tym, czego dziewczynki powinny się uczyć. – Nie dodała, że ostatecznie przerwała większość lekcji, kiedy miała dziesięć lat i umarł jej ojciec, a był to wiek zbyt młody na to, by kursy te zdążyły wywrzeć stały wpływ na jej talenty i umiejętności. – Ale wydaje mi się, że mój dziadek był w młodości zapalonym golfistą.

– Nie myślałaś o tym, żeby się nauczyć?

– Boże, bardzo bym chciała! Może poszłabym kiedyś z tobą chociaż popatrzeć i dostać parę rad. Albo, jeżeli jesteś zbyt zajęty, może poleciłbyś mi instruktora?

Już się widziała na polu golfowym z jasnymi włosami związanymi w koński ogon, w specjalnych różowych butach i szortach, pokazującą umięśnione łydki i podczas zamachu uginającą nogi pod odpowiednim kątem. Na polach golfowych jest mnóstwo mężczyzn. Powinna była na to wpaść wiele lat temu.

– Czemu nie. Jutro chyba mam mecz, ale jeżeli po południu znajdę czas, to mógłbym cię zaprowadzić na pole; wypożyczymy kijki, zobaczysz, że ci się spodoba! – John wbił wzrok w talerz, zakłopotany własną wylewnością. – O czym to mówiłaś wcześniej? Chcesz się przenieść do Sotheby'ego?

– Sama nie wiem. Nie jestem pewna, czy to coś zmieni. Poza tym oni dosłownie nic nie płacą, chociaż u Quayle'a dostaję jeszcze mniej. Nie chodzi o to, że zależy mi na pieniądzach; bo inaczej przecież nie poszłabym pracować do domu aukcyjnego. Zawsze bardziej interesowały mnie... perspektywy. Doszłam więc do wniosku, że ponieważ mam trochę pieniędzy po matce, stać mnie na przyjęcie posady praktykanta, wiesz, naukę zawodu. Ale sama nie wiem, co się stało. Kupiłam mieszkanie, a życie w mieście jest takie drogie, i zostało mi ostatnie dwadzieścia pięć.

– Ćwierć miliona? – spytał John. – No, to niewiele, ale jeżeli odłożysz je na parę lat, to można je nieźle zainwestować...

– Nie, nie, dwadzieścia pięć tysięcy. Mniej więcej tyle, ile wynosi moja roczna pensja u Quayle'a, a to nie starczy na życie. No i miałam nadzieję...

– Potrzebujesz porady finansowej? Zainwestuj je.

– Ale w co? Potrzebuję pieniędzy, przyzwoitej sumy, żeby mieć na życie! – wyrzuciła z siebie przenikliwym głosem. Nieco się żachnął na ten wybuch. Spróbowała zmienić ton. – John, ale tak szczerze, ile bym zarobiła, gdybym zdecydowała się podjąć ryzyko?

– Jeżeli masz tylko tyle, to nie wiem, po co ryzykować. Gdybyś dysponowała większą sumą, mógłbym je wziąć i, sam nie wiem, podwoić w ciągu roku.

Na tę myśl prawie zaczęła dyszeć. Gdyby udało mu się w ciągu roku podwoić jej oszczędności, to po dwóch latach miałaby sto tysięcy, i tak dalej.

– Wiem, że zwykle nie zajmujesz się takimi drobnymi sumami.

– Czekaj, niech pomyślę. Sprawdzę, co da się zrobić. Moja firma nie inwestuje wkładów poniżej ćwierć miliona... No dobrze. Zastanów się może nad czymś takim: niedługo będzie otwarcie nowej restauracji. Właścicielem jest mój bardzo dobry znajomy, odnosi same sukcesy. Słyszałaś o Stoczni Belfast? O Wschodnich Prusach? O Partii Liberalnej? Tam nigdy nie ma wolnych stolików; wszystkie trzy lokale należą do Dereka. Zrobiłem właściwy krok, jako jeden z pierwszych jego znajomych zainwestowałem w Stocznię.

– Ile trzeba wpłacić? Jakie są zyski?

– Ujmijmy to w następujący sposób: w ciągu pół roku podwoiłem swoje pieniądze. Potem tempo nieco się zmniejszyło, ale minęło prawie pięć lat, a Derek nadal mi wypłaca niecałe trzydzieści trzy procent. Oczywiście dostaję więcej, bo zaufałem mu jako jeden z pierwszych. Wiem, że udziały w tym nowym miejscu wynoszą siedemdziesiąt pięć procent. Ale jeżeli ten pomysł ci się podoba, to może pogadajmy z Derekiem i zobaczmy, czy da ci jedną trzecią udziałów za twoje dwadzieścia pięć tysięcy. Chciałbym ci pomóc.

– Och, to cudownie! To znaczy, tak, zdecydowanie jestem zainteresowana. Dzięki, John, nie chciałabym ci zawracać głowy, ale byłoby wspaniale!

– Łap mnie w przyszłym tygodniu pod numerem w Nowym Jorku i jakoś się umówimy. Pójdziemy razem na lunch. No! – Odsunął krzesło od stołu. – Chodźmy na dwór i wypijmy drinka. Przy basenie mam barek i całkiem przyzwoite porto. Muszę tam uciekać, kiedy chcę zapalić cygaro, Natalie nie znosi tego zapachu. A tobie dym nie będzie przeszkadzać?

– Nie, skąd.

– To dobrze, to dobrze. Może i ty się skusisz.

– Dzięki, ale chyba nie dzisiaj.

Wyszła za nim i usiadła na wilgotnym plastikowym szezlongu, on zaś wszedł do baru, żeby przyrządzić drinki. Zapalił podwodne światła w basenie, które zabarwiły wodę na surrealistyczny, nienaturalny odcień błękitu. Zapach chloru był tak silny, że niemal czuła go na języku. Pomyślała, że tak właśnie smakują pieniądze, posiekane na sałatkę zielone banknoty o wysokich nominałach.

– Mogę cię o coś spytać? – odezwał się John, stając za nią w ciemności. – Myślałaś kiedyś o tym, żeby wyjść za mąż?

– Chyba jeszcze nie spotkałam odpowiedniego mężczyzny! – odparła. Nie mogła powstrzymać lekkiej irytacji. – Wiesz, jak to jest w Nowym Jorku. Większość facetów to geje, a heteroseksualiści, którzy tam przyjeżdżają, są strasznie ambitni – nie chcą się żenić, tylko umawiać z modelkami i popisywać przed kolegami.

– W moim biurze wszyscy są żonaci, inaczej poznałbym cię z którymś. Nie żebym musiał ich do tego zmuszać. Masz współlokatorkę?

– Nie mogę – odparła. – Sama nie wiem, chyba jestem na to za stara.

– Wcale nie jesteś za stara. Ile masz lat?

– Trzydzieści dwa.

– Chyba żartujesz... Coś się wymyśli. A przy okazji, jak ci się podoba twój pokój?

– Bardzo! W nocy chyba zbytnio się nie ochłodzi, co? Natalie mówiła, że koc nie będzie mi potrzebny.

– Nie wiem. Noce bywają chłodne. Jeśli chcesz, znajdę koc i ci przyniosę. W którym jesteś pokoju?

– W tym małym jednoosobowym. Ale na pewno sobie poradzę.

– W jakim małym jednoosobowym?

– Tam, gdzie jest jednoosobowe łóżko.

– Wydawało mi się, że to składzik! – powiedział John z oburzeniem. – Dlaczego tam nocujesz? Zajmij któryś z dużych z łazienką!

– Och, nie, dam sobie radę, naprawdę. Myślę, że Natalie przeznaczyła pozostałe pokoje dla innych gości.

– Jak chcesz. Słuchaj, nie oskarżaj mnie o rasizm. Wiem, że wchodzę na niebezpieczny teren... – zaśmiał się na całe gardło. Florence przyglądała mu się w milczeniu, ze słabym uśmiechem na twarzy – ... ale jesteś jeszcze młodą, atrakcyjną kobietą i na twoim miejscu poważnie bym się rozejrzał za perspektywami wyjścia za mąż. Tak być nie może. Na przykład twoja praca u Quayle'a, bardzo przyjemne zajęcie dla młodej kobiety, ale trudno je nazwać karierą. Traktujesz to jako robienie kariery? Nie sądzę. Na pewno przychodzi tam mnóstwo ludzi, na wernisaże i tak dalej, którzy bardzo chętnie by cię poznali.

– Wiem! Po prostu... no cóż, jestem bardzo nieśmiała i sama nie wiem, nikt mnie nie zagaduje...

– Nie uważam cię za nieśmiałą, Florence. – Znowu zaniósł się od śmiechu, który bardziej przypominał ryk łosia niż dźwięki wydawane przez człowieka. – Jeżeli ludzie do ciebie nie podchodzą, to pewnie dlatego, że się ciebie boją. Wiesz, czasami potrafisz być onieśmielająca. To ty powinnaś podchodzić do nich.

Prawda zaś była taka, że jej przełożeni, głodni i ostrożni jak kojoty, obserwowali ją, jakby była nornicą. Quayle'a trudno było uważać za biuro matrymonialne. Już zdążyła się o tym przekonać. W każdym razie jedyni mężczyźni, którzy przychodzili na aukcje biżuterii, kupowali prezenty dla swoich żon, dziewczyn czy narzeczonych. Albo byli gejami nabywającymi towar do swoich sklepów.

Nie odpowiadała. John szarpnął się za włosy, po czym obejrzał kosmyk, który mu został w dłoni.

– Zanim pójdę na górę, pooglądam sobie sport w telewizji w pokoju rekreacyjnym. Masz ochotę się przyłączyć?

– Nie, chyba jeszcze tu posiedzę parę minut.

– Częstuj się, gdybyś miała ochotę na drinka, i daj mi znać, jeżeli zdecydujesz się na ten koc.

– Dzięki, John.

Wyczuła, że oprócz niej ktoś jeszcze jest w pokoju. Natalie miała rację; koc nie był jej potrzebny. Ponieważ w pokoju znajdowało się tylko jedno okno, nie istniało ryzyko wystąpienia przeciągów, a teraz, o trzeciej czy czwartej rano, powietrze stało w miejscu. Słyszała cichy ryk fal w oddali. Osoba, która weszła do pokoju, zakasłała cicho, ale nie poruszyła się, jakby wiedziała, że jeden fałszywy ruch może spowodować lawinę najróżniejszych urządzeń i przedmiotów.

– Kto to? – spytała.

– Ćśśś – powiedziała postać. – Nie zapalaj światła. Przyszedłem tylko, żeby sprawdzić, czy wszystko w porządku. To ja.

– John? Co ty tu robisz?

Potykając się, ruszył przez pokój w jej stronę. Udało mu się o nic nie przewrócić i usiadł na brzegu łóżka. Już miała się podnieść i poprosić, żeby wyszedł, kiedy runął na nią, przyciskając tak mocno, że ledwo mogła wydobyć z siebie głos.

– Co ty robisz? – powtórzyła. – John, tak nie można. Wynoś się! Co z Natalie? – Próbowała się wyrwać, lecz udało mu się ściągnąć z niej spodnie od piżamy i wbić w nią palce, jakby zahaczał je o skrzela ryby.

– Nie martw się – powiedział, zarzucając drugą rękę na jej piersi, by ją przytrzymać. – Natalie to nie obchodzi; od lat nie śpimy ze sobą. Nie ma nic przeciwko temu. Niedługo się rozwodzimy. Proszę, Florence, musisz mi pomóc. Umrę, jeżeli to się nie skończy. Od lat jestem w tobie zakochany. Odkąd cię pierwszy raz zobaczyłem, a ty się uśmiechnęłaś. Ten uśmiech był taki... szczery, taki otwarty. Nie widuje się takich naturalnych uśmiechów, nie w Nowym Jorku. Nie masz pojęcia, jak ja się męczę. – Obsypywał jej twarz pocałunkami, a w tym czasie jego palce kontynuowały swą ponurą, gwałtowną penetrację. – Proszę, Florence, proszę – powtarzał, przykrywając jej usta poduszką. Był tak rozgorączkowany, tak zdesperowany, że nie mogła mu nie współczuć. W ciemności, w obcej sypialni cała ta sytuacja wydawała się niezbyt rzeczywista. Zastanawiające, że Natalie nawet nie wspomniała o zbliżającym się rozwodzie, ale może po prostu nie miała ochoty o tym mówić, co było zrozumiałe. Nic dziwnego, że wydawała jej się tak szorstka. Jednocześnie Florence zalała fala litości dla Johna; był zrozpaczony, krok od załamania. Tylko się wydaje, że ci ludzie mają wszystko. Pod spodem nie ma nic, to tylko starannie udekorowane pudło z tektury.

– Biedny John – wymruczała, głaszcząc go po głowie. Intensywnie pachniał drogą wodą kolońską, której woń jednocześnie ją odpychała i przyciągała. Z pewnością działała na jej zmysł powonienia; na takiej samej zasadzie, na jakiej skądinąd inteligentny, wrażliwy piesek pokojowy może wpaść w dziki szał, gdy mu się pokaże padlinę zająca albo gdy po raz pierwszy jest zabrany na wieś i styka się z wyschniętymi krowimi odchodami. Po cichu zastanawiała się, co też najlepszego wyprawia, ale miała wrażenie nierealności. To nie miało z nią nic wspólnego. Czuła się co najwyżej tak, jakby wykonywała obowiązki pielęgniarki, takiej, która w poczuciu katolickiego obowiązku troszczy się o wszystkich pacjentów, lecz żadnego nie wyróżnia. – Biedny John – powtórzyła słowa, które najwyraźniej mu się spodobały.

3

Chyba nie było dużo później niż siódma rano, ale nie miała pewności – przy łóżku nie miała budzika, a ona nie nosiła zegarka. Nie spała już od paru godzin; leżała w łóżku z bolącą głową, usiłując wykrzesać z siebie siły, by zejść na dół do łazienki. W końcu się poddała i poszła do toalety obok. Ku jej przerażeniu, zabarwiona na niebiesko woda nie zniknęła, kiedy Florence ją spuściła, tylko powoli coraz bardziej się podnosiła. Florence zaczęła gorączkowo szukać przepychacza. Woda już miała dotrzeć do samej góry i zacząć wylewać się na podłogę, ale zatrzymała się, ku uldze Florence.

Odczekała chwilę. Co prawda woda nie schodziła, ale i się nie podnosiła. Może spłynie powoli, we własnym tempie. W końcu Florence włożyła kostium kąpielowy, złapała wiatrówkę z madrasu i zeszła na dół, gdzie w pustej kuchni zrobiła sobie filiżankę herbaty, po czym udała się na plażę. Wyrzucony na brzeg detritus – kruche mątwy, bezkształtne, lśniące, silikonowe bryły meduz, zielonoczarne, gumiaste pasma wodorostów

– kojarzył jej się z zawartością własnej głowy, nieuporządkowaną i chaotyczną, bardziej podobną do pierwotniaków niż słów.

– Florence! – Odwróciła się. W jej stronę pędził Darryl Lever ubrany w staroświecki kostium kąpielowy, w którym wyglądał jak cyrkowy atleta. – Florence, zaczekaj!

Nie ma co owijać w bawełnę: niezależnie od upływu czasu, za każdym razem, kiedy go widziała, miała ochotę walnąć go w łeb. Nie chodzi o to, że był nieatrakcyjny – bo był, i to na tyle, że raz, zbyt ochoczo, poszła z nim do łóżka. Miał ciemne kręcone włosy i niebieskie oczy o gęstych czarnych rzęsach – przypominał greckiego kurosa. Ale wyraz jego twarzy ciągle wahał się między stoickim spokojem a miną niemowlęcia, któremu niespodziewanie wyrwano cycka z buzi. Najwyraźniej miał do niej jakieś pretensje. To nie jej wina, że brakowało mu pieniędzy i, co gorsza, że w ogóle go one nie interesowały. Był słodki, dobry w łóżku, ale powinien poznać inną dziewczynę i już dać sobie spokój z Florence. Wyraźnie jednak ucieszył się na jej widok; może tym razem zapomni o dąsach.

Wyciągnął rękę i delikatnie strzepnął odrobinę piasku z twarzy Florence. Jego małe dłonie o wypolerowanych lśniących paznokciach były miękkie, jakby nacierał je na noc kremem nawilżającym. Od jego dotyku aż ją dreszcz przechodził – ale co z tego? W takich sprawach należy zachować obiektywizm i oddzielić ciało od umysłu.

Po plaży przetaczała się mgła, zimna i nieszczególnie orzeźwiająca; może w oceanie było tyle śmieci, że mgła ta składała się z samego metanu lub z wyziewów kręgów brudnej piany, unoszącej zużyte prezerwatywy i kości kurczaka, wspólnie tworzących wyspę odpadów wyrzucanych przez ludzi.

– Hej, Darryl, co tu robisz? – Znała go od przyjazdu do Nowego Jorku, ale od ich krótkiego romansu minęły już lata.

– Wpadłem na weekend, chociaż na widok tego miejsca robi mi się niedobrze. – Nagle zaczął kasłać. Miała nadzieję, że to nie zaraźliwe.

– Może lepiej wracajmy – powiedziała, patrząc przed siebie na zwężający się pas plaży, niby zakręcający plasterek koloru grzanki, który wtapiał się w chmurę rybioszarej mgły. Splotła ręce na piersi.

– Dlaczego? – spytał. – Zimno ci? Mam przynieść cieplejszą kurtkę? Bluzę? – Pokręciła głową. – Nie ma sprawy, przyda mi się trochę ruchu. – Znowu ze zdecydowaniem pokręciła głową. – Daj spokój, nie jest aż tak zimno. Przejdźmy się jeszcze kawałek. Chciałbym usłyszeć, co *ty* tu porabiasz.

– Nic tu nie porabiam!

– Naprawdę? Właśnie wypiłem kawę z Natalie. Powiedziała, że tu jesteś.

– Tak?

– Powiedziała też, że zamierza cię wyswatać z Charliem Twigallem. Zadzwoniła do niego z samego rana i zaprosiła na przyjęcie. Mam nadzieję, że on ci się nie podoba. To idiota. Jego matka rozpaczliwie usiłuje znaleźć mu żonę, oczywiście odpowiednią. To znaczy bogatą, Florence! Bogatą, z dobrej rodziny, taką, która będzie robiła wszystko pod dyktando Charliego! Poznałaś kiedyś jego matkę? Możesz mi wierzyć, że czeka cię niezły ubaw! – Był zdesperowany. Nie wiedziała, że jest aż tak zazdrosny. To chyba niemożliwe, by miał nadzieję, że do niego wróci. – Nie uważasz, że to idiota?

– W autobusie pokazał mi swój portret. Akt. – Wiedziała, że to Darryla śmiertelnie oburzy, zwłaszcza jeżeli sama nie okaże potępienia.

– Rany! Ten facet nosi ze sobą własne akty, które pokazuje kobietom? Jakie to żałosne!

– Wydaje mi się, że zrobił go sobie tuż przed wyjazdem. Jest bardzo hojnie wyposażony.

– Co za świr! – Nadal patrzył na nią błagalnie, szukając u niej potwierdzenia. Znowu się rozkasłał, tym razem tak gwałtownie, że dosłownie zgiął się wpół.

– Co ci jest? Powinieneś pójść do lekarza.

– Trochę piasku mi wpadło do gardła. Przepraszam.

Westchnęła.

– Jak tam w pracy?

– Muszę ci powiedzieć, że to miasto mnie wykańcza. Tak łatwo wylądować na samym dnie. Wczoraj przyszła do mnie rodzina, wiesz, w piątki pracuję w klinice w St. Theresa. Samotna matka z dwójką dzieci. Pracowała w firmie telekomunikacyjnej. Jej mąż czy chłopak, wszystko jedno, wykorzystywał ją. W końcu uciekła od niego, ale przedtem dosłownie całkowicie wyczyścił ich konto. Przeniosła się do Flushing; w jej domu wybuchł pożar, zostały same zgliszcza i już nie mogli tam mieszkać. Na jakiś czas zatrzymała się u znajomych, ale nic z tego nie wyszło. Resztę oszczędności wydała w ciągu paru dni na hotel, więc wzięła dzieciaki i poszli do schroniska. Pierwszej nocy dostała nożem, więc przenieśli się do parku, ale w ciągu dnia nie miała gdzie zostawić dzieci. Przez cały tydzień się nie myła, zaczęła śmierdzieć, brakowało jej ubrań, nie miała opiekunki do dzieci i w końcu ją wylali. Teraz nie ma pieniędzy, pracy, jest bezdomna. Sama widzisz, jakie to proste, w jednej chwili cały świat może się wywrócić do góry nogami. Wiele z tych osób nie grzeszy inteligencją, ale inni są tak samo bystrzy jak ty czy ja. To mogłoby się przydarzyć każdemu z nas.

– Coś okropnego. Ale nie sądzę, by mogłoby mnie spotkać coś podobnego. Jestem za bardzo rozsądna.

– Wiem. Pewnie sobie myślisz, że jestem nienormalny, dziwisz się, dlaczego pracuję za darmo, chociaż mógłbym być wybitnym prawnikiem na Wall Street, co?

– Nie wiem. – Wzruszyła ramionami. – Przynajmniej widzę, że chorobą dwudziestego wieku jest żądza bogactwa. Bogactwa i władzy. Kobieta nigdy nie zdobędzie prawdziwej władzy; jest to możliwe tylko wtedy, jeżeli bogato wyjdzie za mąż. Przedtem kobiety nie miały nawet takiej szansy. Cieszyły się, jeżeli w ogóle udawało im się znaleźć męża, zanim wpadły w staropanieństwo. A potem były zadowolone, jeżeli po ślubie mąż ich nie tłukł albo nie umarły przy porodzie. Przynajmniej jestem na tyle uczciwa, by widzieć świat takim, jaki jest, i wiedzieć, na czym mi zależy. Ta choroba istnieje i nie minie, dlaczego więc miałabym udawać, że to, czego pragnę, jest haniebne lub wstrętne? – Darryl miał kwaśną minę. Kiedyś rak lub cykl menstruacyjny były tematami tabu. – Dlaczego się boczysz? Powinieneś się cieszyć, że jestem wobec ciebie szczera. – Nie dodała, że jest z nim szczera dlatego, że Darryl jej nie interesuje.

– Dlaczego miałbym się nie boczyć? Nie jesteś moją przyjaciółką. Może masz rację, że to, co robię, nikomu nie pomaga, ale przynajmniej próbuję! Jesteś taka sama jak inne kobiety z Nowego Jorku; próbujesz nazgarniać tyle dóbr materialnych, ile tylko zdołasz! Powinienem się cieszyć, że twoim zdaniem jesteś uczciwsza od innych. To beznadziejne; kto chciałby żyć wśród ludzi, którzy nie istnieją?

– Twierdzisz, że nie istnieję?

– Próbujesz nie istnieć. Może i miałaś szansę stać się prawdziwą istotą ludzką, ale wybrałaś pustkę, sztuczność i nierzeczywistość.

Wściekła, odeszła szybko, raz tylko zerkając w tył przez ramię. Widziała, jak chudy i wąskobiodry, ciężkim krokiem odchodzi plażą, już odległy o ćwierć mili. Z tego dystansu wyglądał tak chłopięco, że można by go wziąć za czternastolatka; miał bladą skórę, płaski brzuch – przypominał młodego kogucika. Dlaczego nie weźmie się za siebie; powinien trochę poćwiczyć i wreszcie dorosnąć. Kojarzył jej się z rasowym, neurastenicznym pieskiem, greyhoundem albo chartem perskim, który skubie własne łapki i nerwowo spogląda w dal, a ona chciała golden retrievera, a nawet owczarka niemieckiego.

– Florence, zaczekaj! Mogę cię o coś spytać? – Dzięki jakiemuś kaprysowi natury, mgle lub wiatrowi, jego głos brzmiał tak wyraźnie, jakby Darryl szeptał jej do ucha.

– O co chodzi?

– Dlaczego chcesz być nieczłowiekiem? Widziałaś kiedyś *Inwazję porywaczy ciał*? *Żony ze Stepfordu*? Dlaczego chcesz się przyłączyć do żywych trupów?

Udała, że go nie słyszy. Daruj sobie, pomyślała. Kręcąc głową, ruszyła szybciej brzegiem, po czym zrzuciła wiatrówkę i weszła prosto do morza. Woda była lodowato zimna, a fale przesycone solą i piaskiem uderzały w nią tak wściekle, że udało jej się zaledwie parę razy zamachać rękami, zanim ją obezwładniły.

Szła pod prysznic na zewnątrz, by się opłukać, kiedy sobie przypomniała, że nie ma ręcznika, i skierowała się do środka. John, Natalie i Claudia, ich córka, dość brzydkie, mniej więcej ośmioletnie dziecko o cerze barwy ciasta z mąki i wody, siedzieli przy stole w kuchni nad resztkami śniadania.

– Cześć! – krzyknął John. Jego głos zabrzmiał nieczysto w jej uszach. Starała się nie patrzeć mu w oczy. – Jadłaś już śniadanie?

Usiadła.

– Właściwie to nie – powiedziała, patrząc na dwie zimne grzanki, z których jedna była przypalona.

– Częstuj się. – Natalie przysunęła jej grzankę. – Claudia, przynieś nóż i talerz.

Dziecko nie ruszyło się z miejsca.

– Nie szkodzi – powiedziała Florence. – Podaj mi ten nóż, którego używałaś. Wytrę go serwetką. Claudia, nawet nie wiedziałam, że tu jesteś! Gdzie się podziewałaś? Myślałam, że wyjechałaś na obóz.

– Była na obozie tenisowym – wyjaśniła Natalie. – Wróciła parę dni temu. Ale niezbyt dobrze ci poszło, co? Wiesz, na którym miejscu się znalazła? – Florence pokręciła głową. – Na takich obozach robią ranking zawodników. Pod koniec dwóch tygodni trafiła na ostatnie miejsce! Dziesięć tysięcy dolarów, a ona po dwóch tygodniach była gorsza niż na początku!

– Czy w przyszłe wakacje mogę pojechać na obóz jeździecki?

– Już ci mówiłam, Claudia, że porozmawiamy o tym dopiero w styczniu! Musisz coś zrobić ze stopniami! Do końca lata zostaniesz tu i będziesz brała korepetycje. – Odwróciła się do Florence. – Nie grzeszy inteligencją. Gdyby chociaż miała wyrosnąć na prawdziwą piękność, jakoś by jej to uszło na sucho, ale oczywiście i tego trudno się spodziewać.

Wstrząśnięta Florence spojrzała na Johna, myśląc, że położy kres krytyce żony, ale on czytał dział sportowy „Timesa". Przyszło jej do głowy, że bezmyślna złośliwość Natalie jest próbą zahartowania osób z jej otoczenia. Była jak instruktor musztry na obozie dla rekrutów: zwalając ich z nóg, sprawi, że staną się zapalczywi i gotowi do walki. Niestety ta technika nie działała na każdego. Claudia się skurczyła. Florence wiedziała, że dziewczynka nie rozkwitnie, lecz pozostanie przycięta i ze spętanymi korzeniami – niczym przygarbione i powykręcane drzewko bonsai.

– A co porabiasz od powrotu z obozu? – spytała ją.

– Pomieszkuje u Jessiki Walker, wiesz, u córki Steve'a Walkera – powiedziała Natalie.

– To moja najlepsza przyjaciółka – wtrąciła Claudia.

– Steve przywiózł dziewczynki z obozu prywatnym samolotem – dodała Natalie. – Ta Jessica jest po prostu niesamowita. Kiedy się ją widzi, trudno uwierzyć, że ma tyle samo lat, ile Claudia. Jest taka dystyngowana. Myślę, że wyrośnie na niezwykłą kobietę.

– Jessica ma trzy konie – oznajmiła Claudia.

– To miło – powiedziała Florence. – Pojeździsz sobie na nich przez parę dni?

– Instruktor jeździ na Popperze: to niebezpieczny koń. Jessica jeździła na Komanczu: to dziewięcioletni kasztanek półkrwi arabskiej, z białymi skarpetkami i gwiazdką na czole. Mi dostał się Stonoga: jest dość wolny, stary, ale bardzo miły. Jessica zamierza go sprzedać, ale ja go nie chcę. Wolałabym innego.

– Dlaczego go nie chcesz?

– Z powodu maści.

– A jakiej jest maści?

– Jest cętkowany.

– To nie maść! – powiedział John.

Florence czekała, aż skomentuje swój zwierzęcy rechot. Najwyraźniej potrafił się śmiać tylko z tego, co sam powiedział. Przelotnie spojrzał na Florence z drobnomieszczańską satysfakcją, jak człowiek, który właśnie kupił grecką wazę z czerwonymi sylwetkami poniżej jej wartości. Odwróciła wzrok.

– Tatusiu! – wykrzyknęła Claudia. – To też maść. Przecież ci mówiłam. „Cętkowany" to biały koń w czerwone cętki!

– Jesteś pewna, że to nie znaczy, że ten koń ma pchły[1]?

– Nie, tatusiu! Jesteś głupi!

– Twój własny ojciec? Głupi? Jak możesz tak mówić?

Były to zwykłe, dobroduszne, męsko-damskie przekomarzanki, jakie często zdarzają się między ojcem a córką. Trudno sobie wyobrazić matkę podejmującą podobną grę z córką. Dziewczynka cieszyła się z tego flirtu. Że też jej ojciec może być tak głupi! Podobny trening może się przydać w dorosłym życiu: podobnie jak szympans uczy swojego potomka rozłupać orzech, tak John uczył Claudię, że mężczyźni są głupi, lecz należy im schlebiać, przymilać się, by zrozumieli prawdę. Nagle przypomniało jej się, że będąc w wieku Claudii, czuła, że ojciec na pewno kocha ją bardziej niż matka – jak matka mogła go nie doceniać? Teraz jednak rozumiała, że żadna dorosła kobieta nie potrafiłaby podziwiać mężczyzny z takim samym zaślepieniem jak dziecko.

Claudia była gotowa kontynuować tę parodię roli żony, lecz John stracił zainteresowanie.

---

[1] Gra słów: *flea-bitten* to maść konia, ale również „pogryziony przez pchły".

– Już wiem, o czym zapomniałem wspomnieć, Nats – powiedział. – W zeszłym tygodniu na koktajlu u Joego wpadłem na Lisę Harrison. Znowu spotyka się z Lesleyem Crouse'em.

Natalie odłożyła gazetę.

– Chodzi z nim z przerwami od lat. Ciągle na niego narzeka.

– Wszystkie kobiety, z którymi kiedykolwiek się spotykał, skarżą się na niego. Ma za dużego kutasa. Sprawia im ból – powiedział John. – W każdym razie, chociaż chyba nie powinienem tego powtarzać, Lisa jest w ciąży.

– Och, to wspaniale! – powiedziała Florence. – Na pewno bardzo się cieszy. To chyba znaczy, że nie powinnam porzucać nadziei. – Jej zazdrość była jednak większa od radości. Jak to możliwe, że ona ma trzydzieści dwa lata i jeszcze nikogo sobie nie znalazła, już nie wspominając o urodzeniu dziecka, a udało się to kobiecie o tyle od niej starszej?

– Musi mieć co najmniej czterdzieści dwa lata – powiedziała Natalie. – Nie powinna rozpowiadać o swojej ciąży, bo jeszcze poroni.

– Twierdzi, że chce urodzić to dziecko, ale nie ma mowy, żeby wyszła za Lesleya – powiedział John.

Zapadło milczenie.

– Ja uważam, że to cudownie! – powtórzyła Florence. Wypowiadając wystarczającą liczbę banałów i miłych odpowiedzi, mogła ukryć swe prawdziwe myśli. A może po prostu gniew żarzący się w pokoju dało się zdusić uprzejmościami. Zresztą, co ją to wszystko obchodzi?

Skoro zachowują się tak, jakby ich własne dziecko było niewidzialne albo w ogóle nie istniało, to jej obecność musi im się wydawać o wiele mniej rzeczywista.

Natalie rzuciła jej gniewne spojrzenie.

– Moim zdaniem to straszne. Jeżeli zamierza urodzić, to powinna wyjść za mąż. Coś okropnego, wprowadzać dziecko na ten świat ze stygmatem nieślubnego pochodzenia. Przecież to obniża jakość życia. A tak przy okazji, kochanie... – Odwróciła się do Johna. – ... Lesley Crouse nie sprawia bólu kobietom dlatego, że ma dużego kutasa. Sprawia im ból, bo to lubi.

– Och. No cóż – powiedział John. – W takim razie mi ulżyło. Poznałem chyba z sześć byłych dziewczyn Lesleya, które twierdziły, że sprawia im ból. Zawsze mi się wydawało, że po prostu ma za dużego kutasa. – Zaryczał ze śmiechu i spojrzał na zegarek. – Muszę lecieć. Umówiłem się w Mauptauguet z Tedem Sternesem.

– Claudia, przestań dłubać w nosie – powiedziała Natalie. – To obrzydliwe. Znowu masz owsiki?

– Nie.

– Na pewno się zaraziłaś na obozie. Zadzwonię do dyrektora. Nie kazali wam myć rąk? Przecież nie mogę być przy tobie w każdej chwili! John, o której wracasz z golfa?

– Około siódmej. O której przyjeżdżają goście?

– Około ósmej.

John wstał, szykując się do wyjścia, choć było oczywiste, że – przynajmniej w sensie psychologicznym – zniknął już jakiś czas wcześniej.

– Pa, dziewczyny! Na razie!

Po chwili milczenia Florence zaczęła zbierać naczynia ze stołu.

– Naleję sobie szklankę wody. Czy ktoś ma na coś ochotę?

– Schudłaś? – spytała Natalie.

– Chyba nie.

Natalie spojrzała na nią przenikliwie niczym ptak drapieżny polujący na królika.

– Na pewno schudłaś ze dwa, trzy kilo. Ile ważysz teraz, z pięćdziesiąt cztery? – W ciągu trzydziestu sekund Natalie oceniła ją i prawidłowo oszacowała jej wagę. – Ile masz wzrostu? Metr sześćdziesiąt siedem, metr siedemdziesiąt?

– Metr siedemdziesiąt trzy – wymamrotała Florence.

Natalie parsknęła.

– Nie sądzę. Ja mam metr siedemdziesiąt; jesteś ode mnie niższa. – Nieprawda, pomyślała z oburzeniem Florence, lecz powstrzymała się od komentarza. Natalie była wyższa tylko dlatego, że cały czas nosiła szpilki. Łączyło je tylko to, że ich matki kiedyś się przyjaźniły, a poza tym Natalie z pewnością chciała mieć znajomą wyraźnie gorszą od niej pod względem bogactwa, pozycji, statusu finansowego i tak dalej. – Dobrze wyglądasz, ale wydaje mi się, że było ci lepiej, jak ważyłaś te dwa, trzy kilo więcej. Masz trochę wymizerowaną twarz. Chociaż kiedy byłaś grubsza, robił ci się mały brzuszek. Claudia, kiedy dorośniesz, powinnaś się postarać o taką figurę jak Florence. Ale z twoim szczęściem pewnie będziesz miała małe cycki po mnie i szerokie biodra po twoim ojcu. Och, mam dla ciebie wiadomość! Dziś wieczorem na przyjęcie przychodzi Charlie Twigall!

– Chyba już o tym wspominałaś – zauważyła Florence.

– Wiedziałam, że umówił się z tobą na wieczór. Od razu się zgodził, więc może jest tobą zainteresowany. Florence, na twoim miejscu już bym go nie puściła. Wiem, że według ciebie nie jest atrakcyjny…

– Nie, myślę, że jest atrakcyjny, tylko w trochę innym sensie…

– Ale na rynku nie ma zbyt dużego wyboru, a ty już nie należysz do dziewic. Właściwie to twoja ostatnia szansa! Na twoim miejscu dobrze rozegrałabym karty i zawalczyła o niego. Jest bardzo, bardzo konserwatywny. Powinnaś upiąć włosy i nie malować się zbyt mocno. Zdaje się, że ma przyjść z matką! No, ale ja już lecę, mam mnóstwo spraw do załatwienia w Bridgehampton. Nie wiem, o której wrócę.

– Mamusiu, mogę iść na plażę? – spytała Claudia. Bez owijania w bawełnę, to dziecko rzeczywiście było brzydkie. Może również z tego powodu Natalie nigdy nie okazywała mu czułości. Florence nie wyobrażała sobie, by mogła zachowywać się równie chłodno wobec własnego dziecka. Przynajmniej John i Natalie byli na tyle bogaci, by móc w przyszłości zafundować Claudii kompleksową operację plastyczną. Wtedy zacznie wyglądać jak jej matka.

– Nie życzę sobie, żebyś szła na plażę! – powiedziała Natalie. – Czy ty nie możesz przez jeden dzień posiedzieć w miejscu? Zostań przy basenie. Poproś Florence, żeby cię popilnowała. Poza tym nie możesz nigdzie wychodzić, bo o trzeciej przyjeżdża twój korepetytor. Florence, rzucisz okiem na Claudię, dobrze? Gdybyś chciała przygotować lunch, to coś tam znajdziesz w lodówce.

– Pewnie! – powiedziała Florence.

– Nie jest zbyt inteligentna – powtórzyła Natalie z pewną dumą, wychodząc.

Florence miała wrażenie, że Natalie jest odarta z wszelkich lęków, uczuć, słabości, emocji. Była niepohamowana, zimna i dzika – przypominała sztuczne ognie. Zawsze dostawała to, czego chciała; nikt nie ważył się wejść jej w drogę. Miała wszystko, co chciała, i to się liczyło. I – przynajmniej z punktu widzenia Florence – najwyraźniej nie płaciła za to żadnej ceny. Bogini zemsty: Kali. Florence pomyślała, że właściwie wszystkie boginie są boginiami śmierci, gdy Natalie zawołała od drzwi wejściowych:

– Posprzątaj i pozmywaj, kiedy już skończysz!

4

– Pijesz wodę z kranu? – spytała Claudia.

Florence spojrzała na swoją szklankę.

– Tak. Bo co?

– Tutaj nie wolno pić wody z kranu! – wykrzyknęła Claudia z grymasem przestrachu. – Pływają w niej różne świństwa.

– I co mi się stanie?

Claudia wzruszyła ramionami.

– Czego uczy cię twój korepetytor? – spytała Florence po chwili milczenia.

– Nie wiem – powiedziało ponuro dziecko, nakładając sobie stertę wiśniowego dżemu na pozostałe pół grzanki z pełnoziarnistego chleba. – Różnych takich. Matmy. Nie lubię matmy. Posialiśmy rzodkiewki, ale coś je zjadło, zanim urosły.

– Musiałaś być rozczarowana – Florence rzuciła uprzejmie.

Claudia kiwnęła głową, nie mogąc odpowiedzieć. Z kącika jej ust wytrysnęła kropla ciemnoczerwonej papki.

– Została jeszcze jakaś grzanka? – spytała, kiedy już skończyła.

– Nie wiem. – Florence wzruszyła ramionami. – Mam sprawdzić?

– Nie trzeba. – Claudia przysunęła sobie słoik z dżemem. – I tak najbardziej lubię sam dżem. Nie muszę mieć chleba. – Wyjęła łyżkę i zaczęła wybierać wiśnie. – Nienawidzę jej.

– Kogo?

– Mojej matki. Nienawidzę jej.

– Och, Claudia, na pewno to nieprawda. Po prostu czasami jesteś na nią zła. – Żałowała, że znowu wypowiedziała tak konwencjonalną uwagę. Co jednak mogła powiedzieć? Claudia miała rację, Natalie jest okropna, ale jak to dziecko przejdzie przez życie, jeżeli tak wyraźnie widzi pewne rzeczy i głośno mówi prawdę? Tak czy inaczej, Florence nie umiała rozmawiać z dziećmi. Już nie pamiętała, jak to jest być dzieckiem, miała tylko niejasne wrażenie bezsilności, które właściwie nigdy nie minęło. – Wiesz, widziałam kiedyś taki program o afrykańskich psach myśliwskich. A może to były hieny? W każdym razie te zwierzęta żyją w stadach. Dominuje w nich samica, a nie samiec, i wszyscy muszą się jej słuchać. Pozostałe samice oddają jej swoje małe. Żadna, oprócz dominującej, nie wychowuje szczeniaka. Jeżeli inne psy nie są jej posłuszne, gryzie je. Ale – och! – dla ich własnego dobra. – Z jakiegoś powodu ta historyjka nie zabrzmiała zbyt dobrze.

– Nienawidzę jej.

– Jakie masz plany przed przyjściem korepetytora? – spytała Florence, czując się nieswojo.

– Żadnych. Chyba pooglądam telewizję.

– Jest taki piękny dzień! Nie masz ochoty popływać w basenie? Macie taki wspaniały basen!

Claudia usiadła ciężko.

– Nie mam się z kim bawić.

– Zamierzałam wrócić na plażę. Wybierzesz się ze mną?

– Mama mi zabroniła.

– Na pewno chodziło jej o to, że nie wolno ci iść tam samej. Popilnuję cię.

To nieco rozweseliło Claudię.

– Naprawdę? Dobrze! Idę się przygotować.

Florence położyła się na słońcu przy basenie, usiłując nie myśleć o minionej nocy. Może to się w ogóle nie wydarzyło. Życie tych ludzi wydawało jej się tak nierzeczywiste, niewiele bardziej istotne niż bohaterów filmowych. Kwestią czasu jest, kiedy i ona wstąpi w ich szeregi, zrezygnuje z uczuć – cierpienia, rozpaczy, nadziei, troski, zrozumienia – myśli, pragnień, marzeń, ideałów. Już teraz zostało jej niewiele z tych emocji. Świat zamieszkiwany przez Natalie i Johna miał niewiele więcej głębi niż zdjęcie w luksusowym magazynie. Ich dni mijały jak na stronach książki. I co z tego, że koniec walki oznacza koniec ludzkiego cierpienia? Ona chciała być postacią z wiersza, jaki kiedyś czytała, w którym dwudziestoletnia bohaterka wyglądała jak

... prosto od Cardina,
z kruchej porcelany, odziana w szyfon,
z oczami lśniącymi cudnie
i powiekami na złotych zawiasach
podnoszącymi się i opadającymi
w rytmie wyznaczanym przez słońce

Czyż nie jest to jedyne marzenie kobiet końca dwudziestego wieku, nawet tych, które twierdzą, że pragną czego innego? Ona przynajmniej jest na tyle uczciwa, by się do tego przyznać.

Już zrobiło się ciepło. Doszła do wniosku, że nie potrzebuje ręcznika. Prysznic na zewnątrz – kabina wbudowana w mur – znajdował się za furtką z bambusa i był w nim tylko jeden kurek. Gorąca woda po paru minutach ochłodziła się i Florence szybko spod niej wyskoczyła, nie mogąc pozbyć się ciągłego uczucia niesmaku. Teraz przynajmniej zmyła z siebie lepką, oleistą sól i wrażenie, że została pokryta nawozem do ziemniaków. Z pobliskich pól napływał jakiś gorzki zapach, kwaśna woń krematorium.

Claudia wyszła na patio, niosąc wielką torbę i parasolkę, ubrana w jaskraworóżowy bawełniany kapelusz w groszki, z falbankami, który zawiązała pod brodą, oraz bawełnianą sukienkę w niebiesko-białe pasy z długimi rękawami, w której wyglądała jak wychowanka przytułku z dziewiętnastowiecznej miniatury. Z ledwością dźwigała torbę.

– Daj mi ją – powiedziała Florence.

– Potrzebujesz olejku do opalania? – spytało dziecko.

– Nie wiem.

– Masz. – Podała jej wielką, plastikową, różową butlę. Olejek pachniał gumą do żucia i kokosem. – Powinnaś się posmarować. Ja nigdy się nie opalam. Mama ma raka podstawnokomórkowego. Od wylegiwania się na słońcu.

– Czy to poważne?

Claudia wzruszyła ramionami.

– Mówiłam jej: zniknęła warstwa ozonowa, nie wolno leżeć na słońcu. Musi smarować się maścią, od której te jej raki brązowieją. Czasami też pali papierosy. Jak je znajduję, wyrzucam do sedesu.

– Musi być jej ciężko z dzieckiem, które ciągle ją na czymś przyłapuje. Ma szczęście, że nie jesteś komunistką. Albo rewolucjonistką w Ameryce Środkowej.

– Co?

– Nic – powiedziała Florence.

Powlokły się w milczeniu przez kartoflisko.

– To coś, czym nawożą te pola, okropnie śmierdzi – powiedziała Claudia, ciągnąc parasolkę po piachu. – Przedostaje się do wody pitnej i człowiek dostaje raka.

– Raka?

– W zeszłym tygodniu musieli zamknąć szpital, bo wszyscy się od czegoś pochorowali.

– Od czego?

– Nie wiem. Od jakiegoś zawijasa w wodzie, którego nie widać. W szpitalu to się przedostało do wentylacji, czy gdzieś tam, i musieli go zamknąć, bo nie mogli go... wysterylizować.

– Na pewno wiesz, o czym mówisz? – Florence potknęła się i jeden z jej butów poleciał w powietrze. – Cholera! – rzuciła, leżąc na ziemi. – O mało co nie zwichnęłam nogi w kostce.

– Masz tu sandał – powiedziała Claudia, podając jej czerwony but z lakierowanej skóry. – Złamał się.

– O nie, moje ulubione sandały. Jedyne od Gucciego, już takich nie robią. – Wyrwała but Claudii. Obcas wygiął się pod kątem prostym; wiedziała, że nie da się tego naprawić. Kiedy wstała, nastąpiła na coś ostrego, co przynajmniej na centymetr wbiło jej się w podeszwę. – Au! – krzyknęła. – Kurde! Co za pechowy dzień.

Pokuśtykały przez pole.

– Tatuś mówi, że do przyszłego roku to pole zniknie. Mają tu wybudować domy. – Zdyszana i spocona Claudia znieruchomiała, jakby już dostała udaru słonecznego.

– Może ci ponieść parasolkę? – zaproponowała Florence, chociaż bardzo bolała ją stopa.

– Dobrze. – Claudia podała jej parasolkę. Metalowa rączka była lepka.

– Usmarowałaś ją wiśniowym dżemem – powiedziała Florence. – Wiesz, twoja mama to prawie jedyna moja przyjaciółka.

– Żartujesz! – wykrzyknęła Claudia. – Biedactwo!

– Jeżeli się jest samotnym w Nowym Jorku, to znaczy samotną kobietą, nikt nie chce cię znać. Jeżeli jesteś samotnym mężczyzną, to zupełnie inna bajka, ich wszyscy zapraszają na przyjęcia. Mężatki lubią sobie z kimś poflirtować, przedstawiają ich swoim samotnym koleżankom, a mężczyźni mają z kim pograć w squasha albo golfa.

Claudia spojrzała na nią ze szczerym niedowierzaniem, ale Florence nie miała pojęcia, co dziecko zrozumiało z jej wypowiedzi. Rozłożyły koc u podnóża wydm, tam gdzie z szarego piasku wystawały źdźbła ostrej trawy. Plaża była prywatna, przychodzili na nią tylko okoliczni mieszkańcy, a teraz, pomimo lipcowej soboty, niemalże świeciła pustkami.

Claudia zaczęła zbierać perłowe, grzechoczące muszelki i gładkie niebieskie kawałki muszelek mięczaków – jej „wampum"[1] – które przynosiła na koc. Tam je oglądała i wyruszała na dalsze poszukiwania. Florence lubiła Claudię. Może dlatego, że dziewczynka najwyraźniej lubiła ją, ale też sprawiało jej przyjemność, że jest podziwiana przez kogoś tak szczerego. Nie wróżyła dobrej przyszłości takiemu dziecku. Kto wie, jak ukarze Natalie, kiedy nieco podrośnie? Miała nieskończone możliwości: mogła zostać Simone Weil, anorektyczką, zatrudnić się w fabryce, usiłować osiągnąć stan świętości. Albo stać się jak ta młoda kobieta skazana na dożywocie za działalność rewolucyjną w Peru. Trudno jednak sobie wyobrazić, by Natalie czuła się ukarana przez podobne zachowanie. Cudzołóstwo, narkomania, ciąże nastolatek i nieślubne dzieci – wszystko to już zostało zastosowane przez innych jako próba udzielenia lekcji rodzicom, a jednak nie zadziałało jak terapia wstrząsowa.

[1] Wampum – muszelki nanizane na sznurek, używane przez Indian jako środek płatniczy.

Chyba usnęła. Kiedy się obudziła z irytującym uczuciem, że jest napastowana przez muchy, nigdzie nie zobaczyła Claudii. Podniosła głowę i rozejrzała się po plaży, ale po dziecku nie było ani śladu. Nagle ogarnęła ją panika. Rano fale były bardzo silne. Jeżeli Claudia poszła pływać, z pewnością porwały ją na otwarte morze. Florence podbiegła do wody. Plażą szedł jakiś mężczyzna z dalmatyńczykiem, który hasał beztrosko jak bohaterowie kreskówki. Podbiegła do mężczyzny.

– Dziecko, mała dziewczynka! – krzyknęła.

Mężczyzna wskazał na rozbijające się fale.

– Co to? – spytał. Florence zobaczyła kapelusz w różowe kropki.

– O nie! To ona! Pewnie woda ją zmyła!

– Właśnie się zastanawiałem, co to takiego – powiedział mężczyzna.

Na ich oczach różowe kropki zeszły pod wodę i już się nie wynurzyły. Mężczyzna podał Florence smycz i wbiegł do wody. Dalmatyńczyk podskakiwał, szczekając z podniecenia. Po paru minutach mężczyzna dopłynął do brzegu, ciągnąc Claudię jedną ręką. Jej kapelusz był przyklejony do głowy, ale nadal zawiązany pod brodą. Miała zamknięte oczy. Położył ją na piasku i Claudia zwymiotowała. Fala spiętrzyła się wokół jej kolan i cofnęła, bulgocząc białą pianą przypominającą mydliny.

– Dobrze się czujesz? – Florence pochyliła się nad nią. Z kącika ust dziewczynki pociekło jeszcze trochę ciemnoczerwonych wymiocin.

– Ona wymiotuje krwią! – wykrzyknął mężczyzna.

– Nie, nie, po prostu najadła się dżemu wiśniowego – powiedziała Florence. – Jak długo była pod wodą? Długo? Jak ją pan znalazł?

– Szła na dno, ale ciągle w tym samym miejscu. – Mężczyzna rozejrzał się po plaży. – Trzeba ją zabrać do lekarza.

– O Boże. Nie wierzę, że to się dzieje naprawdę. Claudia, dobrze się czujesz? – Dziewczynka leżała na piasku. Nalaną twarz miała białą jak kreda, mokry kapelusz wyglądał jak zwiędły płatek. Wydawała się taka malutka, a w kostiumie kąpielowym w pasy trzmiela przypominała żałosnego, utopionego owada. Nie odpowiadała. – Co robić?

– Ma pani samochód? – Pokręciła głową. – Niech pani zajmie się psem. Wezmę ją na ręce.

Mężczyzna przerzucił sobie Claudię przez ramię i ruszyli w stronę parkingu oddalonego od plaży o pół mili. Stało tam sześć, siedem samochodów i dwa rowery, ale jedyni ludzie siedzieli nieco dalej. Mężczyzna położył Claudię koło podkładu kolejowego, który nie pozwalał samochodom wjeżdżać na plażę.

– Jak się czujesz? – Delikatnie potrząsnął ją za ramiona, lecz dziewczynka nawet nie otworzyła oczu, jakby były sklejone woskiem. W otwartym range roverze podjechali dwaj mężczyźni po dwudziestce, w okularach przeciwsłonecznych, olśniewający i bogaci. Florence podbiegła do wysiadającego kierowcy.

– Przepraszam, jak pan ma na imię?

– Eric.

– Eric, ta dziewczynka nieomal utonęła... nie mam samochodu... czy mógłbyś ją zawieźć do szpitala?

Mężczyzna, który uratował Claudię, wziął ją na ręce i ruszył w stronę samochodu. Dwaj pasażerowie range rovera popatrzyli po sobie.

– O Chryste – powiedział kierowca. – Mark, słuchaj, bierz nasze rzeczy i idź na plażę, a ja ich zawiozę do szpitala i zaraz wracam.

Mężczyzna o imieniu Mark złapał z tylnego siedzenia parę skórzanych toreb na zakupy i ruszył na plażę. Florence wskoczyła na jego miejsce, a ratownik położył jej Claudię na kolanach.

Jechali w nieprawdopodobnym korku. Samochody posuwały się zderzak przy zderzaku w obu kierunkach po dwupasmowej ulicy. Same luksusowe marki – parskające, lśniące i napędzane benzyną wysokooktanową mercedesy, jaguary, corvetty, cadillaki, ferrari – były podenerwowane i niespokojne jak konie wyścigowe przed startem, ale mogły się wlec zaledwie dwadzieścia mil na godzinę. Florence myślała, że zaraz zacznie krzyczeć z gniewu i strachu. Z pewnością istniało rozsądne wyjście z tej sytuacji, lecz ona miała pustkę w głowie. Kiedy podniosła powieki Claudii, zobaczyła same białka. Potrafiła tylko na okrągło opowiadać Ericowi, co się stało, jak gdyby wciąż od nowa opisując to wydarzenie, mogła z powrotem cofnąć je w przeszłość. Widoczne jednak było, że Eric – raz usłyszawszy tę historię – już więcej jej nie słuchał, tylko układał ją sobie w głowie jako anegdotkę, którą opowie później na przyjęciu.

W końcu dotarli do wejścia na ostry dyżur szpitala Southfork. Jeszcze zanim pojazd się zatrzymał, Florence otworzyła drzwi i boso wyskoczyła z Claudią przelewającą jej się przez ręce.

– Halo! Halo! – zaczęła wołać. – Potrzebuję pomocy!

Zastała zamknięte drzwi. Wejście na ostry dyżur było zalepione złowieszczym paskiem odblaskowej żółtej taśmy, a kiedy Florence usiłowała dostać się do szpitala głównym wejściem, pojawił się Eric i chwycił ją za rękę.

– Właśnie mi się przypomniało, że w zeszłym tygodniu zamknęli szpital, żeby zrobić jakieś generalne porządki czy coś w tym rodzaju – powiedział. – Musimy jechać do River Beach, tam też jest szpital.

W stopę wbił jej się ostry kamyk – dokładnie w tym samym miejscu, gdzie już się skaleczyła.

– Au, au, au, Eric, czy możesz wziąć ją za nogi, bo chyba ciągną się po ziemi? Nie wiem, co robić. Masz telefon w samochodzie? Moglibyśmy wezwać policję, żeby nas eskortowała. – Byli już prawie przy range roverze. Powinna się cieszyć, że Eric po prostu nie odjechał, zostawiając ją samą sobie; wtedy dopiero znalazłaby się w kropce.

– Mark ma telefon. Połóżmy ją na tylnym siedzeniu. Przynajmniej będzie leżeć.

Położyli Claudię z tyłu, więc Florence mogła obejrzeć swoje stopy. Były całe pokaleczone i brudne, jakby tańczyła na nożach i potłuczonych talerzach. Usiłowała ostrożnie strzepnąć z nich ziemię, kiedy spostrzegła, że

Eric kątem oka spogląda na nią z obrzydzeniem. W tej chwili Claudia zaczęła się budzić. Wydała z siebie dziwne, niemal nieludzke gulgotanie.

– Och, Claudia! – Florence pochyliła się nad nią i pogłaskała dziewczynkę po twarzy. – Jak się czujesz? Słyszysz mnie? Wytrzymaj jeszcze chwilkę, zaraz będziemy u lekarza. – W nosie Claudii bulgotała jakaś obrzydliwa, gęsta, lepka maź. Florence nie miała chusteczki. Z wielkim wysiłkiem przełamała się i wytarła jej nos własnymi palcami.

Claudia znowu zajęczała, po czym zwymiotowała na siebie i na fotel. Eric pokręcił głową.

– Gdzieś tu powinien być ręcznik.

Florence już miała się wychylić do tyłu i zacząć szukać, kiedy podjechali pod wejście na ostry dyżur szpitala w River Beach. Wbiegła, wołając o pomoc. Pojawili się dwaj mężczyźni, którzy wynieśli Claudię z samochodu.

– Eric, muszę lecieć! – powiedziała. – Dzięki za pomoc!

Eric otworzył bagażnik i szukał w nim ręcznika.

– Powodzenia! Mam nadzieję, że wszystko dobrze się skończy.

– Jej stan jest dobry, ale chyba zatrzymamy ją na noc na obserwację – powiedział lekarz. W końcu udało im się znaleźć Natalie pod numerem jej telefonu komórkowego. – Podamy jej dożylnie antybiotyki. Nałykała się wody, ale ogólnie miała dużo szczęścia.

Florence została z Claudią w szpitalu do późnego popołudnia, kiedy to wreszcie przyjechała Natalie. Wyszła z pokoju, by matka mogła posiedzieć sam na sam z córką.

– Co ona robiła na plaży?! – wykrzyknęła Natalie, kiedy wracały jej srebrnym bmw. – Przecież zabroniłam jej tam chodzić. Słowo daję, ona zachowuje się tak po to, żeby zwrócić na siebie uwagę, specjalnie wybrała dzień, w którym ma przyjechać tyle gości, tylko po to, żeby mnie doprowadzić do szału! Wracam do domu i znajduję kartkę od jej korepetytora, że jej nie zastał. Musiałam mu zapłacić trzydzieści dolarów za samo przyjście...

– To była moja wina! – powiedziała Florence i się rozpłakała.

– Jestem na zajęciach z aerobiku, w moim plecaku dzwoni telefon, biegnę, szukam go, telefonują ze szpitala, jakie to upokarzające! Powiedziałam: „Skoro zamierzacie ją zatrzymać na noc, to może niech już pobędzie cały tydzień. I tak zostaję w mieście; przynajmniej nie będę musiała się martwić, że znowu wyląduje w szpitalu, skoro już tam jest".

– Myślałam, że mogę ją zabrać na plażę, że nie chciałaś jej puszczać samej, usnęłam... nie wiedziałam, że wejdzie do wody! – powiedziała Florence.

Nie odzywały się już do końca podróży.

Poszła na górę, żeby się przebrać. We włosach miała miodowo-bursztynowe pasemka, tak subtelne, że wyglądały na naturalne, na co nie nabierała się tylko reszta żeńskiej populacji Manhattanu – zabieg ten kosztował ją pięć godzin i trzysta dolarów co miesiąc. Większość dochodów przeznaczała na pielęgnację ciała. Paznokcie u rąk i nóg miała wymanikiurowane i pomalowane bladym, perłoworóżowym lakierem, nogi – wydepilowane, podobnie jak brwi i zbędne owłosienie na twarzy. To pochłaniało kolejne sto pięćdziesiąt dolarów miesięcznie. Ponadto wstęp na siłownię (z pewnością niezbyt elegancką, ale i nie najgorszą) – trzysta pięćdziesiąt. Do tego dochodziły jeszcze wydatki na ubrania.

Wciągnęła obcisłe szare spodnie do połowy łydki z rozcięciami na nogawkach. Kupiła je u Henriego Bendela, były drogie – przynajmniej według jej standardów – bo kosztowały prawie czterysta dolarów. Bawełniany T-shirt w prążki był od Gapa, za jedyne dwadzieścia dziewięć dziewięćdziesiąt pięć, i pewnie wcale go nie musiała kupować, ale chciała mieć coś nowego na przyjęcie u Natalie. Spodnie jednak niewątpliwie były jej potrzebne. Seksowne, lecz skromne: przynajmniej nie odsłaniały zbyt wiele ciała. Nie zamierzała wystawiać się na wrogie spojrzenia innych kobiet.

Jako buty wybrała granatowe satynowe klapki na płaskim obcasie. Te były w y j ą t k o w o drogie. Wiedziała, że już długo nie pociągną – satyna zaczynała się strzępić – ale bardzo jej się podobały, więc po prostu musiała je donosić. Może jeżeli następnym razem kupi trzy albo cztery pary, wystarczą na dłużej; będzie mogła zakładać je na zmianę. Całość stroju, łącznie z bielizną (a na tej

Florence nie mogła oszczędzać; nie czułaby się dobrze w majtkach i biustonoszu nie do pary i nie uszytych z najlepszej jakości jedwabiu i koronki), kosztowała około siedmiuset dolarów. A jednak był to skromny komplet. Żadna z jego części nie była markowa, a cena spodni została obniżona z pięciuset do trzystu dziewięćdziesięciu dolarów – prawdziwa okazja, jak jej się wydawało podczas dokonywania tego zakupu, jak na spodnie, które mogła nosić do późnej jesieni, chociaż teraz już ich nie lubiła aż tak bardzo jak na początku.

Jej roczne dochody z Quayle'a wynosiły dwadzieścia sześć tysięcy dolarów minus podatek. U Quayle'a nikt oprócz kierownictwa nie dostawał przyzwoitej pensji. Powinna z tego wyciągnąć nauczkę. Było to zajęcie przeznaczone dla bogatych dziewcząt szukających męża lub kobiet pracujących, które mają dość pieniędzy, by się utrzymać, albo potrafią żyć skromnie do czasu, kiedy dostaną posadę kustosza lub wykładowcy w innym mieście. Poza hipoteką wynoszącą trzy tysiące dolarów, utrzymaniem i innymi comiesięcznymi wydatkami – które generalnie dochodziły do półtora tysiąca dolarów – wydawała, po opodatkowaniu, ponad dwa razy tyle, ile zarabiała. Na szczęście aż do tej pory miała pieniądze, które zostawiła jej matka. Te jednak już prawie się skończyły. Co więcej mogła zrobić? Nie wyobrażała sobie, jak wydawać mniej.

Zastanawiała się, czy zmienić buty na srebrne sandałki na niskim obcasie, które również wzięła ze sobą, ale przypomniało jej się, że Charlie jest niewiele wyższy od niej. Sprawiał wrażenie staroświeckiego, więc chciała, by przynajmniej na razie wierzył, że jest tego samego wzrostu.

Zrobiła lekki makijaż; właściwie nie był jej potrzebny, lubiła naturalny wygląd, ale w końcu wybierała się na przyjęcie. Powieki musnęła cieniami w kolorze kakao (japońska marka, w pięknym, lśniącym puzderku z malutką gąbeczką do nakładania, trzydzieści siedem dolarów), usta pociągnęła bardzo jasną różową szminką z odrobiną perłowego połysku (dwadzieścia trzy dolary, z modnego, małego butiku w Greenwich Village, jedynego miejsca, gdzie takie sprzedawano), a twarz lekko upudrowała (dwadzieścia siedem dolarów, z salonu na Upper East Side, w którym wykonywano zabiegi kosmetyczne i gdzie kupowała wszystkie produkty do pielęgnacji twarzy).

Wreszcie skończyła i zeszła na dół. John stał u stóp schodów, świeżo wykąpany, z włosami mokrymi i gładko zaczesanymi do tyłu, z kieliszkiem martini w ręce.

– John!? – spytała. – Są jakieś nowe wiadomości? Jak ona się czuje?

– Dobrze, dobrze. Nat w końcu mnie znalazła na polu golfowym. Po drodze do domu wstąpiłem do szpitala. Claudia czuje się dobrze. Nie wiem, dlaczego chcą ją zatrzymać na noc; mówią, że istnieje ryzyko zapalenia płuc, jeżeli ma tam wodę, ale chyba po prostu boją się, że ich podamy do sądu, jeżeli się rozchoruje.

– Czuję się strasznie. Zasnęłam na minutkę, nie wiem, co mogło się stać, wiedziała, że samej nie wolno jej pływać. Może po prostu bawiła się na brzegu i fala…

– Nie martw się – powiedział. – Nic takiego się nie stało. Mogło być gorzej. – Rzucił jej pożądliwe spojrzenie. – Dobrze wyglądasz, Florence!

– Ojej. – Poczuła się lekko onieśmielona. – Dzięki, John. – Próbowała przybrać rzeczowy lub siostrzany ton. – Mogę w czymś pomóc?

– Chciałbym usunąć trochę gratów z twojego pokoju, żeby było ci wygodniej. Nadal nie mam pojęcia, dlaczego Natalie cię tam umieściła. Chodź ze mną na chwilę na górę, żebym przez pomyłkę nie wyniósł twoich rzeczy. – Ruszył na schody.

– Nie, nie – powiedziała. – Naprawdę nie trzeba. Zestawiłam rzeczy z łóżka do kąta... zostanę tam jeszcze tylko jedną noc... naprawdę, to...

On jednak szedł dalej. Na półpiętrze przystanęła, nie chcąc iść za nim. Pomyślała, że zawróci i zejdzie na parter, ale zawołał ją z korytarza na drugim piętrze.

– Florence, ta walizka na podłodze to twoja?

– Która? – spytała.

– Lepiej ci pokażę. Wstawię te rzeczy na poddasze. I tak zamierzałem to zrobić.

Stanęła w korytarzu.

– Ta mała brązowa torba ze skóry i lnu jest moja...

Złapał ją za nadgarstek i szybko wciągnął do pokoju. Jednym ruchem, jak gdyby wykonywał cios karate, nadal ściskając ją za rękę, kopnięciem zamknął drzwi za jej plecami, puścił ją, zadarł jej bluzkę i ściągnął jej stanik pod piersi, które utknęły między bluzką a dołem stanika.

– O Boże – powiedziała. – Nie, nie. – Z jakiegoś powodu jej protesty jeszcze bardziej go podnieciły. Chociaż jego pożądanie zdawało się mieć nie większe znaczenie niż nagły apetyt na frytki, nie mogła zaprzeczyć, że i ona jest podniecona. Tyle czasu jej zajęło wystrojenie się na przyjęcie, to okropne, że tak się na nią rzucił i teraz niszczył jej ciężką pracę. Jak ma potem zejść na dół, zarumieniona, otoczona aurą seksu, i oczekiwać zainteresowania ze strony mężczyzny oferującego prawdziwe możliwości? Usiłowała podciągnąć sobie stanik, ale John, niczym minóg, mocno zacisnął usta na jej lewym sutku. Im mocniej ciągnęła stanik i próbowała opuścić bluzkę, tym większe go ogarniało podniecenie.

Ścisnęła mu nos dwoma palcami i w końcu udało jej się ściągnąć z sutka jego usta. Wreszcie musiał zaczerpnąć powietrza.

– John, John, chcę iść na przyjęcie! – powiedziała. Właściwie nie to chciała powiedzieć, pewnie tylko wprowadziła go w błąd. Wiedziała, że jeżeli teraz mu na cokolwiek pozwoli, będzie miała zepsuty cały wieczór – który już i tak był zepsuty – i zejdzie na dół jeszcze bardziej rozczochrana i sponiewierana. Coś okropnego, co za zamieszanie.

Jego język, który wibrował dziko, zaczął zamierać w jego ustach, gdy Johnowi zabrakło tlenu. Nadal mocno ściskała jego nos. W końcu, zawiedziony, cofnął się, by zaczerpnąć powietrza przez usta, a wówczas ona wyszarpnęła się, otworzyła drzwi, wyszła na korytarz, zatrzasnęła je za sobą, jednocześnie usiłując obciągnąć stanik i bluzkę. Na gałce na drzwiach znajdował się guzik, który wcisnęła – dziwne, zamek od zewnątrz, pewnie nie działał, ale może to na jakiś czas zatrzyma Johna w środku.

Szybko ruszyła korytarzem i zeszła na dół, próbując zetrzeć z twarzy emocje, jakie zostały po tym incydencie. Może John i Natalie rzeczywiście się rozwodzą – właściwie to pewne – ale jak on mógł się zachować w taki sposób? To okropne, odrażające. Powinna coś powiedzieć Natalie, ale co? Jeżeli tak postąpił z nią, to bez wątpienia podobnie traktował niezliczoną liczbę kobiet. Mimo wszystko to nie jej sprawa. Nie do niej należy uświadamianie Natalie, że John zalicza zbyt dużo kobiet – zresztą trudno uwierzyć, że Natalie o niczym nie wie. Kobiety, żony, same się domyślają takich rzeczy, a jeżeli nie chcą się nimi zajmować, to jest to tylko ich wybór.

5

Przyjechało już dwadzieścia czy trzydzieści osób. Wszystkich otaczała ponura aura gorączkowej, nerwowej desperacji, jakby nie zamierzali godzić się z faktem, że znajdują się na wsi, a nie w mieście.

– Florence! Florence! – Kiedy się odwróciła, zobaczyła Neila Pirsiga idącego w jej stronę. Był ostatnią osobą, którą miałaby ochotę spotkać. Pogardzała nim; za każdym razem, kiedy umierał jakiś artysta, ten od razu zjawiał się na miejscu, zaczynał się rządzić i zbierał samą śmietankę z jego posiadłości. Rozdymało go poczucie własnej ważności; historia jego życia, od członka gangu ulicznego aż po wydział prawa na Yale, została sprzedana jako scenariusz filmowy, i najwyraźniej zdawało mu się, że wzdychają do niego wszystkie kobiety. Zawsze zachowywał się tak, jakby Florence pragnęła go poślubić. Za każdym razem, gdy z nim rozmawiała, na jego twarzy nieodmiennie pojawiał się rozbawiony uśmiech. Musiała jednak przyznać, że jest w nim coś pociągającego. – Cześć, Florence. Nadal wolna? – Podniósł rękę i skrzyżował dwa palce, jakby odstraszał wampira. – Nie patrz na mnie takim głodnym wzrokiem! Jeszcze nie jestem gotowy się z tobą umówić.

– Przepraszam cię na sekundkę, Neil – powiedziała chłodno.

Wyszła przez salon na patio, uśmiechając się słabo, chociaż nikt nie zwracał na nią uwagi.

– Widziałaś Johna? – Do baru, przy którym usiadła, podeszła Natalie.

Atrakcyjny, jasnowłosy chłoptaś, zatrudniony na ten wieczór w charakterze barmana, mieszał drinka. Na brzegu stołu stał srebrny pojemnik z papierosami; Florence wzięła jednego i zapaliła, żeby się czymś zająć.

– Widziałam go jakiś czas temu – odparła. – O rany, Natalie, tak mi przykro z powodu tego, co się stało wczoraj.

– Nie przejmuj się. Florence, poznałaś już Mike'a Grunlopa? – Wskazała na stojącego nieopodal niskiego mężczyznę o beczkowatej piersi, który wyglądał jak rzymski senator. – Mike jest słynnym malarzem, na pewno zauważyłaś u nas jego obrazy. Zbieramy je od lat. Byliśmy pierwszymi kolekcjonerami twoich dzieł, prawda, Mike? Jego żona, Peony, jest fotografikiem. Z pewnością widziałaś jej zdjęcia w „Life". Zrobiła cały fotoreportaż o umierających gorylach w Kamerunie. Teraz jedzie do Limy fotografować psy. Jakie to mają być psy, Mike?

Mike wymamrotał coś nadąsanym głosem, praktycznie rzecz biorąc, wyrażając swe potępienie dla osób, które są „kolekcjonerami". Prawdopodobnie czuł, że przyjęcie zaproszenia Natalie to sprytne polityczne posunięcie, ale jednocześnie chciał wszystkim dać jasno do zrozumienia, że jest ponad to.

– Co mówiłeś? – Natalie wyglądała na rozkojarzoną.

– Peruwiańskie bezwłose psy – wymruczał Mike.

– Niesamowite! Wybierzesz się z nią? Przepraszam na chwilkę. – Strzelała na boki rozbieganymi oczkami, sprawdzając, kto już przybył.

Gdy tylko odeszła, Mike chwycił swojego drinka i również się oddalił – było powszechnie wiadome, że interesowały go tylko Azjatki. Jego obrazy stanowiły imitację chińskiej kaligrafii i przedstawiały czarne bazgroły na szarym lub białym tle. Recenzje z jego wystaw zawsze podkreślały prostotę, czystość i moc tych bohomazów. Jego płótna szły po prawie pół miliona. Peony kojarzyła się Florence z pogniecionym kwiatem, któremu powyrywano płatki – pewnie dlatego, że Mike przez cały okres trwania ich małżeństwa dręczył ją swoimi romansami.

Florence przez chwilę stała przy drzwiach, zaglądając do środka. Tłum rósł, ohydne elementy wystroju wnętrza stopniowo znikały. Natalie urządzała salon w erze perkalu, siedem czy nawet więcej lat wcześniej: meble były wyściełane tapicerką we wzór z róż stulistnych, każdy róg stołu zastawiały porcelanowe mopsy lub drewniane angielskie pieski pokojowe. Wszystkie prace Mike'a Grunlopa należące do de Jonghów (z tego, co Florence pamiętała, było ich tylko dwie lub trzy) znajdowały się na górze – niedawno zyskały na wartości.

Nad kominkiem wisiał portret gwiazdy popu, sitodruk Andy'ego Warhola – ojciec Natalie kupił go pod koniec lat siedemdziesiątych. Obok widniała seria dziewiętnastowiecznych obrazów olejnych przedstawiających psy, a naprzeciwko coś, co przypominało kiepski obraz hinduskiej pary autorstwa Sargenta – mężczyzna w różowym turbanie i kobieta w czerwono-żółtym sari – ale, jak się okazało, był jednym z ostatnich obrazów innego nowojorskiego malarza, którego letni domek stał w okolicy.

Dom Mike'a i Peony był dosłownie identyczny z setkami innych; zarówno pod względem architektury, jak i umeblowania, wyglądał jak przeniesiony z Levittown, idealnego amerykańskiego przedmieścia dla bogaczy. Zbudowany w 1982 roku przez wziętego młodego architekta, wielkością i kształtem przypominający stodołę, czy też raczej hangar dla samolotów, nie do końca surowy, z oknami w kształcie półksiężyców i kilkoma silosowymi przybudówkami mającymi złagodzić współczesny styl – stał na samym środku trzech niezwykle drogich akrów po właściwej stronie autostrady, tego wąskiego pasa drogi, który wychodził na ocean, nie zaś na zatokę.

Otoczenie, włączając w to teren wokół basenu i kortu tenisowego, zostało zaprojektowane przez popularną miejscową firmę zajmującą się architekturą krajobrazu i ogrodnictwem. Spoglądając na drzewo, patrzyło się na sześć do dziesięciu tysięcy dolarów, oglądając roślinę, podziwiało się sto do dwustu. Kto wie, czy każde źdźbło trawy nie było warte dolara. W ogrodzie znajdował się podziemny system spryskiwaczy, a całoroczni miejscowi ogrodnicy, przysłani przez tę samą firmę, wykorzenili niecierpki – te maleńkie, różowe kwiatuszki późnym latem obrastające podjazdy – i zastąpili je baniastymi, żółtymi chryzantemami. Chore drzewa lub gałęzie zwalone przez burzę natychmiast usuwano; uschnięte lub chore rośliny zastępowano takimi, które akurat były w modzie. W tym roku jaskrawe kwiaty z pewnością uznano za godne pogardy – Florence nie wiedziała, że cały klomb można obsadzić tak szarymi, oklapniętymi badylami. Gdyby teren nie był tak starannie utrzymywany i pozwolono mu wrócić do naturalnego stanu, porósłby parszywymi sosnami i trawą. Ostatnio dla takich roślin istniał surowy zakaz wstępu.

Jakiś mężczyzna stojący w drugim końcu pokoju patrzył na nią z odrazą. Dopiero po paru sekundach uświadomiła sobie, że drażni go dym z jej papierosa. Przecież to przyjęcie: jeżeli dym mu przeszkadza, to może wyjść na dwór. Jakim prawem potępia ją taki jajowaty pokurcz; czy żadna przyzwoita kobieta nie może sobie zapalić? Już miała wydmuchnąć dym w jego stronę, kiedy stwierdziła, że to Charlie Twigall, więc szybko zdusiła papierosa. Próbowała zmylić Charliego, zastępując nachmurzoną minę uśmiechem – niestety, dosłownie o ułamek sekundy za późno, już spostrzegł jej oburzenie.

Zerkał na nią, mając ochotę na rozmowę, a jednocześnie chcąc jej uniknąć. Jej osobliwe małe oczy – wąskie, szaroniebieskie szparki, dziwacznie obce, jakby jej prababcia została zgwałcona przez mongolskiego najeźdźcę i Florence dostała taki suwenir, który przeskoczył wiele pokoleń i teraz jako jedyna cecha zakłócał jej wizerunek idealnej, mdłej amerykańskiej lalki – były zamknięte. Jasne włosy barwy brudnego miodu miała artystycznie potargane. Wierzchem uroczej rączki potarła nos, wciśnięty w twarz idealny mały nosek jak u perskiego kotka.

Starała się wyglądać uwodzicielsko; on jednak nie podchodził. Teraz mogła to nadrobić tylko w jeden sposób: energicznie przedarła się przez tłum i powitała Charliego entuzjastycznie, jakby od samego początku go szukała.

– Dzięki Bogu! – Złapała go za przedramię. – Miałam nadzieję, że cię zobaczę! Nikogo tu nie znam! Co słychać? Co porabiałeś przez cały dzień?

– Cześć… Florence – powiedział.

Ledwo mogła się powstrzymać, by go nie popędzać. Po chwili milczenia zaproponowała drinka.

– Ja piję białe wino – powiedziała.

– O… nie, dziękuję. Ja… nie piję.

– Zwykle ograniczam się do jednego kieliszka – dodała szybko. – Na przyjęciu czy do kolacji. To co porabiałeś?

– Przez cały dzień… poganiałem ich… żeby mi naprawili samochód.

– I jeszcze nie jest naprawiony? – spytała zaszokowana i z pełną niedowierzania miną.

– Stoi w… warsztacie… u dilera. Dalej… śmierdzi. Powiedzieli… że go naprawią… Poszedłem do dilera Saaba… i powiedziałem: „Nadal… wyczuwam odór". A sprzedawca… ten mężczyzna, który mi go sprzedał… najpierw… wsiadł. I stwierdził: „Ja nic… nie czuję". A na to ja: „Chyba ma pan problemy… z powonieniem".

Roześmiała się z uznaniem.

– Problemy z powonieniem! Doskonałe! I co on na to?

Zachwycony jej śmiechem, Charlie odwrócił wzrok od jej oczu i z rozmarzeniem przeniósł go na jej piersi, jakby to one zareagowały w tak miły sposób.

– Byłem strasznie... zły... i spytałem, czy mógłby... posiedzieć w samochodzie. Po paru minutach... siedzenia w samochodzie... powiedział, że spróbują... jeszcze raz. – Ile miał lat według Natalie? Pięćdziesiąt parę? – Tymczasem... zamówiłem nowego lotusa... ale wciąż... zalegają z dostawą.

– Lotus! Wspaniale!

Była ciekawa, ile kobiet przed nią szło tą samą drogą, obserwowało go uważnie, usiłując znaleźć wspólną płaszczyznę, próbując sobie wmówić, że czują jego seksualny magnetyzm, czy dostrzegają atrakcyjność fizyczną. Gdyby zechciał umawiać się ze zwykłymi, niewymagającymi kobietami – na przykład z nauczycielką matematyki w liceum czy technikiem weterynaryjnym – mógłby sobie znaleźć stałą partnerkę. Ale o ile wiedziała, on chciał mieć tylko te najbardziej olśniewające, najbardziej zachwycające – modelki, młode gwiazdy filmowe – te zaś nie potrzebowały jego pieniędzy i nie były zainteresowane jego osobowością.

Patrzył na nią, jakby znał jej myśli. Może tak jak koń pociągowy, który umie czytać w myślach, przechodzi w trucht bez polecenia ze strony właściciela, tak i on nie był aż tak tępy, na jakiego wyglądał.

– I jak sobie radzisz? – spytała podenerwowana. – Dali ci coś dobrego w zastępstwie?

– Co takiego?

– Czy wymienili ci samochód na ten czas, gdy twój jest w naprawie?

Zmarszczył brwi z rozczarowaniem.

– Mogliby... to zrobić?

– Kurczę, nie wiem! Może... gdybyś poprosił.

– Nie przyszło mi do głowy... żeby prosić.

– Powinni sami to zaproponować.

– Wziąłem... samochód i kierowcę matki... na wieczór. Matka... już nie prowadzi. Mówi, że... ostatnio na ulicach panuje zbyt duży ruch.

– To prawda!

– Kiedy... przyjeżdżała tu... w młodości..., ta okolica wcale nie była... taka modna. Zwykła... wieś. W tamtych czasach... podróż do Southampton... trwała pięć godzin.

– Pięć godzin!

– Drogi... były jednopasmowe... czy coś tam. Teraz podróż... trwa prawie tyle samo... z powodu korków. – Roześmiała się wesoło. Spojrzał na nią niemal podejrzliwie, jakby się z niego nabijała, ale kiedy przyjrzał się jej rozradowanej, szczerej twarzy, rozluźnił się, zadowolony z siebie. – Masz ochotę... usiąść na zewnątrz? Na dworze jest... tak ładnie i może... przyjemniej będzie rozmawiać.

– Och, bardzo chętnie! Tylko złapię jeszcze po drodze ostatni kieliszek wina.

Całą wieczność siedzieli przy jednym z małych stolików, pod płóciennym parasolem w pasy udekorowanym setkami migających lampek.

– Czy ktoś widział Johna? – spytała Natalie ze zdenerwowaniem, przepływając koło nich.

Po ogrodzie krążył kelner, oznajmiając, że podano kolację. Kolejka do bufetu już wylewała się z jadalni w stronę basenu. Charlie stanął w opiekuńczej pozie za Florence. Był uprzedzająco grzeczny. To dobry znak, pomyślała, gdyby jeszcze tylko nie brakowało jej pytań i udawało się nadal okazywać zainteresowanie jego wypowiedziami. Mężczyzna przed nią odwrócił się.

– Ta kolejka posuwa się nieprawdopodobnie powoli – powiedział z włoskim akcentem. – Nie mam jednak nic przeciwko temu, bo mogę z panią porozmawiać.

– Tak? – zapytała nerwowo. Charlie, który był tego samego wzrostu co ona, już zaczynał się srożyć i lekko popchnął ją do przodu, jak buldog, który swą mocną piersią zmusza do posłuszeństwa nogę właściciela.

– Nazywam się Raffaello di Castignolli – przedstawił się mężczyzna, spoglądając w dół na nią z pełnym rozbawienia uśmiechem.

– Florence Collins – wymamrotała. – A to jest Charlie Twigall.

– Bardzo mi miło – powiedział Raffaello. Był niewiarygodnie, choć nienaturalnie przystojny, zupełnie jakby w reklamę męskiej wody kolońskiej za pomocą rury od odkurzacza wpompowano życie. Czarne włosy miał gładko zaczesane do tyłu, był ubrany w drogi granatowy garnitur z wywatowanymi ramionami; spoglądał na nią z wyrazem twarzy człowieka nawykłego do oceniania sportowych wozów. Nie pasował tylko ten garnitur, nieco zbyt krzykliwy, we włoskim stylu, jak gdyby gangsterski; za bardzo elegancki jak na Hamptons w środku lata.

– Nie mogłem cię nie zauważyć, kiedy szłaś po schodach – powiedział. – Było to bardzo zabawne, jak się wzięłaś w garść, gdy tylko stanęłaś na parterze. Masz, jak to się mówi, wewnętrzne „ja" i zewnętrzne „ja", które pokazujesz światu. Myślę, że na jedną chwilę twoje wewnętrzne „ja" przypadkowo się ujawniło. Domyślam się jednak, że coś się wydarzyło, jeszcze zanim dojrzałem twoją twarz.

Uśmiechnęła się słabo. Przypuszczała, że Raffaello okazuje jej zainteresowanie. Ale jego ocena – podsumowanie – miała również dać jej do zrozumienia, że on znajduje się na wyższej pozycji, ona zaś – na niższej. Był zbyt przystojny, zbyt obcy w swej europejskości. Onieśmielało ją to, a on o tym dobrze wiedział.

– Florence, twój talerz. – Kiedy dotarli do początku kolejki, Charlie sięgnął za siebie i podał jej talerz ze sterty naczyń.

– Wczoraj wieczorem pomagałam przyrządzać część potraw! – powiedziała Florence.

Kelner za stołem odkrawał porcję steku z tuńczyka, wyschniętego i zwęglonego na zewnątrz, jaskraworóżowego i surowego w środku. Następnie rzucał każdy kawałek na stertę tłuczonych ziemniaków i polewał całość jakimś różowym sosem. Florence przez chwilę patrzyła jak zahipnotyzowana na tę obrzydliwą scenę.

– Mogę cię poczęstować makaronem? – spytał Raffaello.

W ogromnej misie leżały rozmoczone poskręcane kluski przybrane cząstkami pomidora i zakrzepłymi bryłami szpinaku lśniącego od oleju. Nałożył jej trochę na talerz, przyciskając się do niej od tyłu. Wyczuła erekcję przez jego cienkie spodnie.

Cofnęła się i rzuciła mu zachwycone spojrzenie pełne niedowierzania.

– Jesteś... jesteś okropny!

– A ty jesteś dokładnie w moim typie. Z wyjątkiem twojego prowincjonalizmu – to takie amerykańskie udawać oburzenie. Powiedz, które potrawy przyrządzałaś? Koniecznie muszę ich spróbować. – Z całą pewnością uprawiał jakąś sadomasochistyczną gierkę; czuła, jakby ją niemal jednocześnie głaskał i dawał klapsa.

– Jakieś brazylijskie danie – powiedziała. – Siekałam do niego cebulę.

– Musisz być bardzo dobra w siekaniu cebuli.

Wobec tak cynicznej ironii czuła się jak tępak.

– Chyba są w tym flaczki.

– Tu, w Ameryce, to niezbyt popularne danie! Ja natomiast uwielbiam mięso ze zwierząt hodowanych metodami naturalnymi. Pod tym względem jestem bardzo angielski. Lubisz flaczki? Albo nerki? Nerkówka to moja ulubiona potrawa.

– Jesteś znajomym Natalie czy Johna?

– Och, obojga – powiedział, nakładając sobie trochę suchych kawałków białego mięsa z indyka. – A ty? – Dał jej jasno do zrozumienia, że pytanie było banalne.

Koło indyka stało danie, które pomagała przyrządzać – ciężka góra czarnej fasoli, z której pod różnymi kątami sterczały szare łodyżki przypominające ludzkie palce.

Na stole znajdowało się jeszcze kilka innych potraw: jakieś jaskrawozielone strączki, wszystkie ułożone starannie w tym samym kierunku; sałatka z cząstek pomarańczy, plastrów cebuli i liści sałaty; i coś, co wyglądało jak pilaw z ryżu – nie była pewna. Stało tam też coś w rodzaju wołowego czy jagnięcego gulaszu oraz talerz z nóżkami kurczaka w żółtokremowym sosie. Jak zwykle w wypadku takich bufetów żadne danie nie pasowało do reszty, zupełnie jakby należało je przyrządzać w dziwniejszych i osobliwszych wywarach niż niegdyś, tak by stawało się jadalnym odpowiednikiem „nowych szat cesarza", a ludzie cmokali i chwalili: „Pyszności!", pochylając się nad talerzem pełnym śmieci.

Miała jeszcze tylko parę minut do podjęcia decyzji, czy usiąść z Raffaello, porzucając Charliego, czy poczekać, aż Charlie skończy nakładać sobie jedzenie i zachowywać się, jakby jedynym naturalnym posunięciem było dotrzymanie mu towarzystwa. Dwa miliony dolarów! Jej życie by się odmieniło! W ułamku sekundy w wyobraźni nabyła mieszkanie – dwupoziomowy penthouse z tarasem i piętnastoma pokojami – i go umeblowała: biedermeiery, francuskie fotele klubowe, Mies van der Rohe. Szafy pełne ubrań, służąca ściera kurze, przychodzą zachwyceni znajomi, a ona zastanawia się, czy polecieć concorde'em. Szybko jednak zrozumiała, że nie ma sensu snuć takich fantazji: jeżeli sobie pofolguje, nigdy się nie urzeczywistnią. Powstrzymała więc szybko tę myśl.

– Czym się zajmujesz? – spytała Raffaello.

– Och, winem – odparł, znowu spoglądając na nią jak drapieżnik. Zajmuje się winem. Czy to znaczyło, że jest właścicielem winnicy we Włoszech? Czy też, że pracuje w sklepie monopolowym? Z jej szczęściem, pewnie to drugie. Gdyby tylko miała dość odwagi, by otwarcie go spytać, jednak uznała to za niegrzeczne. Jego oczy miały intensywny odcień błękitu i ciemną oprawę. – A ty? – spytał. – Czym się zajmujesz? – Tonem dał jej jasno do zrozumienia, że wie, iż jej zajęcie jest bez znaczenia.

– Pracuję u Quayle'a, wiesz, w tym domu aukcyjnym.

Parsknął.

– Tak, oczywiście. W którym dziale?

– Biżuteria.

– Żartujesz!

Nie wiedziała, czy powiedział to z ironią.

– Nie. Dlaczego tak cię to dziwi?

Zanim zdążyła się zorientować, wziął dwa komplety sztućców zawinięte w serwetki, ruchem ręki pokazał, że jeden jest dla niej, i Florence poszła za nim do jednego z małych, kawiarnianych stolików, ignorując Charliego, który nadal szwendał się smętnie w pobliżu. Właśnie rozkładała na kolanach serwetkę w biało-niebieską kratkę, kiedy z domu wyszła Natalie, rozejrzała się po patio i energicznym krokiem ruszyła w jej stronę.

– Co ty sobie wyobrażasz?

– Słucham?

– Utrzymuję z tobą kontakt tylko dlatego, że nasze matki się przyjaźniły. Moja matka zawsze pyta o ciebie, czy pomogłam ci znaleźć chłopaka. W niespełna dwadzieścia cztery godziny udało ci się – jako mojemu gościowi – przespać się z moim mężem i niemalże utopić moją córkę.

Florence z paniką rozejrzała się po patio, ale żaden z gości nie patrzył w jej stronę.

– Natalie, słowo daję, nie wiem, o czym mówisz. Przecież przepraszałam cię za ten wypadek z Claudią.

Pozostali goście jedzący kolację na patio przerwali rozmowy. Trzej kelnerzy zebrali się przy barze nad basenem, gdzie zamarli w bezruchu, podsłuchując. Florence odwróciła się i weszła do domu.

– Myślę, że dobrze wiesz, o czym mówię. – Natalie się nie poddawała. Podążyła za nią do środka. – John nie jest bez winy, ale z ciebie zwykła szmata. Nie musiałaś go podrywać. Zamknęłaś go w swojej sypialni tuż przed przyjęciem? To ma być śmieszne? Nie chcę cię widzieć pod swoim dachem. Uważam, że powinnaś opuścić ten dom.

Kropelka jakiejś cieczy padła na czoło Natalie i spłynęła po jej nosie. Starła ją z roztargnieniem i nawet nie zauważyła, kiedy pojawiła się następna. Florence rozejrzała się ukradkiem. Woda kapała z sufitu. Płat tynku, niczym pęcherz na oparzeniu, wybrzuszył się złowieszczo, miękki i spuchnięty. Prysnęła kolejna kropla.

6

Dywan na trzecim piętrze był gąbczasty pod stopami. Florence spakowała się i zeszła tylnymi schodami do kuchni. Przy odrobinie szczęścia nie wpadnie na Natalie ani na nikogo innego. Może znajdzie tam rozkład jazdy pociągów lub autobusów. Przez okno dostrzegła Charliego w bocznym ogródku. Z głupkowatą miną wpatrywał się tępym wzrokiem w różowy kwiat w kształcie płytkiego półmiska. Na Charliego i kwiat padało jasne światło systemu antywłamaniowego. Florence odstawiła walizkę i wyszła przed dom.

– Charlie! – powiedziała. Próbowała go otoczyć ramionami, ale się cofnął, więc domyśliła się, że już o wszystkim słyszał. – To okropne! Nie spałam z mężem Natalie i nie chciałam, żeby coś złego stało się Claudii. Uwierz mi, proszę.

– Och... – powiedział, na wpół się odwracając, lecz nie patrząc na nią. – Czekam na swojego kierowcę. Kazałem mu wrócić mniej więcej o tej porze. – Spojrzała na zegarek. Ku jej zdziwieniu dopiero minęła jedenasta.

– Co ja teraz zrobię? – powiedziała. – O tej porze chyba nie ma już pociągów ani autobusów na Manhattan, prawda?

– Och, wracasz... do miasta? – spytał. – Gdybyśmy się już nie spotkali, to życzę miłej... podróży. – Nadal unikając jej wzroku, zerknął nerwowo na drzwi balkonowe prowadzące do jadalni, jakby znajdował się pod obserwacją kogoś wewnątrz.

– Nie wiem, co robić – wymamrotała.

– O tej porze chyba już nie ma pociągów – powiedział, jakby dopiero teraz jej pytanie dotarło do niego po kablach telefonicznych z drugiego końca świata.

– Jaki piękny kwiat! – rzuciła z desperacją. Kwiat był obrzydliwy w swej mdłej różowości i z drżącym fallusem pośrodku.

– Mój ulubiony. – Twarz lekko mu się rozjaśniła; ujął kwiat w obie dłonie. – Malwa. – Na żwirze za nimi rozległ się chrzęst opon samochodu. Odwrócili się, gdy ciemnokasztanowy jaguar wjechał na podjazd. – No, jest mój samochód. Nigdy nie zostaję do późna, kiedy wyjeżdżam na wieś.

– Mógłbyś mnie podwieźć na dworzec?

– I co tam zrobisz? Lepiej poczekaj do rana. – Poszła za nim podjazdem. – No, jesteś, Tibor! – zawołał, gdy z auta wysiadł pryszczaty chłopak po dwudziestce. – Kierowca mojej matki. Tibor! – Zamachał ręką. Chłopak podszedł do żywopłotu. Był dość atrakcyjny, miał ogromne, brązowe oczy i długie rzęsy, wydatne kości policzkowe i szerokie bary – całkiem ładne, szczupłe ciało, ale marne, rzadkie, jasne włosy zaczesane do tyłu i wysuszone suszarką oraz ohydną akrylową marynarkę w szaro-czerwony wzór, która wyglądała jak uszyta w Turcji lub Rumunii – taką, jakie noszą tylko przybysze ze wschodniej Europy lub Pakistanu. Spojrzał na Florence, przebiegł wzrokiem po jej obcisłym ubraniu i nerwowo, niemal odruchowo wyszczerzył zęby w uśmiechu. – Za chwilę przyjdę, Tibor – powiedział Charlie. – Muszę się pożegnać z panem i panią domu.

– Przepraszam – zwrócił się do niej Tibor, jakby nagle im przerwano rozmowę.

– Skąd on pochodzi? – spytała wesoło, usiłując wykombinować, jak zatrzymać Charliego. Gdyby tylko udało jej się wciągnąć go w rozmowę... może wtedy namówiłaby go na drinka i poprosiła, żeby ją przenocował. Na pewno miał pokój albo pawilon gościnny, wystarczyłaby choćby kanapa.

– Z Rosji – odparł Charlie. Ruszył w stronę domu. Na jego twarzy malował się uśmiech zdradzający zachwyt nad okazją do zemsty za to, że podczas kolacji usiadła z Raffaello, za to, że nie myślała o nim przychylnie. Miał w ręku wszystkie atuty. Był bogatym mężczyzną, wzdychało do niego wiele kobiet. Gdyby tylko chciał, mógł się ożenić i założyć rodzinę już po sześćdziesiątce. Albo siedemdziesiątce. Florence wiedziała swoje. W wieku trzydziestu dwóch lat, bez dobrego pochodzenia (a przynajmniej ze zwyczajnym pochodzeniem, z w y c z a j n y m, skromnym, nieimponującym), bez własnych pieniędzy, ze zbyt dużą liczbą kochanków na koncie – który ją zechce? Była jak przejrzały banan nakrapiany brązowymi cętkami, który stracił na wartości. – Miło było cię spotkać, Florence!

A więc została odprawiona. Niech ją diabli, jeżeli zacznie go błagać o podwiezienie na dworzec. Pewnie mogła zakraść się z powrotem do domu i zadzwonić po taksówkę. Pierwszy poranny pociąg będzie dopiero o wpół do siódmej albo o siódmej. Może spędzić tę noc na walizce na dworcu albo pod daszkiem. Tu, w tym getcie bogaczy, przynajmniej jest bezpiecznie. Nagle uświadomiła sobie, że nawet nie musi wracać, by wezwać taksówkę. To prawda, że do dworca jest z siedem kilometrów, ale czy ma inny wybór? Trzeba iść pieszo. Trochę to potrwa, a po drodze może się uspokoi. Położyła sobie torbę na ramieniu i ruszyła podjazdem wysypanym żwirem.

– Florence! Florence, zaczekaj! – zawołał jakiś głos od drzwi wejściowych. Nie odwróciła się. Wołający pobiegł za nią; żwir chrzęścił głucho pod jego butami. – Co ty wyprawiasz? – Był to Darryl Lever. Pociągnął ją za rękę i wziął jej bagaż.

– Idę na dworzec. – Próbowała mu wyrwać torbę.

– Podwiozę cię, ale najbliższy pociąg jest chyba dopiero rano.

– Nieważne. Zaczekam.

– Mam cię odwieźć do miasta?

Z wdzięczności niemal się zachwiała.

– A mógłbyś?

– Pewnie.

– O Boże. Dziękuję. To było takie straszne. Po prostu okropne.

– Poczekaj tu, pójdę po samochód. Musimy zahaczyć o mój dom, żebym zabrał swoje rzeczy, jeśli nie masz nic przeciwko temu.

– Nie szkodzi. Chcę po prostu jechać do domu.

Było po jedenastej. Po raz pierwszy w ciągu tego weekendu ruch uliczny się zmniejszył. Milczeli przez następne dwadzieścia minut. Duży, stary cadillac kabriolet Darryla, kompletnie skorodowany, musiał mieć z piętnaście, dwadzieścia lat – przez podłogę i tablicę rozdzielczą sączyły się opary benzyny.

– Tylko skoczę po swoje rzeczy – powiedział w końcu Darryl, skręcając z podjazdu. – Masz ochotę wejść?

– Poczekam.

Staroświeckie latarnie oświetlały drzewa rosnące wzdłuż prywatnej ulicy. Dom Darryla był tak luksusowy, że Florence przemknęło przez myśl, że może to jakiś stary hotel albo klub wiejski – co Darryl tu robi? Dom pewnie został zbudowany na przełomie wieków: ciemne, drewniane gonty, weranda, która biegła przez całą długość fasady. Miał dwa piętra, wieżyczki i kopuły, a za kolistym podjazdem i parkingiem znajdowała się stara powozownia przerobiona na garaż i kwaterę dozorcy lub szofera. Darryl zajechał pod główne wejście i wyskoczył z samochodu.

– Wracam za minutkę – powiedział. – W tym tygodniu już tu nie przyjeżdżam. Wszyscy pewnie poszli spać, więc zostawię wiadomość.

Florence siedziała w samochodzie. Słyszała szum morza znajdującego się całkiem blisko, pewnie tuż za domem. Willa była wspaniała, prawdziwa nadmorska letnia posiadłość bogaczy; w porównaniu z nią dom Natalie stanowił jedynie marną imitację. Wydała nań mnóstwo pieniędzy, a jednak nie osiągnęła pożądanego efektu, zupełnie jakby to kosmici z innej planety zbudowali ludzkie siedlisko na podstawie fotografii. Już miała wejść i poszukać Darryla, kiedy wyłonił się z walizką i kilkoma papierowymi torbami.

– Przepraszam za zwłokę – powiedział. – Moi... yyy... jeszcze nie spali i trochę się zdenerwowali, że wyjeżdżam. Spodziewali się, że zostanę przynajmniej do jutra.

– Kto tam mieszka? Twoi przyjaciele?

– Można tak to ująć.

Zdziwiła się, że zna bogaczy, których stać na taki dom. Popędzili w milczeniu w stronę miasta. Ulżyło jej, że Darrylowi nie przeszkadza cisza. Odwróciła się do niego i zaczęła go obserwować w migoczących światłach autostrady. Prowadził dość kiepsko, więc cieszyła się, że na drodze nie panuje zbyt wielki ruch. Zrywami przyciskał pedał gazu, po czym zdejmował z niego nogę, więc samochód co chwila szarpał do przodu, a potem zwalniał.

– Opowiedz mi, co się stało.

– Pani domu mnie wyrzuciła – powiedziała Florence. – Zrobiła mi scenę i oskarżyła o to, że się przespałam z jej mężem.

– O co?

– O to, że się pieprzę z jej mężem.

– Spałaś z Johnem? – W jego głosie zabrzmiała odraza.
– Zaatakował mnie. Broniłam się, ale powiedział Natalie, że go uwiodłam.
– Straszne! To okropni ludzie, Florence. Nie powinnaś była u nich nocować.
– Mmm.
– Boże, gdybym tylko wiedział, nigdy bym nie poszedł na to przyjęcie. Zrywam z nimi wszelkie kontakty.
– To miło z twojej strony.
– I tak nigdy ich nie lubiłem. Poszedłem tam tylko dlatego, że wiedziałem, że i ty będziesz... Może miałabyś ochotę skoczyć na drinka, a ja ci pokażę, jak się wiedzie Rosjanom?
– A jak się wiedzie Rosjanom?
– Równie kiepsko. – Uśmiechnął się do niej szeroko.

Poszli do hałaśliwego klubu pod torami metra gdzieś w Queens. Nigdy przedtem nie była w tej okolicy pełnej sklepów z szyldami z cyrylicą. Czuła się, jakby zwiedzała inny kraj, brudny, pożółkły i pełen goryczy. Klub był zatłoczony, ale mężczyzna przy wejściu najwyraźniej znał Darryla, który wziął ją za rękę i przeprowadził przez tłum. Dosiedli się do grupy przy ogromnym stole – krzyczał do niej ich imiona, a ona z konsternacją kręciła głową. Przed nimi stanęła butelka na wpół zamrożonej wódki. Nalał im po kieliszku i puścił butelkę w obieg. Na scence oświetlonej przez wirujące światła dyskotekowe mała orkiestra grała rosyjską muzykę, nie najlepiej, ale z wdziękiem.

Miała wrażenie, że znajduje się na statku, tonącym statku, na którym wszyscy byli zdecydowani świetnie się bawić. Może właśnie z powodu zagrożenia zabawa była tak fantastyczna. Przy drugim końcu stołu nad swoim drinkiem szlochała ruda kobieta po czterdziestce; nikt nie zwracał na nią uwagi. Obok niej siedział potężny mężczyzna o czerwonej twarzy, którego wąsy przypominały sumiaste wąsiska morsa – niewątpliwie spadek po przodkach. Darryl otoczył Florence ramieniem i przyciągnął do siebie.

– Dlaczego jesteś taka smutna?

– Wcale nie jestem smutna!

– Co?! – krzyknął mężczyzna z sumiastym wąsem, prychając śliną. Małe, niebieskie oczka nieomal wyskakiwały mu z twarzy. – Źle traktujesz mojego przyjaciela?

– Kogo?

– Mojego przyjaciela Darryla. To dobry człowiek. Myślę, że ty nie jesteś dobrym człowiekiem.

– Jak możesz mnie tak pochopnie osądzać? – Zirytowała się. – Nic o mnie nie wiesz.

– Obserwuję. – Najwyraźniej ucieszył się, że ją sprowokował. Nie zamierzała mu dać tej satysfakcji. Wszystkie magazyny i telewizja dyktowały atrakcyjny wygląd, zdobycie dobrej pracy i odpowiedniego mężczyzny. Kobieta zawsze powinna mieć manikiur, najmodniejszą fryzurę, kupować najnowsze szampony, farbować włosy na złoto i brązowo. Buty muszą być wypastowane, nigdy nie zdarte. Na każdą okazję wymagany jest odpowiedni strój. A gdy Florence już zbliżała się do ideału, zawsze musiał znaleźć się jakiś facet, który patrzył na nią ironicznie i mówił, że jest szarlatanem.

– Możesz się mylić. Po prostu jestem typową amerykańską dziewczyną. Myśl sobie, co chcesz. I tak nie zmienisz zdania. – Upiła łyk wódki.

– Nie, nie! Wódkę powinno się pić w ten sposób! – Czerwonogęby mężczyzna jednym haustem opróżnił kieliszek, po czym ruchem ręki pokazał, by zrobiła to samo.

Nie miała pojęcia, dlaczego Darryl zadaje się z takimi ludźmi. Płynnie mówił po rosyjsku – co było dla niej niespodzianką, ale nie szokiem. Był inteligentny, mógł się zajmować, czym tylko chciał, on jednak wolał marnować swoją wiedzę na bezużyteczne projekty, bezużytecznych ludzi i miejsca; nie miał ochoty się rozwijać. To miejsce aż tętniło rosyjską energią, witalnością, rozpaczą, ale Florence nie potrafiła zainteresować się tą grupą ludzi. Wieczór spędzony z ludźmi niezajmującymi odpowiedniej pozycji społecznej może mieć zły wpływ na nią i na Darryla. Obcowanie z bezwartościowymi osobami działa w ten sposób. Niski status to choroba, którą można się zarazić jak grzybicą. Zadawaj się zbyt długo z niewłaściwymi osobami, a sam wstąpisz w ich szeregi.

Jeżeli trochę się upije, nie będzie musiała myśleć o upokorzeniach, jakie przeżyła w ciągu ostatnich dwóch dni. Co mogła począć? John ją dosłownie zgwałcił – ona przynajmniej zrobiła, co w jej mocy, żeby to ukryć. Gdyby powiedziała Natalie, że John wtargnął do jej sypialni, ona i tak winiłaby Florence.

Wypiła wódkę jednym haustem. Miała wrażenie, że połknęła potężny łyk zamrożonej benzyny. Na chwilę przeniosła się na równinę Antarktydy, na białe wygwizdowo, gdzie przykucnęła sama w jakimś nieprawdopodobnym igloo zbudowanym z bloków czystego lodu. Kiedy wróciła do rzeczywistości, mężczyzna siedzący koło niej, którego imienia nie mogła zrozumieć, ponownie napełnił jej kieliszek i przytknął go do jej ust. Co się z nią stanie? Dzisiaj przynajmniej odpocznie od świata rzeczywistego. Darryl patrzył na nią zza stołu zatroskanym wzrokiem.

– Dobrze się czujesz? – Zrobił ruch ręką w stronę ogorzałego mężczyzny i rzucił mu parę ostrych słów po rosyjsku.

– Dobrze! – powiedziała Florence. Wyjęła kieliszek z ręki mężczyzny i wypiła wódkę. – Chcę usiąść koło ciebie – oznajmiła Darrylowi.

– Co?

– Chcę usiąść koło ciebie! Jesteś za daleko, na drugim końcu stołu. Nie słyszę cię. – Spuścił wzrok, zakłopotany, ale i zadowolony, i zaczął się bawić okruchami leżącymi obok jednej z ogromnych, grubych pajd chleba, które leżały nietknięte na tacy z nierdzewnej stali. Potem przeszedł na jej stronę stołu i zamienił się miejscami z jej sąsiadem, który usiadł naprzeciwko nich i zaczął ryczeć po rosyjsku do muzyki, a sąsiedzi przyłączyli się do niego.

– Mikołaj jest kustoszem w Galerii Tretiakowskiej! – krzyknął jej do ucha Darryl.

– Tak?

Kiwnął głową.

– Byłaś kiedyś w Rosji?

Pokręciła głową.

– Zdaje się, że się znasz na rynku sztuki.

– Nie, ale Mikołaj jest moim przyjacielem, więc co nieco o tym wiem. Jak ci idzie w pracy?

– W ogóle mi nie płacą! Jeżeli mi nie dadzą podwyżki albo jeżeli nie wydam się bogato za mąż, chyba sobie coś zrobię!

– Chyba żartujesz! O Boże, Florence, rozejrzyj się! Przyprowadziłem cię tu, bo... chciałem ci pokazać tych ludzi, moich przyjaciół. To o n i nie mają pieniędzy! A jednak świetnie się bawią, cieszą, że są razem, że żyją; to są prawdziwi ludzie!

Rozejrzała się. Ruda kobieta, trzymająca kieliszek wódki, siedziała w kącie, śpiewając po rosyjsku, a po jej twarzy lały się łzy. Policzki miała zarumienione jak jedna z tych karczmarek z *Braci Karamazow*. Przy sąsiednim stoliku dwaj mężczyźni spierali się namiętnie. Jeden miał bródkę i okrągłe okulary jak Lenin, drugi – błogi wyraz twarzy księcia Myszkina.

– Jeżeli ci ludzie są prawdziwi – powiedziała – to ja nie chcę takiej prawdy.

– Jak możesz tak mówić? – Darryl pochylił się do przodu. – Ci ludzie, moi przyjaciele, są tacy jak ja. Kiedy już się z nimi zaprzyjaźnisz, zostaną ci absolutnie wierni. Jak ja. A tego nie znajdziesz nigdzie w Nowym Jorku. W tym mieście nikt nawet nie umie się zakolegować, już nie wspominając o lojalności czy przyjaźni. Jestem twoim przyjacielem, Florence.

Pomyślała, że jest tak samo pijana jak on. Wyrzucała sobie własny cynizm, ale ta rozmowa nie miała dla niej żadnego sensu. Wiedziała tylko, że raptownie, spontanicznie Darryl stał się dla niej bardzo atrakcyjny – może dzięki wyrażonej wcześniej wierze w dobroć człowieka i świata, a może za sprawą myśli, że w końcu znalazła prawdziwego przyjaciela.

Zaczęli się całować jak dwa ptaki, dzikie papugi wysoko na drzewie; jego ramiona były skrzydłami, pod którymi mogła się schronić. Nagle Darryl zaczął kasłać i wyprostował się, łapiąc powietrze.

– Wody! – w końcu udało mu się wykrztusić. – Nie wiem, co mi jest. Chyba powinienem pójść do lekarza.

– Co nie dzisiaj?

– Słucham?

– Przed chwilą powiedziałeś „nie dzisiaj".

– Nie pamiętam. – Miał zaskoczoną, zdezorientowaną minę. Rzuciła się na niego, przyciągnęła za włosy i zaczęła całować w ucho.

7

Około czwartej rano zawiózł ją z powrotem na Manhattan. W lipcowy niedzielny poranek West Side wyglądał jak zamknięty na cztery spusty – a światło miało żółtawy odcień – jakby z powodu jakiejś katastrofy ekologicznej dzielnica została opuszczona. Na ulicach nie było ruchu. Darryl zaparkował, wysiadł, podszedł do samochodu od jej strony i otworzył drzwi.

– Może wejdziesz ze mną na górę? – zaproponowała, łapiąc go za rękę.

– Nie, nie, nie mogę – odparł.

– Dlaczego? Co z tobą? – spytała, lekko bełkocząc. – Jesteś gejem?

– Nie, nie jestem gejem. Daj spokój, Florence, chcesz powiedzieć, że nie pamiętasz? – Opadła na jego ramię jak bezwładne zwierzątko z zoo i wtuliła twarz w jego szyję. – Dasz sobie radę? Pojedziesz sama windą?

Drzwi wejściowe były zamknięte. Odźwierny pewnie się zdrzemnął i musieli dzwonić przez parę minut, zanim się pojawił. W tym czasie nadal owijała się wokół Darryla. Za każdym razem, kiedy odrywał od siebie jej ręce i nogi, jakoś udawało jej się znowu do niego przywrzeć.

– Proszę, nie każ mi iść samej do domu.

– W twoim obecnym stanie oznaczałoby to wykorzystanie cię. – Pocałował ją w policzek.

– W jakim obecnym stanie? Myślisz, że jestem pijana? Może troszeczkę, ale pamiętam, jaki jesteś świetny w łóżku.

Skrzywił się.

– Twoim zdaniem tylko tyle się wydarzyło? Tylko tyle zapamiętałaś? Że jestem świetny w łóżku? – Wyglądał na tak zranionego, że musiała coś powiedzieć.

– Nie, tylko żartowałam – zapewniła go. – Po prostu pomyślałam, że może miałbyś ochotę pójść ze mną na górę, chociaż na drinka.

Nadal był nieco podejrzliwy.

– Nie chcę iść z tobą do domu i następnego dnia usłyszeć, że zaprosiłaś mnie tylko dlatego, że nie chciałaś być sama. Powinnaś już wiedzieć, że nie jesteś mi obojętna. Nie należę do takich facetów. – Do wejścia przywlókł się odźwierny, który zaczął otwierać przeszklone drzwi. – Zadzwonię jutro. Masz wolny wieczór?

– Chcesz się znowu ze mną spotkać? Czy tylko tak mówisz, żeby się mnie pozbyć?

– Nie, chcę się z tobą spotkać! – Był lekko zirytowany, ale jednocześnie prawie mdlał z zachwytu; od lat czekał na taką sytuację.

– Dobrze, ale jutro pójdziemy tam, gdzie ja chcę. Już żadnych rosyjskich... gorzelni.

– Ty wybierasz.

Odźwierny patrzył na nich sennym wzrokiem. Wykrzesała z siebie tyle godności, na ile ją było stać, odwróciła się i weszła do domu.

– Mam nadzieję, że dobrze się bawiłeś! – rzuciła przez ramię z przesadną uprzejmością. – Jedź ostrożnie!

Na sekretarce nie było ani jednej wiadomości. Gdyby nie wyjechała, przesiedziałaby cały weekend w ciemnym mieszkaniu, nie mając do kogo otworzyć ust. Przez pół godziny kręciła się tam i z powrotem, brała do ręki stare gazety i katalogi po to tylko, by sobie uświadomić, że już je wszystkie czytała. Słowa wirowały jej przed oczami. W budynku nie było klimatyzacji, więc w jej mieszkaniu panowała duchota i skwar. Włączyła wentylator w oknie w sypialni. Wtedy coś jej się przypomniało. Poszła do kuchni i otworzyła zamrażarkę: duży pojemnik lodów z wiórkami czekolady. Złapała łyżkę i weszła do łóżka. Metodycznie zatapiała łyżkę w stwardniałej masie, niczym górnik odłupujący kawały węgla, a jej usta wypełniały się ciemnym, gorzko-słodkim chłodem. Jadła bez opamiętania, nie mogąc się powstrzymać, zupełnie jak motyl raz za razem zanurzający trąbkę w kwiat lub gepard rozrywający zdobycz. Co za zwierzęca rozkosz! Gdyby tylko można spędzić życie w takim stanie czystego istnienia.

Potem zrobiło jej się niedobrze, nie fizycznie, lecz psychicznie. Lody się skończyły. Zaczęła czytać etykietę na kubełku. Jedna filiżanka zawierała ponad czterysta kalorii. Zjadła prawie trzy. Tysiąc dwieście kalorii tłuszczu w czystej postaci. Jakże niewiele czasu zajęło jej pochłonięcie takiej ilości. Pyszny smak już zniknął, a kalorie zostaną.

Długo nie mogła usnąć. Jej łóżko wirowało. Czuła się, jakby jej umysł po przerwie w myśleniu postanowił ukarać ją pracą w nadgodzinach. Jak mogła przespać się z Johnem? Może rzeczywiście oni się rozwodzą: John się z nią ożeni, przez jakiś czas będą krążyć plotki, ale wszystko ucichnie, a ona zostanie członkiem tego świata zamieszkanego przez ludzi na poziomie, jedynego odpowiedniego dla niej świata w Nowym Jorku.

Ludzie nie posiadaliby się z oburzenia, gdyby mogli teraz usłyszeć jej myśli. Kobiety – współczesne kobiety – nie powinny myśleć w ten sposób. Powinny być twarde, skupione na robieniu kariery, interesować się wydarzeniami kulturalnymi. W jej świecie kobieta powinna myśleć o wspinaczce wysokogórskiej, snowboardzie, grze w bilard lub siatkówkę. Romanse są dla dziewczynek; otwarte przyznawanie się do żądzy pieniądza i akceptacji społecznej poprzez małżeństwo jest godne potępienia. Ale oczywiście wszystkie te kobiety, które biorą udział w spływach kajakowych górskimi rzekami, łowią ryby na muszki czy surfują, po prostu usiłują udowodnić, że różnią się od innych – że dorównują facetom. Co innego mogą mieć na celu, jak nie przypodobanie się mężczyznom?

Mdła poświata z nocnej lampki przy drzwiach do łazienki padała na zasłony w niebiesko-białe paski, wydymające się przed wentylatorem, bujające się niespokojnie niczym łódka na falach.

Kiedy się obudziła, dochodziła pierwsza po południu. Marzła z zimna; niemal cała pościel spadła na podłogę, a z wentylatora prosto na jej głowę dęło lodowate wilgotne powietrze. Włożyła różowy szlafrok z kordonku i powlokła się do kuchni. Nawet w salonie było zimno. Nastawiła wodę na herbatę i otworzyła okno. Chorowity gołąb, który przycupnął na parapecie, odleciał, gorączkowo machając skrzydłami i zostawiając po sobie małą kałużę zielonkawych odchodów. Na zewnątrz też panował ziąb. W nocy temperatura spadła, zrobiła się jesienna pogoda, wiał rześki wiatr, a niebo było intensywnie niebieskie.

Poczuła, że umiera z głodu. Wstawiła do tostera ostatniego angielskiego muffina, nieco podeschniętego i zawiniętego na brzegach. W lodówce nie znalazła masła, tylko kawałek stwardniałego camemberta, prawie samą skórę. Wyjęła nóż. Miała wrażenie, że jej głowa została od środka wypolerowana papierem ściernym. Na sekretarce w holu migała lampka. Florence odsłuchała wiadomość od Maksa Coho – znała go z Quayle'a, często robił tam badania rynkowe albo przeprowadzał różne aukcje – który zostawił jej swój numer telefonu. „Zadzwoń do mnie, słoneczko". Pisywał do magazynów poświęconych antykom, ale było powszechnie wiadomo, że dostarcza plotek do brukowców.

Sekretarka zarejestrowała też dwa głuche telefony i nagranie od Darryla, który powiedział, że przez cały dzień go nie będzie w domu, ale przyjdzie po nią o siódmej.

Nie miała pojęcia, jak się wykręcić od tego spotkania. Zdecydowała, że Darryl po prostu jej nie zastanie w domu; jeżeli chce zachować się uprzejmie, może zostawić wiadomość u odźwiernego. Za nic nie chciała znowu się z nim spotkać. Przypomniało jej się, jak mu wlewała wódkę do gardła, jednocześnie zaciskając jego nos, a potem usiłowała go pocałować – ku ogólnemu aplauzowi ze strony reszty towarzystwa. Potem przypomniała sobie coś jeszcze – tańczyła z tym czerwonogębym grubasem, a potem zostawiła go i próbowała wyciągnąć Darryla na parkiet. Nie zgadzał się, więc usiadła mu na kolanach i... i co dalej?

Poczłapała korytarzem w poszukiwaniu aspiryny. Czajnik darł się, jakby go mordowano. Bo też i było tak w pewnym sensie – miał przypalone dno. Lustro było stare i pokryte skazami, a przeszklone matową szybą drzwiczki w szafce nad nim – brudne od pluskiew, przez co jej twarz wyglądała na jeszcze bardziej zieloną.

Zadzwonił telefon. Pobiegła, by go odebrać, zanim włączy się sekretarka. W jej mieszkaniu unosił się lekki zapach kota i ryby. Poprzedni lokator musiał mieć kota, a może przez ściany z sąsiedniego mieszkania sączył się odór moczu. Kilka razy szorowała całe mieszkanie, ale nie udało jej się usunąć tej woni.

– Cześć, Florence. – Męski głos z włoskim akcentem. – Pamiętasz mnie?

– O rany. – To był ten mężczyzna z kolacji poprzedniego wieczoru, którą już teraz wspominała jak wydarzenie sprzed wielu lat. – Czy to... Tony? – Rozmyślnie podała inne imię. Dlaczego ten arogant zakładał, że go pamięta i od razu rozpozna po głosie?

– Nie.

– Och, przepraszam! Oczywiście, Salvatore, jak się masz?

Ku swej satysfakcji wyczuła, że jest poirytowany.

– Mówi Raffaello di Castignolli. Wczoraj wieczorem zniknęłaś tak nagle. Myślałem, że poszłaś spać, a kiedy dzisiaj zadzwoniłem, okazało się, że wróciłaś do miasta.

– Tak – powiedziała. – Musiałam nagle wyjechać.

– Mm. Ciągle słyszę o twoim wyjeździe.

– Skąd masz mój telefon?

– To moja tajemnica. Jestem jeszcze w Hamptons, ale wracam dzisiaj wieczorem i pomyślałem, że może miałabyś ochotę skoczyć ze mną na późną kolację.

– Och, cudownie! O której?

– I tu mam problem. Nie wiem, czy na drodze będzie duży ruch. Moja propozycja jest taka: zadzwonię do ciebie, kiedy dojadę, i wtedy się umówimy.

Wypiła herbatę i zjadła muffina z roztopionym serem. Miała wrażenie, że to pyszny kawałek zardzewiałego metalu; twarde brzegi wbijały jej się w dziąsła. Uwielbiała potrawy, które sprawiały ból. Może jest jedzeniową masochistką? Jej wymarzonym posiłkiem były potwornie piekące dania z ostrą papryką albo coś o twardych brzegach. Udowadniała sobie, że żyje, kiedy łzy ciekły jej po policzkach – lecz nie z bólu psychicznego, lecz takiego, który zadawała sobie sama i który sprawiał jej przede wszystkim przyjemność.

Na biurku leżała ogromna sterta korespondencji – niezapłacone rachunki, listy od wykonawcy testamentu jej matki, która zapisała córce swoją posiadłość w Kalifornii. Najwyraźniej procedura już została zakończona i Florence nie musiała się spodziewać niczego więcej. Poczuła nagłe ukłucie żalu. Tęskniła za matką. Jeszcze za jej życia była z niej bardzo niezadowolona. Matkę zawsze paraliżowały rozmaite lęki, zdanie innych ludzi. W ogóle nie miała żyłki awanturniczej, czuła tylko przerażenie. Poświęciła życie na wypróbowywanie różnych przepisów i postępowanie zgodnie z regułami. Gdyby choć raz, choć na sekundę zrozumiała, jakie to wszystko nieważne, że jedyny sposób na życie to czerpać z niego pełnymi garściami!

Inne koperty zawierały prośby o pieniądze – ze schroniska dla zwierząt, publicznej telewizji, domu dla nastoletnich narkomanów – lub o zakup biletów na chyba wszystkie imprezy charytatywne w Nowym Jorku: od Fundacji na rzecz diabetyków „Kopciuszek", Fundacji imienia Heleny, księżnej Albanii, Fundacji „Spełniamy marzenia". Zignorowała je, natomiast przebiegła wzrokiem artykuł w magazynie o dekoracji wnętrz, dotyczący łazienek w domach dwunastu bogatych ludzi z całego świata. Jedną zaprojektowano w stylu dojarni w nowoczesnym gospodarstwie mlecznym, inna przypominała schron przeciwatomowy wzniesiony na wypadek katastrofy nuklearnej, a jeszcze inna, w zamku, była wyłożona wytartymi antycznymi kafelkami z terakoty. Podpis pod zdjęciem wyjaśniał, że kafelki te można kupić po dwanaście dolarów za sztukę w małej francuskiej firmie, w której nadal wytwarzane są ręcznie.

Otworzyła luksusowy magazyn – pozornie poświęcony bieżącym wydarzeniom, lecz tak naprawdę plotkarski – na którego okładce zawsze widniało zdjęcie gwiazdy filmowej. W tym miesiącu okładka prezentowała aktorkę umalowaną jaskrawoczerwoną szminką, w pretensjonalnej pozie. Napis pod zdjęciem głosił: „Ibis, fascynująca piękność". Florence, zdegustowana, przebiegła wzrokiem artykuł. Dwudziestotrzyletnia Ibis pochodzi z niesamowitej rodziny: jej matka, znana z urody angielska arystokratka, przed wyjściem za mąż za ojca Ibis, profesora ornitologii na Oksfordzie, była żoną angielskiego piosenkarza popowego. Ibis od piętnastego roku życia jest utalentowaną aktorką. Inne dzieci w tej rodzinie noszą imiona Dzierzba, Bażant, Mädchen, Wireonek i Gajówka. Och, jakąż sielanką jest ich życie: spacerują po swej posiadłości o powierzchni czterech tysięcy akrów i prywatnej wyspie na Karaibach, wspinają się na Mount Everest, odkrywają nowe odmiany wróbli, dają sobie nawzajem koncerty. A Ibis, piękna Ibis, teraz ma otrzymać siedem milionów dolarów za rolę w filmie. Reporter, który napisał ten artykuł, najwyraźniej jest w niej tak zakochany, że nie potrafił powiedzieć choćby jednego złego słowa na jej temat. Ibis jest piękna (Florence uważnie jej się przyglądała, lecz aktorka wciąż jej się kojarzyła z indykiem), Ibis umie wybrać najlepszy trunek z każdej karty win. Potrafi prowadzić wyrafinowane rozmowy; kiedyś była żoną nepalskiego księcia, a teraz zamierza poślubić przystojnego francuskiego aktora, grywającego w artystycznych obrazach, który ostatnio przerzucił się na popularne filmy akcji i przygodowe. W wolnym czasie produkuje i reżyseruje farsy Feydeau[1].

Gdyby po skończeniu artykułu Florence spotkała Ibis na ulicy, z radością by ją udusiła. Wystawiła głowę przez okno, niemalże z nadzieją, że Ibis przejdzie pod nim, a ona będzie miała okazję umożliwić jej przejście do następnego wcielenia (Ibis wierzyła w reinkarnację i studiowała w tybetańskim klasztorze jako jedyna kobieta zaakceptowana przez pięciuset mnichów).

Czytanie takich rzeczy i napełnianie się żółcią i jadem było jak choroba – czy też może raczej bardziej przypominało nałóg. Jeśli jednak jest to uzależnienie lub choroba, to Florence nigdy nie słyszała, by inni o niej rozmawiali czy wspominali, gdzie mogłaby znaleźć lekarstwo.

Na zewnątrz nadal było chłodno, a przynajmniej takie miała wrażenie tu, na trzynastym piętrze. Wzięła prysznic i szybko przebrała się w różowy T-shirt z kaszmiru i jedwabiu, czarną minispódniczkę i czarne zamszowe botki do kolan. Normalnie w niedzielę ubrałaby się

[1] Georges Feydeau (1862–1921) – francuski autor komedii bulwarowych i wodewilów.

inaczej i poszła na siłownię albo pobiegać po parku, ale dzisiaj za bardzo bolała ją głowa. Wolnym jak na nią krokiem ruszyła Madison Avenue. Jedynymi ludźmi na ulicy byli turyści, którzy przyjechali na Manhattan, hałaśliwi, źle ubrani, objuczeni torbami na zakupy zawierającymi te same artykuły, które mogli kupić na Long Island czy w New Jersey, które jednak – nabyte tutaj – wydawały się bardziej stylowe. Widziała też miejscowych, zbyt ubogich na to, by wyjechać na weekend, nieposiadających domku na wsi i niezaproszonych w odwiedziny. W parkach i na molach aż się roiło od na wpół nagich mężczyzn i kobiet w niewyobrażalnie skąpych kostiumach kąpielowych, którzy siedzieli na wyschniętej trawie śmierdzącej psim moczem. Takie zachowanie zawsze wydawało jej się dziwne. W dzieciństwie, kiedy szły do miasta, matka zawsze kazała jej przebierać się z szortów w spódnicę lub spodnie z długimi nogawkami. Takie świecenie nagością uważała za lubieżne, prowokacyjne i niehigieniczne.

Lato już nie było takie jak kiedyś. W dzieciństwie przez parę lat odwiedzała z matką dziadków w Maine, na małej wysepce, gdzie latem słońce świeciło tylko przez parę dni, a zimą, kiedy jeździły tam na Boże Narodzenie, w ogóle się nie pokazywało. Niemniej jednak uwielbiała to miejsce: lodowate wody zatoczki, spacery po klifie między sosnami, rybołowy polujące na kolację dla swych młodych w gnieździe na szczycie najwyższego drzewa. Zbierała na wpół zgniłe maliny na polanie, gdzie się rozrosły i zdziczały po latach.

Babcia piekła placek posypywany ziarnami; za pomocą łopatek w jaskrawym kolorze fuksji pokrywały go bitą śmietaną. Dziadkowie niewiele potrzebowali do życia: kawałek placka, „The Saturday Evening Post" i „Yankee", naleśniki na kolację w remizie straży ochotniczej, pory roku przechodzące ze srebrnych szarości aż po szarawe błękity. A jednak byli zadowoleni. Takie zadowolenie, niegdyś żywioł stały jak woda czy powietrze, już nie istniało na tej planecie. Może jego zasoby wyczerpały się lub spłonęły, gdy powstała dziura ozonowa. Dziadek zmarł na zawał, babcia – na raka. Matka Florence musiała sprzedać ich dom za symboliczną sumę. Jej pokolenie zasiało ziarno niezadowolenia, inwazyjny gatunek, który rósł we Florence jak bluszcz. W liceum zrozumiała, że nawet bardzo ambitna kobieta nie zdobędzie żadnego statusu, chyba że dobrze wyjdzie za mąż.

Przeszła przez park. Na placu Bethesda Fountain rozbrzmiewały dźwięki plemiennych bębnów. Jakiś brudny mężczyzna z ogromną torbą ziarna karmił ptaki. Nosił przydomek „Ptasznik" – plotki głosiły, że kiedyś mieszkał w pałacu i wydał majątek na grzywny i dokarmianie ptaków, które było zabronione. I tak wydawały jej się odrażające – głupie istoty stworzone tylko do defekacji i rozmnażania się.

Ciągle oglądali się za nią mężczyźni: jeden przerwał jogging, inny spadł z roweru, a przez całą drogę wzdłuż Strawberry Fields śledził ją jakiś mały latynoski garbus. Powtarzała sobie, że jeżeli przyspieszy kroku, nie będzie musiała myśleć. Wyszła z parku na West Side i ruszyła w stronę rzeki. Kiedy skręciła za róg, przez West End Avenue przeleciał podmuch wiatru niosącego ze sobą zapach duszonej wołowiny i kapusty – zapach ciemnych mieszkań, w których staroświeckie zegary odmierzały godziny – i Florence ogarnęła nostalgia za czymś, czego nigdy nie doświadczyła.

8

Wskoczyła do taksówki i wróciła na Piątą Aleję. Ruszyła w stronę domu, ale po drodze wstąpiła do drogiego magazynu, nawet się nie zastanawiając, co robi. Całe wnętrze było zbudowane w betonie, z imitacją elementów japońskiej architektury: na każdym piętrze znajdowały się tylko dwa, trzy artykuły. Podeszła do szklanej gablotki z okularami przeciwsłonecznymi.

– Czy mogę obejrzeć tę parę? – spytała sprzedawcę, wskazując na okulary. Niewątpliwie były jej potrzebne; od miesięcy nie mogła znaleźć swoich starych, a inne nie dodawały jej uroku lub już wyszły z mody. Te spodobały jej się tak bardzo, że zdecydowała się na kupno kilku dodatkowych par. – Jeżeli zgubię jedną, to przynajmniej nie będzie mi przykro, bo zostaną jeszcze inne – powiedziała głośno, wybierając ten sam styl w szylkretowych oprawkach, czarne i ciemnogranatowe w szafirowe ciapki. – Czy mogę zapłacić kartą?

Pewnie powinna najpierw spytać o cenę: kosztowały po dwieście osiemdziesiąt dolarów za parę. Ale sprzedawca już podliczał rachunek, więc nie zamierzała robić z siebie idiotki i poprosić o cofnięcie operacji. Poza tym cena nie była aż tak bardzo wygórowana: woli kupić trzy pary świetnych okularów przeciwsłonecznych, które może nosić przez lata, co wyjdzie niedrogo, niż coś, co jej się nie podoba i czego nigdy nie założy. Kiedy sprzedawca wkładał każdą parę do fantazyjnego futerału z nierdzewnej stali i zawijał go w bibułkę, usłyszała, że ktoś woła ją po imieniu.

– Florence?

Była to Allison Thomas z wózkiem i dzieckiem o twarzy jak księżyc w pełni.

– Allison? Co robisz w mieście w lipcową niedzielę?

– Och, Archie zabiera nas na trzytygodniową wycieczkę barką przez Francję. Wyjeżdżamy dziś wieczorem. Jego zdaniem to jedyne wakacje, na jakich jego rodzice mogliby dobrze się bawić, więc w piątek przyjechałam ze wsi, żeby się przygotować. Co u ciebie?

– Byłam u Natalie i Johna, wiesz, de Jonghów.

– Jasne.

– Strasznie się pokłóciłam z Natalie. Wyrzuciła mnie.

– Żartujesz. – Allison zawsze wyglądała jak gwiazdka filmów kategorii B. Spojrzała na Florence pytającym wzrokiem. – Masz ochotę skoczyć na kawę?

– Dobrze.

– A może zejdziemy do podziemi? Na dole otworzyli japońską herbaciarnię.

– Skończyłaś już zakupy?

– Rozglądałam się za nowym kostiumem kąpielowym, ale nie znalazłam nic, co by mi się podobało. Co kupiłaś?

– Florence wskazała na okulary w gablocie. – O, jakie ładne. Chyba też wezmę parę. Jak myślisz, będą mi pasować?

– Przymierz. – Allison mogła kupić, co tylko chciała, nie namyślając się dwa razy. – Myślę, że powinnaś przymierzyć te okrągłe. Bardziej ci pasują do kształtu twarzy.

Allison założyła okulary.

– Myślisz? Sama nie wiem.

– Podobają mi się. Do twarzy ci w tych niebieskich szkłach.

– A te? Sądzisz, że Archiemu byłoby w nich ładnie?

Florence ledwo pamiętała, jak wygląda mąż Allison.

– Nosiłby taki fason?

– Nie wiem. Zawsze mówi, żebym mu wybierała ubranie, kiedy idę na zakupy, a w końcu i tak go nie nosi. Lubi chyba tylko Ray Bany, jeden konkretny fason. – Oddała okulary sprzedawcy. – Och, nieważne. – Pochyliła się nad rudym niemowlęciem. – Kiciusiu, jeżeli będziesz grzeczny, to pójdziemy na dół na tort i ciastka.

– Gdzie reszta twoich dzieci? – spytała Florence, przytrzymując drzwi windy.

– Niania zabrała je do cyrku. Dzięki Bogu, jedzie z nami na tę wycieczkę. Dołączy się do nas siostra Archiego z dwójką dzieci, a jedno z nich ma wziąć kolegę, więc w sumie będzie sześcioro dzieciaków poniżej dziewiątego roku życia. Błagałam Sarę, żeby zabrała własną nianię, ale powiedziała, że jedzie na wakacje – ale ja wiem, że w ten sposób chce sobie zapewnić bezpłatną opiekę dla dzieci.

– Ile osób będzie na barce?

– Sześcioro dzieci, Archie i ja, Sara z mężem, rodzice Archiego i Sary, niania – ile to? – no i załoga, w tym szef kuchni i dwie osoby z biura podróży. Na pewno będzie fantastycznie. Wszystko tam robią za ciebie – barka płynie kanałami, bardzo powoli – a jeżeli masz ochotę wysiąść i pojeździć na rowerze, załatwiają ci i rower, i piknik, a jak chcesz pozwiedzać okolicę, wiozą cię vanem, a wieczorem wsiadasz na barkę na dalszym odcinku kanału. Archie powiedział, że tylko taka forma wakacji spodoba się wszystkim pokoleniom. Są drogie, ale nie aż tak bardzo – wychodzi chyba po pięćset dolarów na osobę za dzień razy trzy tygodnie plus przelot pierwszą klasą, ale poza tym wszystko jest opłacone.

Japońska herbaciarnia znajdowała się w szklanej budowli przypominającej rodzaj podziemnego atrium. Florence miała wrażenie, że wchodzi do akwarium: pod jedną ścianą tafla płynącej wody tworzyła fontannę, malutkie stoliki zrobione były z drewna barwy koralu i czarno-fioletowej emalii. Wszystkie kelnerki były Japonkami i miały na sobie stroje japońskich projektantów przypominające całuny, dzięki czemu – pomimo swego niższego statusu jako obsługa restauracji – wyglądały jak osoby z wyższych sfer. Przyczyny tego, jak przypuszczała, tkwiły w uwarunkowaniu kulturowym; kelnerki z pewnością czuły się lepsze choćby z powodu swojego pochodzenia. Mogło być gorzej, przynajmniej nie były to hałaśliwe, tęgie, białe dziewoje o niezdrowej cerze, od których biła woń mleka i mięsa. Do ich stolika przyniesiono dwie karty. Allison, która w pobliżu niezdarnie zaparkowała wózek, przyklękła, by pokazać dziecku jedną z nich.

– Patrz! – wskazała na zdjęcie. – Prawda, że ten tort wygląda pysznie? Różowo-zielony! A może wolisz lody sojowe w kształcie króliczka, co, Kiciusiu? – Intensywnie niebieskie oczy niemowlęcia rozszerzyły się lekko – jego, czy też jej, rude włosy sterczały sztywno jak u lalki Kewpie – ale dziecko milczało.

– Ile ma lat?

– George ma dwa i pół roczku – powiedziała Allison, siadając na malutkim różowym taborecie na trzech nóżkach, który służył za krzesło. – Jeszcze nie mówi, a włosy w ogóle mu nie rosną, ma takie od urodzenia, ale psychologowie w jego żłobku twierdzą, że jest nieprawdopodobnie inteligentny. Więc na razie trzeba czekać. Einstein zaczął mówić dopiero, jak skończył pięć lat. Prawda, Kiciusiu?

– A w jakim wieku jest twoja pozostała dwójka?

– May ma siedem lat, a Thomasina pięć.

Allison była od niej parę lat młodsza, miała około trzydziestki. Przez krótki czas się przyjaźniły; razem chodziły na podryw, na wyścigi w Saratoga Springs i bujały się ze znajomymi Allison. Tuż po dwudziestce Allison pracowała w śródmiejskiej gazecie i żyła ze starszym, bogatym mężczyzną, który miał restaurację na Upper East Side. Nosiła kurtki motocyklowe ze sklepów z używaną odzieżą, a włosy stawiała na sztorc. Potem poznała Archiego, który kazał jej wprowadzić się z powrotem do rodziców. Niemalże w ciągu jednej nocy zamieniła zwariowane okulary na szkła kontaktowe, włosy zapuściła do ramion i wzięła z Archiem cichy ślub – była to uroczystość „tylko dla najbliższej rodziny, Florence, przepraszam, ale taki już jest Archie!". W wieku dwudziestu trzech lat urodziła pierwsze dziecko. Ich przyjaźń, praktycznie rzecz biorąc, się skończyła. Kiedy obie były wolne, mogły polować na facetów niczym para gepardów; poza tymi wypadami nic więcej ich nie łączyło.

Arch był dwadzieścia lat starszy od Allison i zarządzał funduszem inwestycyjnym, który odnosił ogromne sukcesy. Florence nie mogła tego zrozumieć. To prawda, że Allison pochodzi z dobrej rodziny, ale dlaczego Archie wybrał kobietę, która nie była z jego świata, a potem zmusił ją do tego, by stała się jego częścią? Praktycznie rzecz biorąc, zabronił Allison widywać się z Florence; właściwie musiała zerwać wszystkie swoje przyjaźnie – teraz on dobierał jej znajomych lub ich akceptował. Najwyraźniej kiedyś postanowił, że gdy dojdzie do pewnego wieku, znajdzie sobie idiotkę z dobrej rodziny i się z nią ożeni. Allison rzeczywiście musiała być tak niezwykła, za jaką chciała uchodzić, gdyż inaczej nie dałaby się tak łatwo uformować.

Ale dlaczego Archie nie zechciał Florence? Przypomniało jej się, że kilka razy się z nim pieprzyła, zanim zamienił ją na Allison. Teraz mogłaby żyć jej życiem, być szczęśliwą mężatką – a przynajmniej mieć męża i prowadzić ustabilizowany tryb życia, już nigdy nie musieć się martwić o pieniądze – gdyby Archie wolał ją od Allison. W tamtym okresie wydawał jej się niezwykle oschły i pozbawiony życia; przypominał zasuszonego owada. Teraz, niemalże dziesięć lat później, wybrałaby finansowe bezpieczeństwo i poważanie w towarzystwie nawet za cenę chłodu uczuć i martwoty.

– Patrz, Kiciusiu, jaki ładny torcik!

Kelnerka przyniosła trzęsącą się stertę sztucznie barwionego tortu – czy też może puddingu – uformowanego w kształcie piaskowego zamku z wieżyczkami. Florence zamówiła shake'a o smaku wodorostów i marchewki; ze szklanki sterczał wiecheć krasnorostów.

– A co u ciebie? – spytała Allison. – Jak ci się wiedzie? Spotykasz się z facetami? Dlaczego Natalie cię wyrzuciła?

– To wariatka! – powiedziała Florence. – Może ma paranoję albo przechodzi menopauzę, wiesz, jest od nas dużo starsza...

– Och, flejtuszku! Całe ubranko sobie usmarowałeś tortem, a dopiero pierwszy raz je włożyłeś! – Allison zaczęła gorączkowo wycierać koszulkę w niebieskie paski, miniaturową wersję stroju marynarzy z Marsylii lat dwudziestych. – O Boże, nawet na kapelusiku masz tort! – Kapelusik nie pasował do reszty; mała, czerwona korona z filcu ozdobiona lśniącymi królewskimi jabłkami.

Czuła się rozczarowana; dlaczego Allison nie zwraca na nią uwagi? Kiedyś były sobie takie bliskie. Miała pewność, że Allison zna mnóstwo facetów, którym mogłaby ją przedstawić: kogoś z innych kręgów, kto widziałby ją po raz pierwszy, komu wydałaby się nadal świeża.

– Prawda jest taka, że pierwszej nocy John wtargnął do mojego pokoju i dosłownie mnie zgwałcił. Powiedział, że się rozwodzą.

Allison spojrzała na nią z błyskiem w oku.

– Żartujesz! – Zaczęła wpychać sobie do ust kawałki żelatyny z tortu George'a. – Rozwodzą się? Nic o tym nie słyszałam. Dlaczego nie kazałaś mu spadać, Toots?

– Nie wiem – powiedziała ponuro Florence. – Chyba zrobiło mi się go żal. To wszystko było takie nierzeczywiste. Nie mogłam uwierzyć, że można w ten sposób potraktować gościa. Natalie dosłownie zamknęła mnie w składziku, a potem pozwoliła, by jej mąż się włamał do mojego pokoju i mnie zerżnął. Poza tym powiedział, że się we mnie zakochał. A najgorsze jest to, że obiecał zainwestować moje pieniądze.

Allison wyglądała na zachwyconą. Będzie miała co opowiadać Archiemu w samolocie, pomyślała Florence, żałując, że w ogóle się odezwała. Przynajmniej na trzy tygodnie wyjeżdżają z miasta. Może do czasu ich powrotu Allison zapomni o wszystkim i nie zacznie rozpowiadać tej historii po całym Nowym Jorku.

– Coś okropnego! – powiedziała Allison. – Oczywiście John zawsze był babiarzem, ale myślałam, że Natalie postawiła sprawę na ostrzu noża. Nie ma mowy, żeby kiedykolwiek od niej odszedł. Wiesz, pieniądze należą do niej, więc dostałaby wszystko.

– To jej pieniądze? Myślałam, że jego.

– Nie.

– Allison, nie znasz jakichś facetów dla mnie? Archie na pewno pracuje z wolnymi mężczyznami, którzy są dobrą partią.

– O rany, muszę się zastanowić. – Allison rozchyliła usta, co oznaczało, że takie zadanie jest beznadziejne. Florence pomyślała złośliwie, że Allison zawsze miała cofnięty podbródek, i kusiło ją, by zaproponować przyjaciółce operację plastyczną. – Muszę się zastanowić. Zapytam Archiego. – Wstała i odeszła od dramatycznie zaplamionego i zakruszonego stolika. – Florence, masz pieniądze? Muszę się już zbierać, a nigdzie nie widzę kelnerki. Archie mnie zabije, jeżeli się nie spakuję. Strasznie się denerwuje przed lotem. – Popchnęła wózek w stronę windy, po czym przystanęła i się odwróciła. – Idziesz na przyjęcie przed porodem Kathy?

– Kogo?

– Katherine, Katherine Monckton. Będzie wieczorem po naszym powrocie, Kathy rodzi parę dni później.

– Nawet nie wiedziałam, że jest w ciąży! Kto jest ojcem?

– Pamiętasz tego faceta, z którym chodziła, kiedy jeszcze wszystkie się przyjaźniłyśmy? Wróciła do niego. Ale mówi, że nie zamierza za niego wychodzić, pewnie nie chce potem płacić alimentów. W każdym razie nie mogę uwierzyć, że cię pominęła. Przed wyjazdem pogadam z Victorią, ona wydaje to przyjęcie. Dopilnuję, żeby cię zaprosiła.

Florence nie była pewna, czy zachowanie Allison to *noblesse oblige*, czy jej przyjaciółka po prostu ma paranoję. Allison się odwróciła, pomachała do niej z królewską dostojnością i wprowadziła wózek do windy. Na wyłożonych lustrami ścianach wokół Florence pojawiły się tysiące Allison, tysiące jej trajkoczących ust, tysiące

Kiciusiów naburmuszonych w tysiącach wózków, tysiące toreb na zakupy, każda matowa, czarna z jasnoszarą bibułką wystającą na zewnątrz, i miliony dolarów.

Za napoje i ciastka zapłaciła kartą kredytową trzydzieści dwa dolary. Wychodząc, minęła Allison z dzieckiem w wózku, który zastawiał całe przejście, w jednym z działów kosmetycznych. Wszystkie szminki i cienie do oczu sprzedawano tam w ozdobnych rokokowych puzderkach w kształcie muszli i wysadzanych półszlachetnymi kamieniami. Allison uśmiechnęła się do niej słabo i szybko z powrotem przeniosła wzrok na ladę. Rytuały powitań na Manhattanie wyglądały przedziwnie. Było całkiem możliwe – gdyby Allison nie wyjeżdżała z miasta – że następnego dnia wieczorem spotkałyby się w restauracji lub na koktajlu i zachowywały tak, jakby się w ogóle nie znały. Albo na odwrót: zapiszczałyby z radością, wymieniły uściski i serdecznie obcałowały. Takie wzajemne relacje zależały od nastroju, miejsca, osoby i stopnia desperacji. Było tak nie tylko z Allison, lecz z każdą inną osobą. Co jednak dziwne, decyzję, czy się obcałowywać, czy zachować chłód i rezerwę, zawsze podejmowały obie strony, nawet jeżeli prawie wcale się nie znały. A to, czy były obcymi ludźmi, czy prawdziwymi starymi przyjaciółmi, nie miało najmniejszego wpływu na rodzaj interakcji.

Poszła na górę do działu męskiego i wydała siedemset dolarów: na czarny kaszmirowy sweter z okrągłym wycięciem pod szyją za trzysta pięćdziesiąt, dwa czarne T-shirty po pięćdziesiąt, marynarską koszulę podobną do tej, którą miało na sobie dziecko Allison, za siedemdziesiąt i przecenione brązowe spodnie z lnu i jedwabiu z zakładkami i mankietami – za dwieście dolarów. Wszystkie te artykuły były w dość dużych rozmiarach. Nie miała całkowitej pewności, co właściwie robi. Wyobrażała sobie, jak idzie wietrzną plażą z Raffaello – Oregon? Amalfi? – z rękawami miękkiego, czarnego swetra zawiązanymi na szyi.

9

– Nie mogę tego przyjąć – powiedział Darryl, ale miał zachwyconą minę.

Czy on nie rozumie, że podarowała mu to z poczucia winy, by się go pozbyć? Podobnie jak w dawnych czasach, kiedy mężczyzna dawał kobiecie biżuterię lub futro, by ogłosić koniec romansu.

– Skoro zamierzasz poświęcić się czynieniu idiotycznych dobrych uczynków, to przynajmniej wyglądaj jak wzięty dobroczyńca – powiedziała. Była zła. Naprawdę nie zamierzała obdarowywać Darryla. Po co kupiła te rzeczy? Już po powrocie do domu zrozumiała, że szaleństwem byłoby dawanie ich tamtemu Włochowi; tylko by się wystraszył. Powinna je zostawić w szufladzie aż do Bożego Narodzenia, kiedy to może stworzy prawdziwy związek. Teraz sprawianie mu prezentów tylko skomplikowałoby sytuację. – Poza tym powinieneś też coś zrobić z włosami.

– Co z nimi jest nie tak? – Zaczynała podejrzewać, że jej prezent okazał się niewypałem. Darryl z zamyśleniem przeczesał palcami włosy; wyraźnie był skłonny dokonać pewnych zmian, sądząc, że w ten sposób zaciągnie ją do łóżka.

– Przestań suszyć je suszarką. I zrób sobie jakąś porządną fryzurę.

Naburmuszył się, ale włożył ubranie, które kupiła, i wyszedł z łazienki, nieśmiało się obracając.

– Dobrze wyglądasz – powiedziała. – Zupełnie inny człowiek. – Przypominał teraz ciemnowłosego, chudego cherubina, artystę albo biznesmena z branży filmowej. Talię miał podkreśloną przez zakładki; czarny T-shirt wepchnął do spodni. To prawda, że strój był na niego o parę numerów za duży, ale z jakiegoś powodu Darryl nie wyglądał w nim śmiesznie. – Przydałby się pasek. Tylko nie kupuj jakiejś taniochy.

Pogładził czarny sweter, który trzymał przed sobą.

– Sam nie wiem. Dlaczego to robisz, Florence? Dużo wydałaś?

– To kaszmir! – wykrzyknęła z oburzeniem. Schludnie złożył liche ubranie, które przedtem miał na sobie, i włożył je do firmowej torby na zakupy. – O Boże. Weź to, wyrzuć! Ohyda – dodała.

– Wiesz, mógłbym je zwrócić do sklepu i za te pieniądze kupić faks do mojego biura. Albo dać je komuś, żeby na parę dni pojechał z dziećmi na wieś. – Widziała jednak, że nie mówi tego poważnie. W nowym stroju czuł się nieswojo, ale wyglądał szelmowsko – te ubrania w pewien sposób związały ich ze sobą.

Położył torbę na stole i ruszył przez pokój. Myślała, że pocałuje ją w policzek, lecz on celował ustami w jej usta.

– No, chodźmy – powiedziała, odpychając go. – Nie jestem w nastroju. To tylko prezent. Nie mogę wyjść na długo. Skoczymy tylko na drinka.

W niedzielny wieczór Oceanic Café była prawie pusta. Florence usiadła przy barze i ruchem ręki pokazała Darrylowi, by zrobił to samo.

– Cześć, Dave – powiedziała do barmana. – Jak leci?

– Wszyscy są jeszcze na Long Island. Co pijesz?

– Sama nie wiem. Może białe wino.

– Dla mnie nic – powiedział Darryl.

– Nic?

– Dobrze, wezmę piwo. – Dlaczego tak mu zależało, żeby jej się przypodobać? Przypominał głupiego labradora, a ona chciała figlarnego charta afgańskiego, jasnowłosego, długonogiego, łobuzerskiego i zwariowanego.

– Jaką markę? – Dave wyrecytował długą listę dostępnych piw.

Darryl miał podenerwowaną minę.

– Mówisz, że ile czasu byłeś w tym kraju? – spytała Florence.

– Ciągle trzeba podejmować tyle decyzji – powiedział Darryl. – Zanim usłyszę, co jest do wyboru, już zapominam, na co miałem ochotę. – Udawany rosyjski akcent wcale jej nie rozśmieszył. W jaskrawym blasku szynowego systemu oświetlenia zobaczyła, że skóra między jego oczami, tuż nad nosem, jest pomarszczona i ściągnięta jak u przestraszonego szympansika. Zachodziła w głowę, co z nim tu robi. Nie zadał sobie najmniejszego wysiłku, by o cokolwiek ją zapytać, tylko siedział i gapił się na nią sarnimi oczami.

– No i co, przez całe lato nie ma tu ruchu? – spytała Dave'a, gdy podawał im drinki.

– W dni powszednie panuje straszny tłok – usłyszał. – W weekendy jest tak jak teraz. Ale poczekaj do dziesiątej, zdziwisz się, ile osób po powrocie przychodzi na kolację.

Lokal ten obsługiwał nieco starszą, bardziej wyrafinowaną klientelę niż inne okoliczne restauracje wzdłuż alei, zatłoczone hordami świeżo upieczonych absolwentów college'ów, którzy niedawno przyjechali na Manhattan, by zrobić karierę na Wall Street. W tej chwili wszedł Max Coho. Był z dość tęgą dziewczyną.

Florence pomachała do niego na powitanie.

– Florence! – wykrzyknął, podszedł do baru i cmoknął ją w policzek. – Jak się masz! Możemy się dosiąść, czy to romantyczna randka?

– Siadajcie, siadajcie – powiedziała, wskazując na sąsiedni stołek. Po tej stronie baru znajdował się tylko jeden. Ktoś będzie musiał przynieść drugi z przeciwnej strony.

– To moja przyjaciółka, Tracer Schmidt – wskazał na olbrzymkę. – Tracer, to jest Florence. – Wszystko w niej wydawało się duże; miała pewnie z metr osiemdziesiąt wzrostu, nie była ani ładna, ani brzydka, z cienkimi, brązowymi włosami przewiązanymi chusteczką. Max miał świetny wygląd słabowitego i zepsutego ucznia prywatnej szkoły. Skończył Princeton i teraz pracował nad powieścią, pisując również do magazynu „Antiques and Collectibles".

– To jest... – Na chwilę zapomniała imienia Darryla. To krępujące, ale kiedy na niego spojrzała, poczuła pustkę w głowie, zupełnie jakby ktoś wykasował jej z mózgu część nagrania. Na szczęście Darryl sam się przedstawił Tracer i zaczął z nią gawędzić na boku.

– Och, gdzie go znalazłaś, Florence? – spytał Max.

– O czym mówisz? – spytała defensywnym tonem.

– Jest słodki. Dokładnie w moim typie.

– Chyba nie będzie zainteresowany.

– Jeszcze się zdziwisz. Trzy czwarte moich chłopców na początku deklarowało heteroseksualizm. Prawdę mówiąc, hetero nigdy mnie nie pociągali. Z nimi tylko same kłopoty. Ale z jakiegoś powodu wystarczy, że rzucą na mnie okiem i od razu zmieniają orientację.

– Max, znasz niejakiego Raffaello di Castignolli? – spytała, próbując zmienić temat.

– Tak. To znaczy, poznałem go. To jakiś książę, czy coś. Albo, jakby to ujął Chico Marx, „księcio"! Jego rodzina ma ogromną winnicę w Toskanii. Kiedyś chodziłem z nim na rozgrywki U.S. Open. Dlaczego pytasz?

– Bez powodu. Niedawno go poznałam.

– Gdzie? – Max miał przesadnie nieśmiały styl zadawania pytań, jakby udawał pięciolatka.

– U Natalie de Jongh.

– Jest zupełnie nieodpowiedzialny – powiedział Max. – Co noc pieprzy się z inną dziewczyną. Ma chyba problem z koką czy z czymś tam. – Obciął ją wzrokiem. – Moim zdaniem jesteś dla niego za stara. Lubi laski po dwudziestce. Chyba ci odbiło, jeżeli myślisz, że się z tobą zwiąże. Lepiej szybko się rozejrzyj, jeżeli w ogóle chcesz znaleźć męża. Co masz przeciwko biednemu, staremu Darrylowi?

– Dość tego – powiedziała Florence.

Max zachichotał.

– Komórki do wynajęcia już się kończą, Flossy!

– O rany, jaki ty jesteś złośliwy.

– Naprawdę? – Max był zachwycony. – A ja myślałem, że po prostu szczery.

– Cześć! – powiedziała nerwowo Tracer. Stała koło nich, szurając nogami. – Mogę was na chwilkę przeprosić? – Ruszyła w stronę damskiej toalety.

– Skąd ty ją wytrzasnąłeś? – spytała Florence.

– Starą Tracer? To milionerka. Ma straaaaasznie dużo pieniędzy! Niedawno się tu przeprowadziła. Znam ją jeszcze z college'u. Zaproponowałem, że pomogę jej się przystosować, wiesz, będę ją zabierać na imprezy. Właśnie kupiła apartament w San Remo. Nie planowała tego, ale kosztował tylko cztery miliony, więc uznała, że to okazja i nie może jej przegapić. Tymczasowo mieszkam z nią. Tam jest z piętnaście sypialni.

– Tracer – powiedziała. – Sztucznie brzmi. Na pewno ma na imię Susan. Ludzie, którzy mają takie imiona, wiesz, męskie imiona, na przykład dziewczyny, które nazywają się Douglas albo Mitchell – znała takie osoby – albo kobiety, które każą do siebie mówić Stockard albo Sigourney... Nie wyobrażam sobie, żeby rodzice wzięli na ręce taką nowo narodzoną blondyneczkę i powiedzieli: „Och, nazwijmy ją Stevens". Na pewno nadali jej imię „Susan". Potem taka dziewczyna zawsze nienawidziła swojego imienia, więc po pójściu do college'u albo je zmieniła, albo zaczęła używać swojego drugiego imienia czy nazwiska panieńskiego matki. Ale nieważne, jakie imię wybrała; wystarczy na nią spojrzeć i widać, że to zwykła Susan.

Uświadomiła sobie, że jej słowa zabrzmiały dość złośliwie. Nie dało się tego uniknąć. Kiedy tylko mówiła na głos to, co myśli, wychodziła na wredną sukę. Kobiety powinny przez całe życie zachowywać się sympatycznie, dokładać starań, by je lubiano. Nie mogą temu zaprzeczyć, ale pragnienie bycia lubianą tak w nie wrosło, że już nie znają prawdy. Przez całe życie udają przebiegłych petentów. Dzielą się na różne kategorie: kobiety, które chcą być lubiane i przez mężczyzn, i przez kobiety, oraz takie, które chcą pozyskać sympatię tylko mężczyzn, przez co są nieprzyjemne dla kobiet. Są też kobiety z Nowego Jorku, które uważają się za potężne: są niemiłe i dla kobiet, i dla mężczyzn, ale tylko tych, którzy naprawdę to lubią, wynajętych lokajów, zazwyczaj gejów, którzy lubią, jak się nimi pomiata. W swym poszukiwaniu akceptacji mężczyźni tacy przejęli rolę kobiet. Bycie lubianym wymaga ogromnych nakładów energii. Każdy dzień składa się z wielu porażek. Teraz niemal na pewno Max już się postara, by zapłaciła za swoje słowa.

Max pochylił się i zaczął coś szeptać do Darryla. Niech no tylko się dowie, że Darryl jest adwokatem bezdomnych, pomyślała Florence, chociaż wcale nie była pewna, czy to mu się nie spodoba. Po powrocie z toalety Tracer zajęła stołek koło niej i spojrzała na nią z przejęciem.

– Czym się zajmujesz? – zadała pytanie Florence.

– Próbuję stworzyć nowy magazyn – powiedziała Tracer. – W Internecie.

– Czemu będzie poświęcony? – wymamrotała Florence.

– Sportowi. Zatrudniłam Maksa do pomocy.

– Super. – Uwagę Florence zwrócił Darryl. Był zrozpaczony. Rozdzielały ich dwa stołki. Max przestał z nim rozmawiać. Nagle już odechciało jej się Darryla. Gdzie ona miała głowę? Nawet nie jest aż tak przystojny. Może uda jej się uciec, zostawiając go z Tracer. Nie widziała lepszego wyjścia. W ten sposób załatwi też Maksa, zwalając mu na głowę tego poczciwego karzełka. Darryl właściwie nie był karłem, ale nie mógł mieć więcej niż metr sześćdziesiąt siedem wzrostu. Może zawalczyłaby o niego, gdyby Max okazał mu zainteresowanie. Tak czy siak, nie miało to żadnego znaczenia; Max nie był zainteresowany, a teraz i ona nie była. Darryl miał na sobie te kosztowne ciuchy i przynajmniej w ten sposób rekompensowała sobie przyprowadzenie go tutaj. Wstała. – Darryl, muszę lecieć. Cieszę się z naszego spotkania. Poznałeś już Tracer, prawda? Tracer, czy Darryl mógłby tu z wami zostać?

– Właściwie szliśmy do centrum na spotkanie z... – Max wymienił nazwisko słynnego tenisisty na emeryturze. – Chcemy go namówić, żeby pisał do magazynu Tracer. – Niemal zajęczał z rozpaczy. Nic by mu się nie stało, gdyby zabrał Darryla ze sobą. Z pewnością wie, że wyświadczyłby jej przysługę. Zrobił nadąsaną minę. – Tracer, Florence mówiła, że zmieniłaś imię z „Susan".

– Wcale nie mówiłam, że zmieniłaś imię, Susan – powiedziała Florence. – To znaczy, Tracer.

– A właśnie, że mówiłaś. – Max uśmiechnął się złośliwie.

– Nie, mówiłam, że wiele kobiet noszących męskie imiona, zmieniło je z „Susan".

Tracer pobladła. Jej nos świecił się jeszcze bardziej niż przedtem. Florence przyszło do głowy, że Tracer nie zaszkodziłaby odrobina pudru czy podkładu. Nie chciała się uważać za nadmiernie oceniającą – zawsze sobie powtarzała, że jeżeli jakaś kobieta nie chce się malować, to nic nie szkodzi – ale teraz przyłapała się na tym, że dokonuje metamorfozy na osobie tej biednej dziewczyny. Gdyby była tak bogata jak Tracer, przede wszystkim zajęłaby się tym nosem. Tracer rzuciła Florence pełne nienawiści spojrzenie, jakby słyszała jej myśli.

– Musimy się już zbierać – rzuciła w stronę Maksa.

– W porządku – powiedziała Florence. – Darryl może iść z wami, prawda? – Złapała Tracer za przedramię. – Jest taki słodki. Zabrałabym go do domu, ale umówiłam się na później z jakimś idiotą.

Tracer była zbita z tropu, rozdarta między pragnieniem pozyskania aprobaty Maksa a chęcią zabrania ze sobą

Darryla. Był naprawdę atrakcyjny, emanował chłopięcym magnetyzmem. Już się miała odezwać, kiedy przerwał jej Darryl.

– Nie, muszę cię odprowadzić do domu – zwrócił się do Florence.

– Och, mną się nie przejmuj – odparła Florence. – Masz samochód, prawda? Może podwieziesz Tracer i Maksa do centrum?

Tracer najwyraźniej podjęła decyzję.

– Tak, Darryl, podrzuć nas do miasta. Przynajmniej skocz z nami na drinka.

Wracając do domu, Florence pomyślała, że Tracer stać na chłopaka, który za darmo pracuje jako adwokat bezdomnych. Jest tak bogata i brzydka, że musi się zadowolić kimś biednym i przystojnym.

I przez ułamek sekundy zobaczyła siebie we własnym ogromnym apartamencie w San Remo, z wielkimi, przestronnymi pokojami, pięknie umeblowanymi antykami, nie nazbyt oficjalnymi, wymyślnymi czy rustykalnymi lub prymitywnymi. Były tam luksusowe orientalne dywany i kanapa przykryta gniecionym, szarozielonym aksamitem, a ona sama w miękkim chińskim szlafroku podejmuje zachwyconych, starannie dobranych przyjaciół. Mąż – utalentowany, wzięty malarz, który ma pracownię w centrum – wnosi tacę z drinkami. Miałaby też dom w Hamptons!

Nie wiedziała, dlaczego poczuła się nieswojo. Przecież to nie jej problem. Zraniony, wstrząśnięty wyraz twarzy Darryla, te intensywnie niebieskie oczy, które spoglądały na nią z takim smutkiem, jakby nadal ją kochał, chociaż złamała mu serce – ledwo go znała! Ona nie ma tego, co chce; dlaczego musi być winna temu, że z nim jest tak samo?

Sekretarka automatyczna gadała, kiedy Florence weszła do mieszkania. W ciemnym, ciasnym korytarzyku ryczał jakiś męski głos. Podbiegła i podniosła słuchawkę.

– O, jesteś w domu. – To był ten Włoch. – Wróciłem trochę wcześniej, niż się spodziewałem. Właśnie mówiłem, że jeżeli masz czas, to zapraszam na kolację. Jestem teraz w restauracji z paroma przyjaciółmi.

Wskoczyła do taksówki i ruszyła w stronę centrum.

10

Restauracja Prusy Wschodnie była zatłoczona ludźmi zdumiewająco ładnymi dzięki czystym, drogim, modnym ubraniom i schludnym fryzurom – niedoskonałe rysy twarzy, subtelnie podkreślane jako arystokratyczne lub dodające wdzięku, zostały przemienione w zaletę. Jeżeli któryś z mężczyzn musiał nosić okulary, wybierał prostokątne czarne oprawki, parodiujące i odświeżające lata sześćdziesiąte (Peter Sellers, Yves Saint-Laurent), lub maleńkie szylkretowe, dokładnie takie, jakich używał jego pradziadek. Kobieta o wydatnym nosie zaczesywała włosy do tyłu i trzymała głowę dumnie uniesioną, naśladując Lady Ottoline Morrell lub Dianę Vreeland. Niski pokurcz, wyglądający jakby trzymał się w całości jedynie dzięki klejowi, zachowywał się tak, jakby celowo i za duże pieniądze wybrał tę marną posturę. Florence zazwyczaj szybko rozglądała się po sali i oceniała siebie jako najatrakcyjniejszą kobietę w danym miejscu, lecz teraz po raz pierwszy pomyślała, że wygląda zwyczajnie, niczym królowa piękności jakiegoś zadupia na środkowym zachodzie, a jako taka tutaj może spotkać się jedynie z ironią.

Był przystojniejszy, niż to zapamiętała. Ku jej rozczarowaniu siedział przy stoliku z trzema kobietami i dwoma mężczyznami. Wstał, by się z nią przywitać, po czym przedstawił ją towarzystwu – kobiety uśmiechnęły się do niej chłodno, a w ich oczach malowało się takie samo rozczarowanie jak u niej.

– To moja przyjaciółka Michelle, przyjechała z Argentyny – powiedział Raffaello – moja kuzynka Paola z Włoch i jej przyjaciółka Letizia, również z Włoch. A to Tommaso i Marco, więc jesteś tu jedyną Amerykanką. Usiądź. Niestety już złożyliśmy zamówienie. Umieraliśmy z głodu. Bardzo jesteś głodna? – Skinął ręką i pojawiła się kelnerka z menu. Była pochodzenia tajskiego lub wietnamskiego; w skąpej, czarnej sukience i z ciemnoczerwoną szminką na ustach wyglądała oszałamiająco pięknie. Florence spojrzała na nią z zazdrością. Była pewna, że Raffaello później wyciągnie od niej numer telefonu. Już teraz się do niej uśmiechał. – I jeszcze kieliszek do szampana dla pani – powiedział.

Najpiękniejsze kelnerki pracowały w najmodniejszych restauracjach. Ich pozycja mogła równać się z pracą w galerii sztuki lub domu aukcyjnym i polegała na reklamowaniu się jako panna na wydaniu. Różnica polegała na tym, że wszystkie kelnerki twierdziły, że są aktorkami, dziewczyny z galerii zaś planowały – lub tak też utrzymywały – karierę konsultanta prywatnych kolekcjonerów.

Towarzystwo prowadziło rozmowę po włosku, prawdopodobnie na temat kelnerki. W Nowym Jorku Włosi przestawali z Włochami, Francuzi z Francuzami, Anglicy z Anglikami i tak dalej. Co prawda opuścili swój kraj i przeprowadzili się do Nowego Jorku – jedni na pewien czas, inni już na zawsze – lecz nie czuli się swobodnie w obecności Amerykanów. Cały dowcip polegał na tym, by mieć z nimi jak najmniejszy kontakt. Amerykanie, nawet nowojorczycy, byli prowincjonalni, pozbawieni poczucia humoru. Postawa Włochów niewiele się różniła od tej, jaką przyjmowali amerykańscy emigranci, którzy w Paryżu czy Londynie obracali się tylko we własnym kręgu. To Amerykanie, nawet już pod koniec dwudziestego wieku, pozostali niewyrobieni. Obcokrajowcy mieszkali w tym mieście, lecz czuli się od niego lepsi. W przeciwieństwie do Amerykanów nie musieli go traktować poważnie, wiedzieli, że to miejsce w ogóle nie istnieje.

Rozmowa po włosku przerodziła się w gorący spór. Florence nie przeszkadzało to, że nie bierze w niej udziału; dzięki temu mogła zorientować się w sytuacji. Spojrzała w kartę. Kiedy tylko okazało się, że już nie zwraca uwagi na resztę towarzystwa, Raffaello zaczął z nią rozmawiać.

– Rozmawiają o restrospektywnej wystawie Giacomettiego w Muzeum Sztuki Współczesnej – wymruczał, pochylając się do jej ucha. Zapach jego wody po goleniu drażnił włoski głęboko w jej nosie. – Widziałaś ją?

– Wezmę chyba sałatkę z młodych karczochów, sera gorgonzola i pomidorów – powiedziała, zamykając menu.

– To wszystko? – Uniósł brwi, jakby popełniła straszliwą gafę, ale zignorowała to. – Chodź ze mną na chwilkę, muszę zadzwonić.

– Nie możesz zrobić tego sam?

Jego nozdrza rozdęły się gniewnie.

– Wolałbym w twoim towarzystwie. – Upiła łyk szampana i powoli wstała. – Weź ze sobą kieliszek. Przepraszam na chwilę. – Lekko skłonił się reszcie towarzystwa. – Muszę zadzwonić do Moniki.

– Kto to jest Monica? – spytała, idąc za nim schodami z różowego marmuru do tylnej części restauracji.

– Moja żona. Jesteś zazdrosna?

– Nie – odparła. – Tylko zdegustowana.

Miała mętlik w głowie. Była zdegustowana samą sobą, tym, że poleciała do centrum na – jak jej się wydawało – randkę po to tylko, by wylądować z żonatym mężczyzną i grupą jego znajomych. Nie mogła jednak tego powiedzieć, gdyż w ten sposób przyznałaby się, że nastawiła się na randkę. Tak czy siak Raffaello ją przejrzał.

– Gdzie ona jest? – spytała, usiłując nadrabiać miną. – Dlaczego nie mogła przyjść na kolację? Nie wypuszczasz jej z domu?

– Moja żona jest w Wenecji, gdzie mieszka. Jesteśmy w separacji. Niedawno urodziła dziecko. Dzwonię, żeby ją spytać o zdrowie. Mam nadzieję, że ją obudzę.

– Czyje to dziecko?

– Moje. – Telefony znajdowały się w szklanych sarkofagach na zapleczu, za toaletami. Zanim zdążyła się zorientować, co się dzieje, Raffaello wepchnął ją do kabiny i podstawił jej pod nos wierzch dłoni z kreską proszku. – Wdychaj! – Szturchnął ją. – Wdychaj! – Wciągnęła proszek nosem. Była to kokaina, całkiem niezła. – Dobra, nie? Niestety to już resztka, ale pomyślałem, że ci się przyda. Wyglądasz na podenerwowaną. – Z satysfakcją wyszczerzył zęby w wilczym uśmiechu.

– Wcale nie jestem podenerwowana! – Teraz czuła się jeszcze bardziej zdegustowana samą sobą; jak mogła się nie domyślić, co jest grane? Towarzyszenie mężczyźnie do telefonu lub toalety może oznaczać tylko jedno, a ona zawsze unikała podobnych sytuacji – aż nazbyt dobrze wiedziała, że rozpoczęcie wieczoru w ten sposób nigdy nie doprowadzi do stworzenia prawdziwego związku. Przynajmniej w tej chwili nie musiała się przejmować. Żonaty Włoch, któremu niedawno urodziło się dziecko, nawet jeżeli jest w separacji, na pewno się nie rozwiedzie i nie ożeni z nią. Nie zamierzała wciągać koki w niedzielny wieczór. Jeżeli dopisze jej szczęście, okaże się, że Raffaello nie ma przy sobie więcej narkotyków.

W każdym razie czuła pewną wdzięczność. Powietrze nagle stało się jaśniejsze, bogate w tlen – zupełnie jakby założyła okulary, nawet nie wiedząc, że były jej potrzebne. Uśmiechnęła się do niego wesoło.

– Dobre? – spytał protekcjonalnie. – Nie mam więcej. – Wcisnął się koło niej do kabiny i usiadł na stołku. Posadził ją sobie na kolanach, wykręcając potwornie długą sekwencję cyfr i jednocześnie zapalając grube cygaro. Głaskał ją po głowie i karku, trajkocząc po włosku do słuchawki. Opuszkami palców wodził po lekkim, ledwo widocznym zaroście na brodzie – najwyraźniej tego dnia celowo się nie ogolił, co miało mu nadać weekendowy, nonszalancki wygląd – lecz z irytacją odpychał jej rękę, gdy chciała go doktnąć. Miał na sobie drogie ubranie, bawełnianą koszulę od Sea Island, wszystko świeżutkie i intensywnie pachnące. Zastanawiała się, jak to jest, dorastać jako bogaty włoski chłopiec. Bez wątpienia wychował się w przeciętnym lub zwyczajnym mieszkaniu w Mediolanie, w rodzinnej posiadłości w Toskanii; wykonywał takie same czynności codzienne – jadł śniadanie, chodził na treningi piłki nożnej – jak każdy dorastający nastolatek. Jednakże uważała za zły lub szczególny brak – u niego, u nich wszystkich – tego, co uznawała za uczucia czy wrażliwość.

Teraz już krzyczał do słuchawki. Pomyślałaby, że zupełnie o niej zapomniał, gdyby nie to, że włożył jej rękę pod spódnicę, przechylił ją sobie na kolanach i próbował jej ściągnąć majtki. Usiłowała się wyrwać, on jednak mocno trzymał ją za gumkę od majtek. Nie potrafiła zrozumieć, dlaczego czuje się jednocześnie mile połaskotana, podniecona i zirytowana. Z jednej strony, jako przyzwoita dziewczyna, była oburzona, z drugiej zaś – jako kobieta o niskim poczuciu wartości – cieszyła się z jego zainteresowania. Jej ciało reagowało, zupełnie nie zważając na głos rozsądku.

Kiedy już wydawało się, że jest zdecydowany zerwać z niej ubranie w tej budce z telefonem, udało jej się uwolnić i wróciła na górę. Odwróciła się i zobaczyła, że Raffaello patrzy na nią z pełnym rozbawienia uśmiechem, jednocześnie kłócąc się po włosku ze swoim telefonicznym rozmówcą.

11

Przy stoliku wszyscy oprócz Tommaso palili cygara. Kobiety paliły cienkie i czarne, które wydzielały całkiem przyjemny zapach. Gdy podeszła bliżej, przerwały rozmowę. Prasa opisywała tę restaurację jako pierwszy publiczny klub dla palaczy w mieście. Między stolikami grasowało współczesne wcielenie Josephine Baker, sprzedając różne gatunki tytoniu. Teraz Florence żałowała, że Raffaello nie miał więcej koki. Nie miała pojęcia, co tu robi z zupełnie obcymi ludźmi. Tommaso był gruby – a przynajmniej pękaty – miał opadające powieki i zmysłowy wyraz twarzy postaci z filmów Felliniego. Mógł mieć jakieś pięćdziesiąt pięć lat. Młodszy – może nawet od niej – Marco miał półdługie włosy i sportowy styl i prawdopodobnie był włoskim odpowiednikiem surfera-dandysa. Pewnie kursował między stokami narciarskimi włoskich Alp i kurortami windsurfingowymi na Karaibach, czy gdzie tam podobni ludzie uprawiają windsurfing i ścigają się w przypominających cygara łodziach.

Nie zadała sobie trudu, by przyjrzeć się kobietom. Właściwie nigdy tego nie robiła. Nie przychodziło jej do głowy, do czego mogłyby jej się przydać. Nie miała z nimi nic wspólnego. Kiedy zaczynała rozmowę z kobietą, ta zawsze krzywiła się i odwracała. Z przedstawicielkami własnej płci nigdy nie doszła do punktu, w którym następowała wymiana zwierzeń. Mężczyzn zawsze potrafiła ożywić, mogła się z nimi trochę podroczyć. Jednym słowem, czuła większe pokrewieństwo z płcią przeciwną. Jeżeli mężczyzna opowiadał jej coś nudnego – na przykład film – odbierała to jako zaloty, sytuację intymną. Jaką mogła mieć korzyść z tego, gdy to kobieta opowiadała jej film lub rozwodziła się nad szczegółami swojej pracy czy planami związanymi z urządzeniem sypialni?

Włosi, którzy przed chwilą gapili się na nią, nagle się speszyli i, *en masse*, znowu zaczęli rozmawiać. Tommaso odsunął krzesło i ruchem ręki zaprosił ją, by usiadła. W budce telefonicznej zostawiła swój kieliszek szampana, ale pojawiły się nowe, a kelner nalał wszystkim czerwonego wina.

– Rozmawialiśmy o twoim imieniu. Nie bierz tego do siebie, ale wiesz, we Włoszech nazywałabyś się Firenze, co jest włoskim odpowiednikiem waszej Florencji. Nas to śmieszy. Jak powiedziała Paola, to tak jakby ktoś miał na imię Detroit.

Florence szybko zerknęła na Paolę. Nie sposób było odgadnąć, czy to zwykła suka, czy tylko usiłuje nie okazać swej wrogości. W pewnym sensie każda interakcja między ludźmi oznaczała podwójny wysiłek: po pierwsze, próbę podtrzymania rozmowy, i po drugie, odgadnięcie intencji ukrytych za słowami. Paola musiała mieć ze czterdzieści pięć lat. W tym wieku kobiety często przestają okazywać wrogość innym kobietom. To, że była obcokrajowcem, utrudniało Florence interpretację jej słów. Te Włoszki są nieprawdopodobnie wyrafinowane. Włosy Paoli były lśniące i przystrzyżone nad karkiem. Miała na sobie fantazyjne okulary w szylkretowych oprawkach, szarą garsonkę w męskim stylu, pięknie, luźno skrojoną. Letizia wyglądała mniej olśniewająco, mniej artystycznie. Nosiła sznur ogromnych pereł o księżycowym blasku i była ubrana w świeżo wyprasowaną bawełnianą sukienkę w paski, kaszmirowy kardigan w stylu lat pięćdziesiątych z zapięciem w postaci łańcuszka na szyi. Michelle miała na sobie czarną koktajlową sukienkę i wyglądała jak żywcem wyjęta z filmów Buñuela.

Taka spontaniczna, niewymuszona elegancja. Podobnie nieskazitelny i jednocześnie nonszalancki wygląd to prawdziwe osiągnięcie; elementy ozdobne miały na celu jedynie zwrócenie uwagi innych kobiet. Geje byli za bardzo zajęci obserwowaniem mężczyzn, a heterycy interesowali się tylko dwudziestolatkami albo już byli żonaci i brakowało im śmiałości.

Paola gapiła się na nią. Florence poczuła się skrępowana.

– Strasznie cię przepraszam – powiedziała Paola. – Powinnam była spytać wcześniej. Masz ochotę na cygaro?

– Nie, nie, dzięki – wymamrotała Florence.

– Przypomnij mi, jak brzmi twoje nazwisko? – powiedział Tommaso.

– Florence Collins.

– O! – dosłownie wrzasnął. – Collins, Collins! Wiesz, że przez prawie cztery lata mieszkałem z Harrym Collinsem? – Usiłował zachowywać się serdecznie, ale ściana dźwięku, jaką stworzył, tylko jeszcze bardziej zablokowała Florence. Inny Europejczyk zrozumiałby ten szyfr i równie ochoczo wskoczyłby w stado kakadu lądujące na polu zboża. Skorzystał z tej nadmiernie ożywionej uwagi.

– Z kim?

– Z Harrym Collinsem. – Wymówił to jako „Hairy Coleens". – Nie znasz Harry'ego? Jest do ciebie bardzo podobny, pomyślałem, że może to twoja rodzina. Chociaż jako dziewczyna jesteś o wiele ładniejsza niż on jako mężczyzna. Oczywiście jest od ciebie sporo starszy. Mieszka tutaj, w Nowym Jorku. Nie jesteście spokrewnieni? Ma najpiękniejszy apartament, jaki widziałem w tym mieście. Ja go urządzałem. Ma ponad dwadzieścia tysięcy metrów powierzchni.

– Dwadzieścia tysięcy?

– Tak, możesz mi wierzyć! Harry zajmuje całe dwa piętra po dziesięć tysięcy w byłym starym banku na Wall Street. Ale jedno piętro przeznaczył w całości na rośliny i ptaki. Kocha ptaki, zwłaszcza kury.

– Kury?

– Och! – wrzasnął z oburzeniem Tommaso. – Kury bywają bardzo piękne! Są wśród nich śliczne, rzadkie odmiany, z gęstymi piórami i barwnymi grzebieniami.

Korale, tak to się nazywa, prawda? Ja wymyśliłem, żeby uprawiał orchidee. Piękne, wiele odmian ma nieprawdopodobną wartość.

– Orchidee rzeczywiście są piękne, ale co do kur, to nie jestem pewna.

– Zmienisz zdanie, jeżeli je zobaczysz. Musisz obiecać, że któregoś dnia pójdziesz je obejrzeć. Strasznie za nimi tęsknię. Marco, prawda, że moje kury są niesamowicie eleganckie i piękne? – Marco wzruszył ramionami i wrócił do rozmowy z resztą kobiet. – On się nie zna. Interesuje go tylko wspinaczka górska. A ty lubisz się wspinać?

– Nie.

– I dobrze. Ja też nie. Ile to roboty! Człowiek się wspina i wspina, staje na szczycie góry i musi złazić z powrotem. To głupie, nie sądzisz?

– Tak.

– Powiedz mi, skąd znasz Raffaello? On ciągle poznaje nowych ludzi. W czym robisz?

– Pracuję u Quayle'a, w dziale biżuterii.

– Och, uwielbiam biżuterię! Mam mnóstwo biżuterii, którą przez lata kupowałem podczas podróży, i dużą kolekcję rodzinną – rubiny, perły i diamenty. Przed ubezpieczeniem muszę oddać ją do wyceny. Jest w niej cudowna diamentowa tiara, która należała do mojej prababci, na pewno bardzo by ci się spodobała. Zajmujesz się taką biżuterią? – Jego uśmiechnięta, biała twarz klauna reprezentowała stację końcową linii włoskiej artystokracji. Początki tej linii Florence dostrzegała w renesansowym obrazie Fra Angelico.

– Możemy...

– W ten sposób poznałaś Raffaello? Widziałaś jego nowe spinki do mankietów? Śliczne, chociaż nie bardzo w moim guście. Wolę bardziej lśniące, z lekkim połyskiem. Pod tym względem przypominam dziecko, chociaż wielu twierdzi, że mój gust jest zbyt krzykliwy. No, ale za dużo gadam. Byłaś z Raffaello w ten weekend w Hamptons? Rzadko tam jeżdżę. Chyba mam alergię na wieś. Wszyscy rozmawiają o tym wielkim skandalu.

– O jakim wielkim skandalu?

– Zdaje się, że to się wydarzyło w domu redaktorki jakiejś gazety. Gościła u siebie kobietę, która usiłowała utopić jej córeczkę i uwieść męża. Jeszcze przed wyjazdem udało jej się zniszczyć dom gospodyni. Chyba go spaliła.

– Spaliła – powtórzyła tępo Florence.

– Zupełnie jak w filmie, prawda? Chyba nawet był taki film o niani, która zwariowała. Dobry, bardzo przerażający.

Raffaello wrócił od telefonu z zadowoloną miną.

– Dlaczego nikt nie poczęstował mojej przyjaciółki cygarem? – Wskazał na Florence, która nagle sobie uświadomiła, że prawdopodobnie zapomniał jej imienia.

– Częstowali mnie – powiedziała. – Ale ja nie...

– Nie palisz cygar? – Zaciągnął się. – Są pyszne. Uważam, że nie ma nic lepszego od cygara dobrej jakości. Wielka szkoda, że kubańskie cygara nie są już tak dobre jak kiedyś.

– Raffaello, przecież zacząłeś palić dopiero w zeszłym miesiącu – powiedziała Paola.

– Tak, ale kiedy zajmuję się jakimś hobby, robię to jak trzeba. No! – Dla podkreślenia swych słów walnął pięścią w stół. – Podjąłem decyzję. Rozwodzę się. – Mrugnął do Florence.

– Och, Raffaello! – Kobiety wymruczały słowa kondolencji. – Może to i lepiej – powiedziała jedna z nich. – Jakie to smutne, macie malutkie, trzymiesięczne dziecko. Ale twoja żona to wariatka.

– Skończona *pazza* – przytaknął Raffaello. Zwrócił się do Florence. – Bardzo piękna, była baletnicą, ale w wieku dwudziestu trzech lat musiała przerwać karierę, kiedy złamała nogę podczas wypadku na nartach. Jej kariera się skończyła. Oczywiście nie wierzę, by kiedykolwiek udało jej się wybić; ona chyba też o tym wiedziała, bo inaczej nie pojechałaby na narty...

– No i te straszne problemy z narkotykami – dodała Letizia. Historia ich życia, egzystencji, wydawała się Florence zupełnie nierealna. Nie mogła oprzeć się wrażeniu, że kiedy wyjdzie z restauracji, oni wszyscy znikną. I pomyśleć, że każde z nich uważa się za centrum wszechświata! Tekturowe ludziki z wybujałym poczuciem własnej wartości. Gdyby jednak przeniosła się do głowy któregoś z nich, pewnie uznałaby samą siebie za równie nierzeczywistą i nieprawdopodobną.

– Ona nie chce tego dziecka – powiedział Raffaello. – Zajmie się nim moja matka.

– Nie chcieć własnego dziecka! Może mi je oddasz? Ja się nim zaopiekuję.

Pojawiło się jedzenie. Była już trochę pijana, lecz zachowała czujność. Towarzystwo podjęło rozmowę po włosku.

– Pójdziemy, jak tylko skończymy jeść – wymamrotał Raffaello kącikiem ust, nie patrząc na nią. Przy ich stole usiadł jeden z właścicieli restauracji, pucołowaty londyńczyk. Wydał kelnerowi jakieś przydługie instrukcje. Ten wkrótce potem przyniósł butelkę grappy – wyprodukowanej, zdaje się, w posiadłości Raffaello w Toskanii – i rozlał ją do niskich kieliszków. Grappa, gęsta i lepka, smakowała tak, jak pachnie zmywacz do paznokci; usta Florence wypełniły się śliną. Kobiety przy stole – i Tommaso – sączyli trunek powoli, wychwalając pod niebiosa. Każdy klepał Raffaello po ramieniu, jakby to on osobiście spędził wiele godzin na przyrządzeniu tylko dla nich tego koktajlu smakującego jak płyn przeciw zamarzaniu. Florence zastanawiała się, czy Raffaello kiedyś uczestniczył w bójkach lub amatorsko trenował boks: zerkając na niego z boku, spostrzegła, że ma złamany nos, co za każdym razem, gdy na nią spoglądał, nadawało mu nieco groźny wygląd.

Całe swe dorosłe życie spędziła w Nowym Jorku, przygotowując się do sytuacji takich jak ta. Idealne stroje, wypielęgnowane ciało, gładka fala włosów, praca w domu aukcyjnym. W tym mieście były setki, może tysiące kobiet takich jak ona: wszystkie pracowały w galeriach sztuki, w magazynach, w firmach inwestycyjnych. Wszystkie były wytworne, nosiły sukienki koktajlowe i czarne pantofelki na najmodniejszym obcasie.

Chodziły na wernisaże, przyjęcia w Muzeum Sztuki Współczesnej, pokazy mody. Miały dobre maniery, umiejętność konwersacji, mieszkania umeblowane przedmiotami upolowanymi na pchlich targach, szklane stoliki do kawy z lat czterdziestych. Oddawały ubrania do pralni chemicznych, ćwiczyły w siłowni. Zimą jeździły na narty do Kolorado, a wiosną udawało im się znaleźć miejsce na wycieczce do St. Barts. Letnie weekendy spędzały w Hamptons. Setki kobiet, dwudziestopięcio-, dwudziestosiedmio-, trzydziestotrzyletnie, wiecznie młode, a jeżeli już zaczynały dostrzegać u siebie oznaki upływu czasu, udawały się do najlepszego chirurga i były gotowe wydać nań całą furę pieniędzy. Ale mężczyźni – ich odpowiedniki, a wśród nich i Raffaello – byli tak nieliczni i tak rzadko spotykani! Udało jej się znaleźć jednego: wysoki, przystojny, zamożny Włoch, który wyglądał, jakby wyszedł z magazynu mody. Razem opuszczą tę restaurację i wejdą w przyszłość jak bóg i bogini, gotowi nie rządzić światem – kto by tego chciał? – lecz wylegiwać się na srebrzystych plażach, jeździć przez pampasy na rumaku rasy Paso Fino, wspinać się na Kilimandżaro i obserwować rzadkie pantery śnieżne.

Nagle się zdenerwowała. Miliony dziewczyn mają wyższe kwalifikacje niż ona. Nie potrafiła sobie wyobrazić, czego Raffaello od niej chce. Może to tylko żart. Kiedy wyjdą z lokalu, on uda się na spotkanie z inną kobietą – bogatszą, piękniejszą, młodszą, opaloną księżniczką, która ma wszystkie zalety, jakich jej brakuje.

– Pewnie strasznie się nudzisz. – Ostrożnie, jak lalkę, pogłaskał ją po jasnowłosej głowie i Florence od razu poczuła, że się cała roztapia. Gdyby była kotem, zaczęłaby mu się ocierać o nogi. Najwyraźniej to wyczuł. – No, chodźmy.

Reszta grupy ich ignorowała, gawędząc, gdy Raffaello i Florence się podnieśli i zaczęli żegnać.

– Nadal rozmawiamy o twoim imieniu. – Tommaso spojrzał na nią ze złośliwym uśmiechem. Wydawał jej się dziwnie znajomy, chociaż pewnie tylko dlatego, że kojarzył jej się z konkretną osobą, której nie mogła sobie przypomnieć. – Letizia zastanawia się, jakie imię wybrać dla swojego dziecka – postanowiliśmy, że nazwiemy je Düsseldorf.

– Nie, nie! – krzyknęła Letizia. – Ja jednak wolę Detroit.

– Quito.

– Cleveland.

Zostawili ich, spierających się podniesionymi głosami, które nawet nie zarysowały gęstej ściany hałasu i mieszaniny grzmiącej z głośników melodii z lat trzydziestych, granej na francuskim akordeonie, pokrzykiwania innych gości oraz cichego szczękania sztućców o talerze z białej porcelany.

Kiedy gorące powietrze z ulicy zderzyło się z klimatyzowanym wnętrzem, w nozdrza Florence wdarł się zapach grillowanego mięsa i perfum, gęsty jak płyn do balsamowania zwłok.

Część druga

1

W taksówce zaczął nalegać, by przed snem wstąpiła do niego na drinka. Dom Raffaello znajdował się po drodze, ale i tak się wahała. Jeżeli przystanie na propozycję, będzie oczekiwał, że pójdzie z nim do łóżka. Na jej korzyść przemawiało tylko to, że jeszcze się z nim nie przespała. Jakież szczęście będą miały kobiety w Chinach za dwadzieścia lat! A za pięćdziesiąt – jeszcze większe. Już teraz dzięki selektywnej aborcji rodziło się tam o jedną trzecią chłopców więcej niż dziewczynek. Wkrótce dziewczynki w ogóle przestaną przychodzić na świat, a na jedną z tych nielicznych, przypadkowych, które jednak się urodzą, zacznie przypadać dziewięćdziesięciu mężczyzn i kobieta stanie się kimś tak niespotykanym, że zapanuje dla niej raj na ziemi. Mężczyźni będą się gromadzić pod oknem takiej szczęściary, wysyłać jej biżuterię, bukiety cytrynowych orchidei, zasypywać ją listami miłosnymi – będą jak sfora psów przed domem wystrojonej w czerwoną wstążkę pudelki w czasie rui.

Podczas gdy dumała nad tą wizją, Raffaello spytał ją o jakiegoś mężczyznę, którego ostatnio pokazywano w wiadomościach. Wyznawał poglądy lewicowe albo też prawicowe, nie miała jednak pojęcia, czy człowiek ów (który ostatnio codziennie występował w telewizji) był przewodniczącym Izby Reprezentantów, sekretarzem stanu czy ministrem obrony. Próbowała nadrabiać miną i wymamrotała coś w tym stylu, że to kolejny biały Amerykanin. Była pewna, że Raffaello ją przejrzał. Gdyby ją spytał o oficjalny tytuł czy stanowisko tego mężczyzny, przyłapałby ją na ignorancji. Polityka jej nie obchodziła.

Jej wykształcenie było minimalne, ale standardowe. Istniały pewne różnice między college'em Sarah Lawrence, do którego się przeniosła, a miejscowym, gdzie spędziła pierwsze dwa lata – nie tyle w jakości zajęć, co w kalibrze i rodzaju studentów. U Sarah Lawrence, przynajmniej na samym początku, wydawali jej się niesłychanie wyrafinowani. Niektórzy mieszkali na Manhattanie, wszyscy przychodzili na zajęcia ubrani na czarno, z nachmurzonymi twarzami i starannie potarganymi włosami. Dziewczyny znały najnowsze filmy, uczęszczały na koncerty muzyki współczesnej odbywające się w małych suterenach na East Endzie, miewały lesbijskie romanse i brały narkotyki. W jej lokalnym college'u wielu studentów było starszymi ludźmi, którzy w ciągu dnia pracowali w supermarkecie lub sprzątali u obcych. Wrócili do szkoły z nadzieją na znalezienie lepszej pracy. Wiedza, jaką Florence wyniosła tak z prowincjonalnego, jak i prywatnego college'u, stanowiła zlepek „wstępów do".

Miała wstęp do filozofii, gdzie kolejne tygodnie były poświęcone Platonowi, Hobbesowi, Kantowi, Heglowi i Heideggerowi. Wstęp do antropologii: standardowy podręcznik i wybór monografii, z których musiała napisać esej na temat pokrewieństwa łączącego Paunisów, australijskich aborygenów i Pigmejów lub Jorubijczyków. Ktoś kiedyś odwiedził te ludy, zbadał je, wyciągnął z nich esencję, życie, osobowość i ciepło i opisał ich kulturę tak sucho, jak to tylko możliwe. Wiedziała doskonale, że ludzie ci (o ile jeszcze istnieją) teraz siedzą bezczynnie przed telewizorami lub sprzedają pamiątki turystom.

Były też lekcje rysunku (malowanie martwej natury); zajęcia z garncarstwa (dodatkowe opłaty za pracownię i materiały); obowiązkowe przedmioty ścisłe (geologia dla poetów); podstawy obsługi komputera; wprowadzenie do literatury angielskiej (tydzień Chaucera, po jednym wierszu Blake'a i Pope'a, trochę Miltona, a następnie wyjątki ze Spencera, Hardy'ego, Jamesa, D.H. Lawrence'a i Jamesa Joyce'a), na którym wymagano dwustronicowego eseju co tydzień i końcowej pracy liczącej od dziesięciu do piętnastu stron. Inne przedmioty humanistyczne: historia teatru (*Żaby* Arystofanesa i *Igła Gurtona Gammera*[1], po jednej sztuce Sheridana, Szekspira, Ibsena, Czechowa, Clifforda Odetsa, Harolda Pintera i Edwarda Albeego). Mogła wybrać zajęcia, na których omawiano twórczość kobiet, te jednak zazwyczaj znajdowały się w osobnej kategorii zwanej „Gender Studies". Całość

[1] Szuka Verna Adiksa, jedna z pierwszych angielskich komedii.

nie trzymała się kupy. Historia została poszatkowana, połamana na kawałeczki – prerafaelici, literatura afroamerykańska, Indianie amerykańscy, studia nad gejami i lesbijkami, francuski (poziom I i II) – to, co stanowiło akademicką próbę wyciągnięcia jakiegokolwiek sensu ze świata, zostawiło w jej głowie istną sieczkę.

Ostatecznie za swój przedmiot kierunkowy wybrała sztukę. W jej college'u były zajęcia poświęcone badaniom nad historią sztuki: od Egiptu po średniowiecze; przegląd katedr (od stylu romańskiego aż po okres największej świetności gotyku); dwudziestowieczne malarstwo i rzeźba; historia fotografii i kina oraz kilka kursów specjalizacyjnych – Braque i Picasso, Fellini, architektura japońska, pop-art.

Był to rodzaj edukacji niegdyś pożądanej u młodej kobiety po to tylko, by mogła prowadzić kulturalną rozmowę przy stole. College żadną miarą nie przygotował Florence do życia czy choćby do pracy lub samodzielnego myślenia – nacisk kładło się tam na prace pisemne (przeważnie bardzo krótkie), w których studenci po prostu powtarzali stwierdzenia nauczyciela albo opinie z podręczników. Do czego Florence została przygotowana? Dziewięćdziesiąt procent kobiet u Sarah Lawrence pochodziło z zamożnych rodzin – czy też na takie wyglądały – i chociaż nikt nie śmiałby tego powiedzieć na głos, czy choćby pomyśleć, ich głównym celem po zdobyciu dyplomu było wyjście za mąż. Niemniej jednak oprócz tych, które przejmowały rodzinną firmę lub miały inne znajomości, osiemdziesiąt procent studentek szło potem na studia, które pomogłyby im znaleźć pierwszą pracę w różnych dziedzinach, gdzie wkrótce się przekonywały, że w świecie pracy nie ma dla nich przyszłości.

Jeśli chodzi o jej umiejętność prowadzenia kulturalnej rozmowy przy stole: źródła wiedzy dostarczyło jej nie tyle wykształcenie, co życie w mieście. Hoffman, Alvar Aalto i Bugatti: projektanci mebli. Falling Water: dom zaprojektowany przez Franka Lloyda Wrighta. George Elliot: mniej istotny jest fakt, że była autorką *Młyna nad Flossą*, niż to, że wyszła za mąż, mając sześćdziesiąt lat, i to za mężczyznę o dwadzieścia lat młodszego. Feng shui: chińska filozofia, zgodnie z którą przestawienie mebli w mieszkaniu wygania do innych domów złe wibracje czy demony. Osiemnastowieczny posążek Guanyin[1] (o wartości szacowanej na sumę od ośmiu do dziesięciu tysięcy dolarów), jorubijskie bliźniacze figurki, mastif neapolitański, buty Johna Lobba, różnica między kaszmirem a shatoo. Szkoła Rudolfa Steinera, starożytne peruwiańskie wyroby włókiennicze, psychiatria Adlera, pomidory Brandywine, fotografie Tiny Modotti, rosyjskie ikony, celtyckie naszyjniki, prace Otto Diksa. Wiedziała, gdzie kupić wykonany na zamówienie materac z końskiego włosia i która kwiaciarnia jest najmodniejsza – chociaż nie było jej stać ani na jedno, ani na drugie. Samo nadążanie za modą wystarczało, by doprowadzić człowieka do szału, a informacje te okazywały się przydatne tylko dopóty, dopóki były modne i aktualne.

[1] Guanyin – chińska bogini czczona przez lalkarzy jako patronka ich zawodu.

Wkrótce do obiegu wejdą nowe, bardziej oryginalne. Gdyby tylko była gejem, cała ta wiedza przychodziłaby jej w sposób naturalny.

Właściwie nigdy nie była na kolacji, podczas której prowadzono by prawdziwą rozmowę. Wymiana zdań zawsze ograniczała się do powierzchownej dyskusji na wspomniane tematy (nigdy nie dotyczyła estetyki, lecz tego, co, gdzie i za ile ktoś kupił) lub sprowadzała do rozmaitych monologów, w których ludzie przechwalali się własnym znaczeniem, wpływowością lub sukcesami. Tytuł *Czerwone i czarne* przydawał się tylko wtedy, jeżeli książka została ostatnio sfilmowana i wówczas stawała się przedmiotem dyskusji. Najbardziej przydatnym elementem jej wykształcenia były nawet nie zajęcia z historii kina (oprócz studiów nad gejami, kobietami i Afroamerykanami, najbardziej popularne wykłady cieszące się największą frekwencją), lecz wypożyczanie, noc w noc, różnych filmów z wypożyczalni wideo. Raz tylko ożywiła rozmowę, rozpoczęła dyskusję i wysunęła argumenty, które nadały jej pozory inteligencji: był to fakt, że Bette Davis występowała w *Mr. Skeffington*.

Przypuszczała, że bez takiego wykształcenia czułaby się głupsza, gorsza. Problem polegał na tym, że i tak czuła się w ten sposób. Istniały kobiety młodsze od niej, które wydawały powieści, prowadziły firmy public relations. Były kobiety starsze, lecz lepiej umięśnione, żony prezesów koncernów przemysłu filmowego. Zawsze znalazły się lepsze od niej. Nowy Jork – zwłaszcza dla kobiet, chociaż również dla mężczyzn – znajdował się w agonalnej, ostatniej fazie chronicznej choroby: zazdrości dającej skutki uboczne w postaci rozpaczy i nienawiści wobec samego siebie. Ponieważ jednak choroba ta była wstydliwa i nigdy o niej nie wspominano – jak niegdyś o raku – Florence nie wiedziała, że nie tylko ona na nią zapadła.

Poszła z Raffaello do jego mieszkania.

– Nie mogę zostać długo – powiedziała. – Rano muszę iść do pracy.

Uśmiechnął się pogardliwie.

– Denerwujesz się. – Był przystojny w zagranicznym stylu. Jego ciemne oczy miały wyraz, jakiego brakowało Amerykanom: intensywny, przesycony seksem. Amerykanie zawsze odwracali wzrok, jakby się bali, że zostaną zgwałceni. Ale rzeczywiście denerwowała się w jego towarzystwie.

– Nie! – Usiłowała przybrać oburzony ton.

– Spójrz, jak siedzisz.

To prawda: skuliła się w rogu kanapy z czarnej skóry i chromu. Raffaello miał apartament z dwiema sypialniami w nowoczesnym budynku w modnej śródmiejskiej dzielnicy. Umeblował go starannie dobranymi, nędznymi starociami lub też rzeczami, które zostały tak zaprojektowane – znajdowały się tam tapicerowane krzesła i kanapa, sterty albumów sztuki, ściany pomalowane na pompejański odcień czerwieni, umbry i zielonkawej żółci.

– Rzadko bywam w Nowym Jorku – wyjaśnił. – Moja rodzina trzyma to mieszkanie na wypadek, gdyby któreś z nas tu przyjechało, ale teraz chyba na dłuższy czas zatrzymam się na Manhattanie. Podoba mi się tu.

Rodzina jego matki zajmowała się przemysłem włókienniczym. Podczas kolacji opowiedział Florence o fabryce pod Turynem znanej z produkcji fantastycznych, misternych jedwanych brokatów i o starym magazynie pełnym resztek i beli materiału jeszcze z siedemnastego wieku, kiedy to powstała ta fabryka. W latach pięćdziesiątych jego rodzina oprócz materiałów zaczęła produkować ekskluzywne, nieprawdopodobnie drogie artykuły – apaszki, parę fasonów prostych sukienek, krawaty. Teraz Raffaello został wysłany do Nowego Jorku, by unowocześnić linię, która w ciągu ostatnich lat wyszła z mody.

Florence zakręciło się w głowie. Może wypiła za dużo podczas kolacji.

Wyjął kilka butelek z kredensu pod jednym z regałów.

– Napijesz się drinka? Mam bardzo dobry koniak. Niestety nie mogę cię poczęstować kokainą. To była resztka z prezentu, jaki dostałem na urodziny.

– Powinnam już iść do domu. Jutro mam bardzo dużo zajęć. – Podjęła decyzję, że się z nim nie prześpi.

– Chodź na chwilkę. Chciałbym ci coś pokazać.

– Nie możesz mi pokazać tutaj?

Przewrócił oczami.

– Myślisz, że się na ciebie rzucę?

Miał taką minę, jakby jeszcze nigdy nie widział podobnej idiotki. Okropnie się czuła, kiedy tak bacznie się w nią wpatrywał. Już by wolała, gdyby należał do tego drugiego rodzaju mężczyzn: takiego, który ciągle rozgląda się po pokoju i patrzy ponad jej ramieniem z nadzieją, że znajdzie sobie lepszą albo że ktoś ich zobaczy razem. Intensywność spojrzenia Raffaello była niegrzeczna; już to znała. Oznaczało nie zakochanie, lecz wyzwanie, pytanie, czy sobie z nim poradzi. Raffaello dawał jej do zrozumienia, że w tej sytuacji to on jest przewodnikiem stada.

Poszła za nim przez kuchnię. Stała tam ogromna lodówka cała ze szkła, jak te w restauracjach. Florence kątem oka dostrzegła, że lodówka jest dosłownie pusta. Inne urządzenia były równie imponującej jakości. Z jakiegoś powodu te detale zrobiły na niej większe wrażenie niż jawnie drogi apartament. Raffaello wszedł do sypialni i po kolei zaczął zdejmować z serwantki przepiękne netsuke[1]. Niewiele wiedziała na temat tych figurek z kości słoniowej, ale gdy je kładł, po jednej, na jej dłoni – maleńką małpkę, szczura trzymającego żołędzia, skulonego człowieka o groteskowej twarzy – zorientowała się, że to nie reprodukcje. Rzeźby były niesłychanie szczegółowe, a z każdej z nich emanowała dziwna aura, rezonans.

– Och, jakie piękne!

– Podobają ci się? – Raffaello się uśmiechał. – Bardzo je lubię. Zbieram je od piętnastego roku życia. Kiedyś kupowałem je całkiem tanio, teraz najlepsze z nich stanowią rzadkość. – Dotknął jej karku i nagle pomyślała, że głupio nie pójść z nim do łóżka. Był dorosłym

[1] Netsuke – figurka z otworami, wykonana z drewna, kości słoniowej, koralu lub metalu, stosowana w XVIII i XIX w. do mocowania sakiewki do pasa kimona.

mężczyzną, miał przynajmniej trzydzieści parę lat. To dla niej nie pierwszyzna. Usiadł na brzegu łóżka przykrytego kapą z bogatego brokatu. – Pokażę ci, co jeszcze lubię. – Ujął w ręce jej głowę i pchnął w dół.

– Jesteś bardzo wyrozumiała – powiedział, kiedy skończyła. Usiadł i przykrył się ozdobną fioletową narzutą haftowaną w żółte krzyżyki i coś w kształcie skrzynek pocztowych. – Jak pięknie. – Westchnął i zaproponował jej cygaro, po czym zapalił jedno dla siebie. – Chciałabyś pójść jutro ze mną na lunch?

– Jutro w pracy mam urwanie głowy – odparła. Nie wiedziała, czy jeszcze kiedykolwiek zechce się z nim spotkać.

– Zadzwonić do ciebie rano?

– Tak, pewnie. – Wstała z fotela i zebrała swoje rzeczy. Nie zaproponował, że ją odwiezie.

– Gdzie pracujesz? Połóż koło telefonu swój numer.

– Pracuję u Quayle'a – powiedziała. – W domu aukcyjnym. Numer jest w książce telefonicznej. Nazywam się Florence Collins.

– Przecież wiem! – Nieco wyrwał się z odrętwienia. – Tylko żartuję. Jesteś strasznie poważna.

– Pogadamy jutro! – Ruszyła do drzwi.

– Przypomnij mi, w którym jesteś dziale?

– Z biżuterią.

Drzwi wejściowe musiał otworzyć zaspany portier. On też nie zaproponował, że wezwie taksówkę, a jej nigdy by nie przyszo do głowy, żeby mu to zlecić, już nie wspominając o poinformowaniu Raffaello, iż jego obowiązkiem jest odprowadzenie damy do taksówki, skoro nie zamierza odwieźć jej do domu. Niektóre kobiety były jeszcze mniej wymagające. Gdyby Raffaello w tej chwili podniósł słuchawkę telefonu, z pół tuzina w jednej chwili zdecydowałoby się przyjść do niego, uprawiać z nim seks i wyjść, gdyby im to nakazał, i na pewno by nie oczekiwały zaproszenia na kolację lub zapowiedzenia się. Wmawiałyby sobie, że to komplement, że podobają mu się na tyle, że nie zawraca sobie głowy niepotrzebnymi wstępami – albo że w ten sposób udowadniają, jak bardzo są wyrafinowane i artystowskie.

Poszła w kierunku Pięćdziesiątej Siódmej Ulicy. Było grubo po północy. Lampy rzucały zbyt intensywne żółte światło, jak na sali operacyjnej. Nieliczne drzewa, więźniowie miasta, spowite gęstym letnim kurzem, tkwiły na półmetrowych spłachetkach ziemi. Na ulicy nie było samochodów; nie pojawiła się ani jedna taksówka. W końcu, po prawie czterdziestu minutach, przyjechał autobus. Florence czuła się dobrze. Powtarzała sobie, że panuje nad sytuacją, że teraz od niej zależy, czy znowu spotka się z Raffaello, nie zaś na odwrót.

Kiedy weszła do swojego mieszkania, na sekretarce znalazła cztery wiadomości, wszystkie od Maksa Coho. W dwóch błagał, by niezależnie od pory zadzwoniła do niego. Nie zwróciła na to najmniejszej uwagi.

Niemal pół godziny zajęło jej usunięcie makijażu i umycie twarzy trzema specyfikami (rutyna, która kosztowała ją prawie trzysta dolarów za produkty i instrukcje w małym, ekskluzywnym salonie pielęgnacji skóry – do tego jeszcze siedemset pięćdziesiąt dolarów za serię ośmiu zabiegów kosmetycznych). Wyczyściła zęby fantazyjną włoską szczoteczką w biało-czerwone paski i angielskim proszkiem w puszce. Od prawie czterech dni nie miała czasu poćwiczyć. Po tej maleńkiej kresce kokainy nadal była podminowana. Wypiła filiżankę herbaty rumiankowej i leżała przez przynajmniej czterdzieści minut, zanim wreszcie udało jej się usnąć.

2

W poniedziałek rano spóźniła się do pracy. Pracownicy Quayle'a mieli stawiać się o dziewiątej. Zazwyczaj chodziła pieszo, a jeżeli nie miała czasu, łapała autobus o wpół do dziewiątej i przyjeżdżała parę minut przed czasem. Obudził ją telefon. Spojrzała na zegar i uświadomiła sobie, że już minęła dziewiąta, a więc przespała brzęczenie budzika. Nie miała siły pędzić do telefonu, a kiedy włączyła się sekretarka, dzwoniący nie zostawił wiadomości. O ile pamiętała, poprzedniego wieczoru nie wypiła zbyt dużo, a jednak głowa jej pulsowała i całe ciało miała zesztywniałe od zimnego powietrza z wentylatora. Kiedy spróbowała odtworzyć przebieg weekendu, zalała ją fala nagłego niepokoju.

Wydarzenia sprzed paru godzin, dzięki którym poprzedniego dnia poczuła się silna i opanowana, teraz wydawały jej się niewiarygodnie niemoralne. Mężczyzna, którego tylko raz widziała na oczy, zabrał ją do siebie, zdecydowała się z nim przespać, a kiedy nie wyraził chęci, bez protestu mu obciągnęła.

Nigdy nie miała nadziei na znalezienie miłości i gdyby strzała Amora trafiła ją prosto w serce, pewnie nawet by tego nie zauważyła. Mimo to, chociaż wcześniej było jej obojętne, czy Raffaello jeszcze się odezwie – właściwie była przekonana, że tak się stanie – teraz miała całkowitą pewność, że nie tylko nigdy nie zadzwoni, ale że ona sama chyba umrze, jeżeli już nigdy się nie spotkają.

Zadzwoniła do recepcjonistki u Quayle'a.

– Polly? Czy mogłabyś przekazać Marge, że jestem umówiona z klientem i trochę się spóźnię?

– O której przyjdziesz?

– Chyba o dziesiątej.

Zamierzała przejrzeć stertę korespondencji – rachunki, rachunki, rachunki, opłaty i odpowiedzi, z którymi zalegała od tygodni – ale była półprzytomna i nie miała czasu. Może wieczorem zostanie w domu i spróbuje dojść, co się dzieje i gdzie się podziały wszystkie pieniądze z jej konta.

Wzięła prysznic i umyła głowę szamponem skomponowanym – tak przynajmniej twierdziła jej fryzjerka – specjalnie dla niej. Kiedy się kończył, dzwoniła do salonu, podawała swój numer identyfikacyjny i pomocnica mieszała odpowiednie składniki, które następnie wlewała do drogiej, ręcznie wykonanej butelki z dmuchanego szkła. Miała dwa rodzaje odżywki: jednej używała przed myciem głowy, drugiej – po. Jej ręczniki, ogromne i grube, z niewybielanej egipskiej bawełny, były nowiutkie. Co prawda te, których używała jej babcia, należały do całkiem drogich, lecz po jej śmierci Florence nie potrafiła się zmusić do korzystania z nich. Kupiła cały komplet w odcieniu truskawkowym i cynobrowym, ale nawet po upraniu ich doszła do wniosku, że barwnik zawarty w materiale podrażnia jej skórę i że z powodu ich jaskrawych kolorów jej przestarzała łazienka wygląda jeszcze bardziej ponuro. Pozbyła się ich i kupiła nowe. Za każdym razem wydała sporo ponad pięćset dolarów.

Włożyła rozkloszowaną, bawełnianą spódnicę w paski w leśnych odcieniach zieleni, musztardy, ciemnego brązu i beżu, płaskie buty z zielonej lakierowanej skóry, ręcznie wyrabiane we francuskiej pracowni, i brązowo-beżową jedwabną, kwiecistą koszulę bez rękawów z kołnierzem w stylu Piotrusia Pana. Na szyi zawiązała rękawy cienkiego swetra w kolorze cytrynowym. Długie jasne włosy ściągnęła w koński ogon, odszukała nowe okulary przeciwsłoneczne i zatknęła je sobie na czubku głowy. Prawie się nie umalowała; użyła tylko odrobinę szminki w neutralnym kolorze i trochę pudru. Inne kobiety pracujące u Quayle'a nosiły proste, czarne, dopasowane sukienki z lnu, z żakietem, który zdejmowały wieczorem, lub garsonki, lecz strój Florence był droższy. Ogólny efekt stanowił subtelną parodię lat pięćdziesiątych. Jej ubranie nieco różniło się od innych, lecz na niej zawsze wyglądało tak, jakby stanowiło ostatni krzyk mody. Całkiem często okazywało się, że inni ludzie w końcu zaczynali się ubierać tak jak ona.

Wygląd prostej wiejskiej dziewczyny o świeżej buzi kosztował ponad tysiąc pięćset dolarów. Prawda jednak była taka, że Florence nawet nie zależało na wyglądzie ani na tym, czy jest piękna. Nie była próżna. Uroda stanowiła jej majątek. To jej własność, którą pielęgnowała i ozdabiała, by osiągnąć swe cele.

Wskoczyła do taksówki i wysiadła jedną przecznicę wcześniej po duże cappuccino na wynos. Jej biuro znajdowało się na siódmym – ostatnim – piętrze. Było maleńkie, dosłownie jak szafa, z jednym oknem wychodzącym prosto na ścianę z cegieł. Sterty wydawnictw encyklopedycznych i starych katalogów sięgały aż do sufitu. U Quayle'a – znajdującego się na jednym z najniższych miejsc w rankingu domów aukcyjnych drugiego, a może i trzeciego sortu – od ponad pięćdziesięciu lat nie przeprowadzano remontu. Pan Gabe Quayle miał ponad osiemdziesiąt lat, lecz nadal codziennie przychodził do pracy. Spodziewano się, że po jego śmierci firma przejdzie w ręce jego bratanka, Barry'ego Plotsky'ego.

Florence nie wiedziała, czy jej bezpośrednia przełożona, Marge Crowninshield, już przyszła. Polly nie było w recepcji, nigdzie nie widziała też portierów. Wskoczyła do windy na zapleczu i wślizgnęła się do swojego biura z nadzieją, że Marge jeszcze nie zdążyła jej sprawdzić. Zaczęła oglądać egzemplarz, który przez ostatni tydzień przygotowywała do listopadowego katalogu: „Pierścionek z pszczółką ozdobiony różowym szafirem i brylantem, Tiffany & Co. Schlumberger". Zadzwonił telefon.

– Dom aukcyjny Quayle, dział biżuterii, Florence Collins, słucham?

– Czy ty nigdy nie odpowiadasz na telefony?

– Max!

– Czytałaś dzisiejsze gazety?

– Nie.

– Gdybyś odpowiedziała na mój telefon, mógłbym cię ostrzec. Chciałbym tylko, żebyś wiedziała, że to dzięki mnie Gus nie podał twojego nazwiska, chociaż zamierzał to zrobić.

– O czym ty mówisz?

– Kup gazetę. Mam ci ją przysłać faksem?

– Nie! – Próbowała przybrać obojętny ton, chociaż zaczynała wpadać w panikę.

– Możesz mi wierzyć, że wszyscy w twoim biurze na pewno już widzieli ten artykuł. Mam ci go przeczytać?

– Nie, kupię później.

– Dlaczego nie oddzwoniłaś? Nie wróciłaś wczoraj na noc do domu?

– Najpierw mnie obrażasz, a potem myślisz, że będę odpowiadać na twoje telefony?

– Ja cię obrażam? W jaki sposób cię obraziłem?

Tak naprawdę to nie mogła sobie przypomnieć.

– Nieważne.

– Masz ochotę pojść dzisiaj na kolację?

– Z kim?

– Ze mną!

– O...

– Pamiętaj, że wyświadczyłem ci sporą przysługę. Wczoraj rozmawiałem z Gusem i gdyby nie ja, ten artykuł w jego rubryce wypadłby o wiele gorzej.

– Jakie to wspaniałomyślne z twojej strony. O nic cię nie prosiłam, Max. Nawet nie wiem, o czym mówisz. Przepraszam, ale muszę już kończyć. – Tak chłodno, jak tylko potrafiła, zakończyła rozmowę, po czym poszła korytarzem do gabinetu Soni. Sonia, researcher, ważyła prawie sto pięćdziesiąt kilo. Siedziała w fotelu, który zapadnięty pod jej ciężarem wyglądał jak część jej samej. Przysunęła sobie mały stoliczek na kółkach. – Cześć, Sonia. Widziałaś, czy Marge już przyszła?

– Nie. Ale czytałam gazetę. Chodzi o ciebie, prawda? Tak się domyśliłam. – Spojrzała na Florence z pełną radości nienawiścią. – Niedługo dziennikarze zaczną tu węszyć! Rozmawiałaś już z kimś?

– Nie mam pojęcia, o czym mówisz. Jeżeli zobaczysz Marge, powiedz jej, że musiałam na sekundkę skoczyć do sklepu po drugiej stronie ulicy. Potrzebujesz czegoś?

– Idziesz do delikatesów? Poprosiłabym dietetyczną drożdżówkę z serem.

Wiedziała, że Sonia jej nienawidzi. Było to nieuniknione – tak samo jak jej własna nienawiść do Ibis, gwiazdki kina. Sonia nienawidziłaby jej, nawet gdyby nie ważyła sto pięćdziesiąt kilo. Tak już był zorganizowany ten system. Kobiety osądzały i oceniały same siebie i swoje koleżanki. Mogły się zaprzyjaźnić tylko wtedy, gdy doszły do wniosku, że znajdują się na podobnym poziomie. Sytuacja stawała się jeszcze bardziej skomplikowana, gdy okazywało się, że dwie kobiety reprezentujące podobny poziom decydują się rywalizować o to samo. Wówczas przyjaźń była automatycznie wykluczona. A jednak w obliczu radosnej nienawiści Soni musiała się jakoś obronić.

– Wiesz, te dietetyczne drożdżówki z serem mają jakieś trzysta pięćdziesiąt kalorii.

– To kup mi zwykłego bajgla, takiego z odrobiną śmietankowego sera – warknęła Sonia. – I herbatę z cytryną, bez cukru.

Florence przeszła przez ulicę do delikatesów. Czekając na realizację zamówienia, ukradkiem otworzyła gazetę na półce pod ladą i zerknęła na rubrykę z plotkami.

„... KTÓRA starzejąca się klaczka wprowadziła zamęt podczas weekendu w Hamptons? W niespełna dwadzieścia cztery godziny jasnowłosej asystentce kierownika działu biżuterii pewnego domu aukcyjnego udało się uwieść męża pani domu i niemal utopić ich córkę. Pani domu – i jej była przyjaciółka oraz redaktorka tego niesławnego magazynu – zapowiada zemstę... BĘDZIEMY WAS INFORMOWAĆ NA BIEŻĄCO!".

Jej dłonie pokryły się potem. Nie było aż tak źle. Naprawdę mogło wypaść gorzej. Przynajmniej nie wymieniono Quayle'a z nazwy, więc Marge nie ma powodu do narzekania. Ludzie mogą pomyśleć, że chodzi o kogoś z Sotheby albo Christie. Jeszcze nikt nigdy nie stracił pracy z powodu takiej błahostki. A taki artykuł na pewno nikogo do niej nie zrazi. Mężczyźni tolerują o wiele gorsze rzeczy. Pewna gwiazdka porno – czy też może striptizerka – wyszła za znanego miliardera. A inną widziano na jachcie z jakimś politykiem. Jego kariera się skończyła, ale ona poślubiła bogatego biznesmena, urodziła dzieci i rozpoczęła normalne życie. Tylko taki idiota jak Charlie Twigall mógłby poważnie potraktować podobną notatkę. A on już wcześniej z niej zrezygnował.

– Hej! Blondyneczko!

– Słucham?

– Od pięciu minut do ciebie mówię. To twoje zamówienie. Coś jeszcze? To o tobie pisali w gazecie, prawda? Domyśliłem się, jak tylko ją przeczytałem dzisiaj rano.

Oczywiście, że Rasheed domyślił się, że chodziło o nią; przychodziła do jego delikatesów prawie co rano, wiedział, że Florence pracuje po drugiej stronie ulicy. Poza tym od tego są te plotkarskie rubryki – by karmić ludzi pracy, przynajmniej anglojęzycznych, migawkami z innego świata; jak Kopciuszka, którego nie wpuszczono na bal.

Przy kasie złapała garść czekoladowych pralinek nadziewanych orzechami laskowymi i wiśniami i zawiniętych w złotą folię, po dolar dwadzieścia dziewięć za sztukę.

– Rano czytaliśmy o tobie! – Benny rzucił jej złośliwe spojrzenie.

Rozwinęła pralinkę i wepchnęła ją do ust. Co za różnica, zawsze z niej szydzą. Niekiedy jej się wydawało, że brakowałoby jej tego, gdyby przestali. Bycie wyszydzaną to jej chleb codzienny czy też może raczej niecodzienny. Z ciemnozielonej torby na ramię wyjęła parę banknotów i rzuciła je na ladę.

– Ktoś dzwonił do ciebie. Nie zostawił nazwiska. – Ona i Sonia przekazywały sobie wiadomości, gdy ktoś dzwonił pod nieobecność jednej z nich. Wszyscy znajomi znali jej numer wewnętrzny. Gdyby dzwonił ktoś w interesach, połączyłby się przez centralę. Podała Soni bajgla i herbatę oraz ostatnią czekoladkę, nadal w folii, nieco zgniecioną i lepką od jej dłoni. – Marge szaleje. Musiała iść na zebranie. Kiedy skończy, chce się z tobą zobaczyć.

Poszła do swojego gabinetu. Uświadomiła sobie, że dosłownie przemyka pod ścianami, więc zmusiła się, żeby przystanąć i ruszyć spokojnym krokiem. Może ma jakieś spotkania na mieście i uda jej się wyrwać z biura na resztę dnia? W poprzednim tygodniu dzwoniła jakaś sklerotyczka, twierdząca, że ma ogromną kolekcję rosyjskiej biżuterii, która kiedyś należała do Romanowów. Chciała ją sprzedać, ale wolała jej nie wyjmować ze skrytki bankowej. Wtedy Florence uznała, że to wariatka, i powiedziała, że jeszcze się odezwie. Wydzwaniała do niej też inna kobieta, mieszkająca o godzinę jazdy na Long Island. Przysłała kilka zdjęć biżuterii, która mogła przedstawiać jakąś wartość, choć na podstawie fotografii trudno było to ocenić.

Zadzwonił telefon. Jeżeli szczęście jej dopisze, będzie to Raffaello. Zbliżała się pora lunchu. Mogła go namówić, żeby przyszedł do biura i powiedział Marge, że chce, by Florence wyceniła biżuterię jego rodziny. Wyglądał tak imponująco i arystokratycznie; Marge zawsze wzdychała do takich mężczyzn. W ten sposób chociaż na jeden dzień odwlecze jej gniew.

– Halo, mówi Tracer Schmidt. Poznałyśmy się wczoraj wieczorem. Byłam z Maksem Coho. Miałabyś ochotę wpaść do mnie dzisiaj na drinka? Albo... mogłybyśmy się spotkać na mieście.

Florence się zawahała.

– W jakiej sprawie? – spytała po chwili milczenia.

Nie zamierzała zachowywać się złośliwie, ale jeżeli po przeczytaniu dzisiejszej gazety ta dziewczyna próbowała wyciągnąć od niej jakieś informacje, to Florence nie zamierzała brać w tym udziału.

– No... – Tracer się speszyła. – Właściwie to nic takiego. Myślałam, że fajnie byłoby skoczyć na drinka i pogadać... i... właściwie... chciałam cię spytać o twojego przyjaciela... Darryla.

– Naprawdę niewiele o nim wiem. Ale... – zawahała się. – Pewnie! Przyjdę do ciebie. Koło szóstej?

Od czasów Allison nie miała bliskiej znajomej. Nawet z nią nie była aż tak bardzo związana. Wspólnie wynajmowały mieszkanie (na jakiś czas wyprowadziła się od babci, dopóki ta się nie rozchorowała i Florence zrozumiała, że po to, by zachować jej mieszkanie, powinna się sprowadzić z powrotem) i co wieczór razem chodziły na podryw. Wspólnie robiły różne rzeczy, wymieniały się ubraniami, ale miały sobie niewiele do powiedzenia, nigdy nie doszło do zwierzeń, niekiedy tylko spędzały wieczór w domu, chichocząc i wygłupiając się.

Niemniej jednak spotkanie z Tracer nie oznaczało rozpoczęcia przyjaźni i najprawdopodobniej na nim się skończy. Florence podniosła słuchawkę telefonu i zadzwoniła do kobiety z Long Island, która od pół roku próbowała ją namówić na obejrzenie biżuterii. Virginia Clary, Maspeth. Zbyt chora, by przyjechać do miasta. Florence nie wiedziała, czy można się tam dostać pociągiem. Będzie musiała wziąć taksówkę – pracownicy mogli korzystać z samochodów służbowych jedynie w wypadkach podróży trwającej przynajmniej cztery godziny – i sprawdzić, czy da się w tym miesiącu uzyskać zwrot kosztów, nie narażając się na atak wściekłości ze strony Marge. Złapała swoje rzeczy i wyszła na korytarz.

– Sonia, zostajesz jeszcze? Mogę później zadzwonić i sprawdzić, czy ktoś do mnie dzwonił?

– Jeżeli tu jeszcze będę.

– Dobrze. Umówiłam się na oglądanie biżuterii i nie mogę się wykręcić od tego spotkania. Przeproś ode mnie Marge.

– Wrócisz jeszcze dzisiaj? – Sonia uśmiechała się nieco ironicznie.

– Postaram się. Ale ta klientka mieszka na Long Island i nie wiem, czy zdążę. Przekaż Marge, że zadzwonię po południu.

– Wolałabym, żebyś sama jej to powiedziała.

– Puściłaby mnie. Ta biedaczka już od pół roku mnie namawia do obejrzenia tej biżuterii. Umówiłam się z nią całe wieki temu.

Wyszła tylnym wyjściem z nadzieją, że nie wpadnie na Marge. Zza rogu wychodził John de Jongh z małym bukietem owiniętym w żółtą bibułkę i przezroczysty celofan. Kiedy ją zobaczył, aż się wzdrygnął i ze zmieszaniem podał jej kwiaty.

– Florence!

– Cześć, John. – Na jego widok ogarnęło ją zmęczenie.

– Wszystko u ciebie w porządku?

– Tak. – Kwiaty przypominały aksamitne puszki: były to mięsiste, drogie białe tuberozy i żółte frezje, z których unosiła się chmura zapachu odurzającego jak narkotyk.

– Właśnie... właśnie szedłem zostawić dla ciebie te kwiaty. Nasze biura znajdują się tuż za rogiem. Próbowałem wcześniej się do ciebie dodzwonić, ale sekretarka mówiła, że jeszcze nie przyszłaś. Pomyślałem sobie, że... jeżeli cię zastanę i będziesz miała czas, to może byśmy skoczyli coś przekąsić?

– Jadę do Maspeth.

– Yyy... to może cię podwiozę? Mój samochód stoi na parkingu tuż za rogiem. Powiem sekretarce, żeby odwołała wszystkie moje zajęcia. Maspeth – to niedaleko. Możemy się zatrzymać po drodze, żeby coś zjeść i pogadać. Mam... mam dla ciebie bardzo interesujące wiadomości... na temat tej restauracji.

3

Kiedy się obudziła, było późne popołudnie. John jeszcze spał. Po drodze twierdził, że zabłądził. Zabrał ją na lunch do restauracji w hotelu koło lotniska, a potem ubłagał, żeby poszła z nim na górę do pokoju. Namówił ją, żeby zapłaciła swoją kartą kredytową i obiecywał, że następnego dnia odda jej gotówkę. Bardzo mu współczuła. Widać było po nim głód człowieka uzależnionego od kokainy, coś, co go zżerało od środka. Nie mogła znieść widoku takiego cierpienia, John kojarzył się jej z zapchlonym zwierzęciem, które gorączkowo gryzie samo siebie. Może z jej strony była to słabość. Własne ciało tak niewiele dla niej znaczyło, traktowała je jak towar, którego nie chciał kupić ani mieć nikt inny. Nic nie szkodzi, jeżeli po obniżonej cenie na parę godzin użyczy go Johnowi. Bez wątpienia częściowo ponosiła odpowiedzialność za jego cierpienie.

Bohaterki powieści Jane Austen i Edith Wharton zawsze cierpiały z miłości i były gotowe przez całe życie dochować wierności facetowi, którego widziały tylko kilka razy i którego nigdy nawet nie pocałowały. Florence nie potrafiła tego zrozumieć. Na świecie żyło miliard albo i więcej ludzi, podobnych do siebie jak aligatory. John de Jongh ma obsesję na jej punkcie, ale naprawdę nie powinna traktować tego osobiście. Gdyby jej się spodobał, nie oznacza to, że tydzień, dzień czy godzinę później nie mogła go odprawić i przerzucić się na innego. Kiedy ześlizgnęła się na brzeg łóżka i usiadła, chwycił ją za nadgarstek.

– Dokąd idziesz?

– Donikąd. Do łazienki.

– Jak się czujesz?

– Dobrze.

– Ja się czuję fantastycznie! Zupełnie jakbym zagrał parę setów squasha i miał tak świetną kondycję, że nawet się nie zmęczyłem.

– Całe wieki nie byłam na siłowni ani nie ćwiczyłam.

– Przecież to była gimnastyka, nie? – Lekko się uniósł, oparł o zagłówek i przykrył prześcieradłem. – Chciałbym mieć dla ciebie jakieś zdrobnienie. Z jakiegoś powodu nie mogę do ciebie mówić „Florence". Nie wiem dlaczego. Po prostu to imię do ciebie nie pasuje. Już bardziej pasowałoby do przyjaciółki mojej babci.

– Ale swoją córkę nazwałeś Claudia.

Przez chwilę na jego twarzy malowała się pustka, jakby zapomniał, kim jest Claudia.

– To co innego. Zresztą to Natalie nadała jej takie imię, a nie ja.

– Jak ona się czuje?

– Dobrze! Natalie chce ją wysłać do szkoły z internatem, ale ja się nie zgadzam. Powiedziałem: „Poczekaj, aż trochę podrośnie". Nie rozumiem, w czym problem. Natalie chyba uważa, że Claudia za dużo czasu spędza sama, bo oboje jesteśmy tacy zapracowani. Mówi, że w internacie dostałaby dodatkową pomoc w związku z problemami w nauce.

– Ale... czy jest jeszcze w szpitalu?

– Nie. Wczoraj wróciła do domu. Nie, nie, wszystko w porządku. Wiesz, że to nie twoja wina. To się mogło przytrafić każdemu.

– Mimo wszystko czuję się strasznie.

Oczy mu pociemniały; lekko zmarszczył brwi.

– Niepotrzebnie! O wiele bardziej się zdziwiłem, że nie byłaś zła na mnie. Ale wiesz, postawiłaś mnie w niezręcznej sytuacji: na przynajmniej godzinę zamknęłaś mnie w tamtej sypialni. Nie mogłem się wydostać! W końcu usłyszałem, że ktoś idzie korytarzem – nawet nie wiem, dlaczego znalazł się na ostatnim piętrze – i zacząłem krzyczeć: „Wypuście mnie!". – Ryknął śmiechem. – Z jakiegoś powodu nie mogli otworzyć drzwi również od zewnątrz, a zanim znaleźli śrubokręt, było już za późno i wszyscy goście powtarzali sobie, że mnie zamknęłaś. Nie mogłem się wtrącać, bo jeszcze pogorszyłbym sytuację. Niestety Natalie jest na ciebie wściekła.

Poszła pod prysznic, a on podążył za nią.

– Słuchaj, mam dobre wiadomości. Powiedziałem Derekowi, że chcesz zainwestować w jego nową restaurację

– zgodził się, żebyś kupiła połowę udziałów. Przypomnij mi, ile masz pieniędzy? Czterdzieści tysięcy?

– Tylko dwadzieścia pięć.

– Przyniosłaś książeczkę czekową? – Pokręciła głową. – Nie szkodzi, nie przejmuj się. Możesz wysłać czek pocztą albo wpadnę później, żeby go odebrać. Tymczasem zapłacę za ciebie. No i jak się teraz czujesz? Pewnie bardzo się cieszysz, że zostaniesz właścicielką części restauracji, która niedługo będzie bardzo popularna. Nie mówiłem ci wcześniej, ale jako właścicielka możesz tam w każdej chwili zamówić stolik. Derek wiedział, kim jesteś. Kazał ci przekazać: „Witamy na pokładzie". Oczywiście przed otwarciem zorganizujemy tam imprezę.

– Naprawdę? Derek wie, kim jestem? – Uśmiechnęła się.

– Uważa, że jesteś fantastyczna.

– Nie zamieniłam z nim nawet dwóch zdań.

– Bo wie, że żona by go zabiła. – John złapał z umywalki kostkę mydła i próbował wepchnąć się do wanny razem z Florence. – Pomóc ci? – Teraz po raz pierwszy zobaczyła go naprawdę, przekonała się, jak szczególne ma ciało: dziwnie szerokie kobiece biodra i wąski tors. Przypominał nieco faraona Amenhotepa z osiemnastej dynastii.

– Nie, dzięki.

Znowu zaczął się śmiać, jakby powiedziała coś wyjątkowo zabawnego.

– Wiesz, Florence, jesteś niesamowita. W takim razie poczekam tylko, aż skończysz, dobrze?

Opłukała się i chwyciła ręcznik z wieszaka na ścianie. John kręcił się niespokojnie, z prześcieradłem owiniętym wokół bioder.

– Naprawdę muszę już lecieć – powiedziała.

– Tak, ja też. Będę musiał zmienić harmonogram zajęć. Sprawy trochę wymknęły się spod kontroli.

– Lepiej zadzwonię do klientki.

– Do klientki? To tak ich nazywasz? Fajnie.

– Powinnam już tam być. Jak się stąd dostać do Maspeth?

– Nie wiem. Niestety ja już muszę wracać do pracy, narobiłem sobie zaległości. Chyba się nie obrazisz, jeżeli cię nie zawiozę do Maspeth? Bardzo bym się spóźnił. Może weźmiesz taksówkę? Zapłacę.

Dał jej pięćdziesiąt dolarów i powiedział, że pożegna się z nią w pokoju; musi już lecieć.

Nie mogła zrozumieć, dlaczego to zrobiła. Ponieważ już kiedyś, chociaż wbrew własnej woli, się z nim przespała, teraz nie robiła z tego wielkiej afery – nie czuła się niezręcznie, rozbierając się i idąc z nim do łóżka. Poza tym wyglądał na przejętego, wyraźnie bardzo jej pragnął, nic nie mogła poradzić, że jej to schlebiało. A może, patrząc z perspektywy czasu, stało się tak dlatego, że była zdenerwowana i wściekła na siebie za to, że przez cały ranek czekała na telefon od Raffaello. Kiedy wpadła na Johna, już przestała wierzyć, że bogaty Włoch znowu się do niej odezwie. Wyrównała rachunki na swój sposób.

Tak czy siak, nie popełniła błędu, skoro John w ciągu paru miesięcy mógł podwoić jej oszczędności. Już widziała, jak z dwudziestu pięciu tysięcy robi się pięćdziesiąt. Część mogłaby zainwestować w inne przedsięwzięcie. Gdyby nie tknęła zysków, to w ciągu paru lat uzbierałby się niezły mająteczek.

Nie miała problemów ze złapaniem taksówki, która zawiozłaby ją do Maspeth, ale kierowca dopiero po dłuższym czasie znalazł adres Virginii Clary. Okolica była tak ponura – spalone magazyny, podwórka zagracone wrakami samochodów za metalowymi ogrodzeniami – że gdy tylko jej taksówka odjechała, Florence ogarnęły wątpliwości, czy trafiła we właściwe miejsce, czy też zwabiono ją do domu jakiegoś zdeprawowanego bandziora. Dom wyglądał jak imitacja, był wybudowany w stylu rancza, miał aluminiowy siding, maleńkie okna zabezpieczone grubymi kratami, które wyglądały jak zbyt intensywny makijaż na zmęczonych oczach. Stojąc na lepiącej się od brudu ulicy, przycisnęła guzik dzwonka. Rozległ się wielki zgiełk – szczekanie chyba ze stu psów. Do krat w drzwiach wejściowych przycisnęła się wąska, niebudząca zaufania twarz niemalże łysej kobiety, której brakowało zęba z boku.

– Witam – powiedziała zaskakująco dziecinnym głosikiem małej dziewczynki. – Proszę wejść. Przepraszam za to zamieszanie. Moje psy nie gryzą. Candy, wracaj!

Florence spojrzała w dół. U jej stóp wściekle jazgotało z sześć malutkich piesków przypominających gryzonie.

– Pani Virginia Clary? Jestem Florence z działu biżuterii Quayle'a. – Próbowała ukryć przerażenie, ale już zrozumiała, że ta kobieta nie pokaże jej nic wartościowego.

– W kuchni chyba jest nieco chłodniej. Może tam przejdziemy? Najlepsze sztuki leżą w pudełku na stole. Mam bardzo ładne unikalne rzeczy. Na pewno się pani spodobają. Nigdy bym ich nie sprzedała, ale muszę spłacić hipotekę. Dostaję od banku bardzo nieprzyjemne listy, a gdybym musiała opuścić ten dom, to co się stanie z moimi pieskami?

– Może obejrzymy te rzeczy. Zobaczę, co da się zrobić.

– Proszę chwilkę odpocząć, na zewnątrz jest tak gorąco. Moja klimatyzacja nie pracuje zbyt sprawnie. Muszę zamykać okna z powodu pobliskiej fabryki plastiku. Moje psy dostają astmy od tych oparów. Widzi pani, większość z nich wzięłam z ulicy, mają różne choroby...

Jej szczególny głosik przypominał Florence głos Shirley Temple. Był tak hipnotyzujący, że trudno było słuchać treści. Virginia najwyraźniej była zdecydowana opowiedzieć Florence wszystkie szczegóły na temat zwierząt ze swej menażerii.

– Małego Bruno znalazłam na ulicy. Rzucili go na pożarcie pitbullom, da pani wiarę? A Betsy – gdzie jesteś, Betsy? – Mówiąc, podeszła do lodówki koloru awokado i zaczęła po jednej sztuce przynosić różne artykuły – wielkie butle napoju winogronowego, dietetyczną pepsi i piwo imbirowe, torbę chipsów ziemniaczanych i puszkę niezbyt interesująco wyglądających duńskich maślanych ciasteczek. Widocznie upierała się przy podwieczorku, chociaż Florence nerwowo zerkała na ścienny zegar i od czasu do czasu mamrotała, że przed piątą musi znaleźć taksówkę, która zawiezie ją z powrotem do miasta.

– Z pewnością już mnie pani rozpoznała.

– Yyy... – Florence nie wiedziała, co powiedzieć. – Wygląda pani znajomo.

– Och, wiem, że niełądnie się zestarzałam. W latach pięćdziesiątych moja twarz znalazła się na okładce chyba wszystkich magazynów mody. Kiedyś je policzyłam, było ich przynajmniej pięćdziesiąt. Oczywiście Richard nigdy nie podaje mojego nazwiska, ale powszechnie wiadomo, że to dzięki mnie zrobił karierę...

– Richard?

– Avedon. Oczywiście w dzisiejszych czasach kariera modelki to zupełnie inna bajka. Gdybym wróciła do tego zajęcia – oczywiście jako s t a r s z a modelka – byłabym supermodelką, jak te dziewczęta teraz. Och, one zarabiają fortunę! W moich czasach płacono bardzo niewiele, od godziny, i nie wiązała się z tym żadna sława. Oczywiście byłam jedną z pierwszych, dziewczyną Johna Powersa...

A więc ta starucha kiedyś była modelką. Niemożliwe. Może w jej wnętrzu tkwiło prawdziwe piękno – tak jak mówi się, że w każdym grubasie istnieje chudzielec, który krzyczy, żeby go wypuścić. Ale patrząc na tę pobrużdżoną twarz, pomarszczone wargi ledwo ukrywające brak zębów i tych kilka zepsutych, które zostały, oraz łysą skórę przeświecającą pod jasnym końskim ogonem, trudno było dać temu wiarę.

– Oczywiście dużo podróżowałam, bawiłam się, chociaż to nie było dla mnie. I dzięki swojemu zajęciu dwa razy wyszłam za mąż. Mój pierwszy mąż był bardzo bogatym biznesmenem, za dużo piliśmy, no ale w tamtych czasach piło się i paliło tak, jakby świat miał się lada chwila skończyć. Kiedy odszedł, po tym małżeństwie zostały mi tylko moje pudelki. Kazałam Ralphowi kupować mi śliczne francuskie pudelki, bo wtedy nawet mi nie przyszło do głowy, żeby samej pójść do sklepu zoologicznego. Oczywiście powinnam była dostać dużą część majątku. Ralph zawsze powtarzał, że karierę zrobił dzięki mnie. Potem pojawił się drugi, prawdziwa miłość mojego życia. Okazało się, że kochał się we mnie od lat, znając mnie tylko z okładek magazynów. Był muzykiem jazzowym – przeżyłam wielką tragedię, kiedy zginął w wypadku samochodowym. Mówią, że miałam szczęście, że przeżyłam, ale wtedy wcale mnie to nie cieszyło. Uważałam, że to on miał szczęście, że zginął, a nie ja. Tantiemy po nim powinny mi przynieść fortunę, ale podpisywał tak marne kontrakty, że nie zobaczyłam ani centa. Po obu mężach została mi tylko ta biżuteria. Pilnowałam, żeby obaj dawali mi mnóstwo biżuterii. – Wskazała na pudełko leżące na stole. – Nie jestem materialistką, ale teraz się cieszę z tych prezentów, bo moje dzieci potrzebują tyle miłości i troski!

Ktoś wcześniej oddał mocz na podłogę. W kuchni panowała potworna duchota. Florence zastanawiała się, czy ją zemdli. Kiedy jej wzrok przyzwyczaił się do mroku, dostrzegła karaluchy czmychające po ścianach i po fotografii najprawdopodobniej przedstawiającej Virginię z tego okresu, kiedy pozowała jako modelka. Była oszałamiająco piękna – długa biała szyja, smukłe kończyny wystające spod czarnej wieczorowej sukni od Diora z lat pięćdziesiątych – niemożliwe, by dziewczyna ze zdjęcia i Virginia były jedną i tą samą osobą.

Za każdym razem, gdy Florence podchodziła do pudełka, chcąc przynajmniej rzucić okiem na biżuterię, o której opowiadała Virginia Clary, ta wyciągała rękę i chwytała jej dłoń. Jak na kruchą staruszkę odznaczała się zdumiewającą siłą.

– Och, zapomniałam o talerzykach i serwetkach! – Podeszła do kontuaru z żółtego plastiku i wróciła z papierowymi talerzykami ze wzorem przedstawiającym owieczki i serwetkami do kompletu. – Proszę się częstować, niech pani spróbuje chipsów, a potem pokażę pani biżuterię. Mogłaby mi pani nalać trochę napoju winogronowego? Mam problemy z podnoszeniem ciężkich przedmiotów. Wie pani, ciągle się martwię, że coś upuszczę, a niektóre z moich dzieci, Constancia i Nanette, są zupełnie ślepe. Myślę, że były w domu, gdzie małe dzieci wydłubały im oczy! Wyobraża to sobie pani? Och, jak mogłam nie pomyśleć! Wiem, że jest dość ciepło, ale może miałaby pani ochotę na filiżankę kawy?

– Tak, dziękuję. – Uwięziona w tym ponurym domu, czuła niepokój, wręcz panikę, zupełnie jakby dopaść ją miała nie ta zbieranina zwierząt, lecz starość. Jak to możliwe, że ta kobieta wylądowała w podobnym miejscu ze sforą obesranych wyjców i torbą lichej biżuterii, którą wycyganiła od facetów? Jakie to żałosne. – Czy mogę skorzystać z toalety?

– Jest na końcu korytarza. Przechodzi się przez salon po prawej.

Po drodze minęła klatki – było zbyt ciemno, by dojrzeć ich skrzeczących mieszkańców, którzy rzucali się na pręty – i w ostatniej chwili uniknęła zderzenia ze stertą śmieci. (Czy to butelki Avonu?). Małe kotki kiwały główkami. Zasłony były zaciągnięte i nie wpuszczały do środka gorącego słońca, ale stwarzały tylko pozory chłodu. W salonie stał ogromny telewizor, wbudowane w ścianę regały, które nigdy nawet nie widziały książki, fotel na biegunach z poduszką koloru rdzy, kwadratowa kanapa przykryta błyszczącym perkalem ze wzorem przedstawiającym róże stulistne w ohydnym, błotnistym, fioletoworóżowym odcieniu, poliestrowy dywan z frędzlami w odcieniu błotnistego różu i szarawego błękitu, usychająca difenbachia – czy też może kukurydza – z której zostały dwie patykowate łodygi z żałosnymi liśćmi na czubku, i brązowe zasłony na metalowych kółkach na karniszu nad oknem panoramicznym. Okno wychodziło na identyczny dom. W toalecie na spłuczce w obscenicznej pozie siedział zrobiony szydełkiem klaun, trzymający rolkę papieru pod lawendową spódnicą. Sam sedes przystrajała puszysta fioletowobrązowa siatka. Wanna skrywała się za prysznicową zasłoną ze wzorem we fruwające parasolki. W pojemniku koło umywalki leżało różowe mydło w kształcie muszelki. Każdy przedmiot w tym domu był starannie dobrany, przemyślany i kupiony w Wal-Marcie lub innym sklepie z przecenionymi towarami. Wyobraziła sobie, jak robi zdjęcia każdego pokoju i wysyła je do magazynu prowadzącego akcję metamorfozy wnętrz. Z takim mieszkaniem już nic nie dałoby się zrobić.

Kiedy kobieta stanęła tyłem do niej i włączała kuchenkę, Florence zaczęła rozpinać torby z biżuterią. Późnowiktoriański naszyjnik z brylantem otoczonym mniejszymi brylancikami wyglądał całkiem ładnie, ale kiedy obejrzała go uważniej przez lupę, w kamieniu coś jej się nie spodobało.

– Och, lata temu oddałam go do wyceny i powiedziano mi, że jest wart od dziesięciu do piętnastu tysięcy, więc teraz jego wartość na pewno wzrosła! – Virginia podała jej kubek z kawą i wyrwała naszyjnik. – To chyba żółtozielony brylant, bardzo stary, antyk. Myślę, że teraz jest wart ze dwa razy tyle. Gdybym sprzedała tylko ten naszyjnik, wystarczyłoby mi na rachunki od weterynarza i zadaszenie klatek tych psów, które mieszkają na zewnątrz.

– Ma pani jeszcze więcej psów na zewnątrz? – spytała uprzejmie Florence.

– W tej chwili piętnaście. Moje duże dzieci. Nie mogę wszystkich trzymać w domu, a już i tak mam problemy z Ministerstwem Zdrowia i tym wstrętnym Towarzystwem Opieki nad Zwierzętami, które nie pozwala prowadzić schroniska bez licencji. Ja im na to: „Nie prowadzę schroniska! To moje dzieci!". Chcieli mi je zabrać. Wie pani, co się dzieje w takich wypadkach: psy zostają uśpione. Mam jednego czy dwa, które by się pani spodobały – nie każdemu oddałabym je do adopcji. Chciałaby pani pójść i je zobaczyć?

– Bardzo, ale może innym razem. – Florence upiła łyk kawy. Jej usta wypełnił ohydny smak spalenizny i chemikaliów; kawa była rozpuszczalna. Virginii dopisze szczęście, jeżeli jej naszyjnik zostanie wyceniony na półtora tysiąca.

– Czy moglibyśmy szybciutko przejrzeć resztę biżuterii, zanim wydam opinię? – spytała, odstawiając kubek.

W torbie znajdował się jeszcze ogromny platynowy sygnet z lat pięćdziesiątych z brylantami i z całkiem ładnym, choć odrobinę zbyt ciemnym, dużym szafirem, który mógł być wart ze dwa tysiące; francuskie emaliowane kolczyki – co najwyżej za dwieście dolarów; urocza bransoletka z lat dwudziestych wysadzana zaskakująco pięknymi rubinami i perłami, która mogła pójść za parę tysięcy; kilka złotych bransoletek w kształcie kółek; złota szpilka w kształcie korniszona wysadzana brylantami („Moja ciocia przez pięćdziesiąt lat pracowała w fabryce Heinza i dostała tę szpilkę, kiedy przechodziła na emeryturę"); naszyjnik z topazami, które według zapewnień Virginii były żółtymi brylantami; trochę spinek do mankietów; sporo pierścionków; naszyjnik z białych i czarnych pereł i wreszcie, na samym dnie pudełka, ogromna, emaliowana złota brosza w kształcie ptaka, z brylancikami i rubinowym okiem.

– Ta jest sztuczna.

– Nie – odparła Florence. – Myślę, że to najcenniejsza rzecz z pani kolekcji – może być warta sześć, siedem tysięcy.

– Ależ ten naszyjnik z brylantem z pewnością ma o wiele większą wartość. Został wyceniony na...

– Tak, wiem, ale brylanty nie podrożały aż tak bardzo. Powinien go obejrzeć specjalista. W tych warunkach nie widzę dobrze. Zdaje się, że ma sporą skazę – wielka szkoda, bo to naprawdę duży brylant. Oceniając w przybliżeniu, po sprzedaniu wszystkiego mogłaby pani dostać dwadzieścia tysięcy – po odjęciu naszej prowizji.

– Ale... – Virginia była wstrząśnięta. – Te perły – wiem, że taki naszyjnik jest bardzo wartościowy. To czarne perły.

– Hodowlane, zostały ufarbowane na czarno.

– Mimo wszystko jestem przekonana, że tak olbrzymie perły są warte fortunę.

– Niestety, jeżeli pereł się nie nosi, ich wygląd się pogarsza.

– A ten pierścionek? Z rubinem? To gwiezdny rubin, prawda? On sam musi być wart ze dwadzieścia tysięcy.

– To rzeczywiście rubin, ale są różne rodzaje rubinów, jedne bardziej wartościowe, inne mniej. Może pani zanieść swoją biżuterię gdzie indziej, ale wątpię, czy zaproponują pani lepszą cenę.

– Nie wiem, co powiedzieć. Jestem zaszokowana. Cały czas myślałam, że dostanę przynajmniej sto tysięcy, a teraz pani mi mówi, że najwyżej dwadzieścia!

– Proszę ją zanieść do innego domu aukcyjnego.

– Pisałam do Christie i Sotheby'ego, ale tylko pani zgodziła się przyjechać i ją obejrzeć. – Wściekłym ruchem z powrotem zgarnęła biżuterię do aksamitnych woreczków. – Proszę ją wziąć i uzyskać, ile się da. Mam jeszcze kilka sztuk, których pani nie widziała, ale pokazałam pani najlepsze.

– Może niech się pani poradzi kogoś innego? – Florence nie była nawet pewna, czy dostanie za wszystko dwadzieścia tysięcy. Więcej z tego wyniknie zamieszania niż korzyści.

– Nie, ufam pani.

– Muszę wypisać pokwitowanie. Lepiej, gdyby mogła pani osobiście przynieść tę biżuterię albo wysłać z nią kogoś.

– Chciałabym, żeby to pani ją zabrała.

– Na pewno sobie poradzę, ale musi pani podpisać oświadczenie zwalniające mnie z odpowiedzialności; rozumie pani, na wypadek napadu albo powiedzmy katastrofy kolejowej.

– Katastrofy kolejowej? – kobieta dosłownie wrzasnęła.

– Sama pani rozumie. Gdyby na przykład doszło do trzęsienia ziemi albo zbrojnego napadu na pociąg albo... sama nie wiem, gdyby coś się stało. Proszę mnie zrozumieć. Najlepiej jakby jutro pani wysłała ją do mnie pocztą kurierską.

– Niech ją pani bierze. Wszystko mi jedno. – Kobieta była coraz bardziej przygnębiona i wściekła. – Zrobiłam listę egzemplarzy w dwóch kopiach, jedna dla pani i jedna dla mnie.

– Mogę wziąć tę listę, ale sporządzę również swoją, stosuję własną metodę inwentaryzowania. – Starannie sporządziła szczegółowy opis każdej sztuki, a Virginia go podpisała.

4

Siódma, letni wieczór. Przez Manhattan do lub z siłowni maszerowała armia anorektyczek o szyjach oplecionych ścięgnami, ubranych w niewyobrażalnie skąpe stroje. Z okien na pierwszych piętrach ryczała muzyka techno-pop; rzędy kobiet wściekle pedałowały na stacjonarnych rowerkach ustawionych przodem do ulicy, a żeńskie brygady piechoty machały rękami do wtóru komend wywrzaskiwanych przez instruktorki aerobiku. Ze stoisk na rogach unosił się zapach smażonych kiełbasek.

Było za późno, żeby wracać do domu, więc poszła prosto do Tracer Schmidt, wciąż z biżuterią w ogromnej plastikowej torbie od Wal-Marta. Podróż pociągiem trwała tylko godzinę, lecz gdy tak turkotał powoli przez szare pustkowie przedmieść Long Island, jej wydawało się, że trwa to o wiele dłużej.

Nie mogła pojąć, że ktoś w wieku Tracer może być tak bogaty, choć jego fortuna nie pochodzi z małżeństwa. Miała ogromny penthouse w budynku na Central Park

West. Oprowadziła Florence po apartamencie, przez cały czas ze skrępowaniem mamrocząc pod nosem frazesy. Znajdował się tam olbrzymi salon z oknami wychodzącymi na park, gdzie stały proste meble we wczesnoamerykańskim stylu i masywna jasna kanapa z giętymi poręczami i wyprofilowanym oparciem („Ale kanapa chyba nie należy do kompletu; to biedermeier. Max powiedział, że świetnie by tu wyglądała"); pokój telewizyjny połączony z biblioteką („Max polecił mi fachowców, którzy zainstalowali aparaturę nagłaśniającą, ale nadal nie działa w połowie pokojów") i sala do ćwiczeń ze ścianami wyłożonymi lustrami, stepperem, bieżnią i sprzętem do podnoszenia ciężarów; ogromna kuchnia z antycznymi szafkami laboratoryjnymi i kuchenką olbrzymią jak w restauracji; podwójne schody prowadzące do czterech sypialni na górze, a pod spodem jeszcze jedne, które wiodły do wielkiej, pustej wieży ciśnień wybudowanej w celu stworzenia symetrii z prawdziwą wieżą ciśnień po drugiej stronie budynku.

W środku sztucznej wieży ciśnień mieściło się okrągłe pomieszczenie wysokości kilku pięter i o obwodzie wynoszącym piętnaście metrów, które Tracer kupiła razem z mieszkaniem. Przebudowała wnętrze, ściany obiła boazerią, zainstalowała okna, oświetlenie i dodatkową, miniaturową kuchenkę z mikrofalówką i zmywarką, lecz jeszcze nie postanowiła, na co przeznaczy ten pokój.

– Może urządzę tam pracownię, jeżeli znowu zajmę się fotografią, która w college'u była moim przedmiotem kierunkowym.

Na zewnątrz wieży ciśnień znajdował się taras z widokiem na całe miasto. Patrząc w jedną stronę, widziało się rzekę Hudson, a w inną – park i światła centrum Manhattanu.

– Piękny widok. – Podziwianie majątku innych ludzi zawsze nieco ją krępowało. Gdyby okazała nadmierny entuzjazm, zabrzmiałoby to tak, jakby chciała się przypodobać. Gdyby zachowała dystans, uznano by ją za chłodną lub zazdrosną.

– Wiem, że to mieszkanie jest za duże dla jednej osoby, ale nie mogłam się oprzeć. Musiałam gdzieś mieszkać, właściciel umarł, a jego rodzina koniecznie chciała je sprzedać. Oczywiście kupiłam je tak tanio dlatego, że koszty utrzymania są wysokie... – Trajkocząc nerwowo, wróciła na dół do kuchni. Florence podążyła za nią. Tracer otworzyła lodówkę i zajrzała do środka, jakby nigdy wcześniej nie widziała jej zawartości. – Masz ochotę na piwo? Mogłabym też otworzyć butelkę szampana...

– Poproszę piwo.

Nerwowość Tracer okazała się zaraźliwa. Florence już nie mogła sobie przypomnieć, po co została zaproszona. Kiedy się poznały, nie była dla niej zbyt miła. Kobiety zawsze rywalizowały ze sobą o pozycję, jak psy, które próbują zapewnić sobie odpowiednie miejsce w sforze. Podczas prezentacji następowała natychmiastowa ocena – która z nich jest młodsza, ładniejsza, bogatsza, ma wyższy status społeczny, lepszą pracę, lepszego chłopaka, męża. Jeżeli pojawiał się choćby najdrobniejszy błąd w ocenie, mogły już do końca życia pozostać wrogami.

Nie dostrzegała żadnych korzyści z przyjaźni między kobietami. Nigdy jej nie przyszło do głowy, by zwierzać się swoim znajomym. Nigdy też nie pomyślała, że mogłyby ją przedstawić swoim kolegom. Uznawała kobiety za swoje rywalki. Dopóki jednak Tracer okazywała jej podziw i łasiła się jak golden retriever, Florence mogła tolerować różnicę ich sytuacji ekonomicznej. Dziewięćdziesiąt dziewięć procent kobiet oczekiwało jej podziwu, a zachowanie Tracer odebrała tak, jakby to jakiś przyjaźnie nastawiony pies położył łapę na jej kolanie. Nigdy jednak nie mogła się zmusić do przyjęcia postawy kogoś gorszego. Tracer, która najwyraźniej czegoś od niej chciała, przynajmniej nie oczekiwała pochwał na temat swojego mieszkania. Już bardziej czuła się rozgoryczona tą sytuacją.

– To... – Tracer podała jej piwo i usiadła przy szerokim stole w stylu francuskiej prowincji. – Yyy... co tam u twojego znajomego?

– Podoba ci się? – Florence chciała się dowiedzieć, o co chodzi, zanim udzieli Tracer jakiejkolwiek informacji.

– Jest... ojej, jest taki słodki! Wczoraj wieczorem bardzo się zaprzyjaźniliśmy. Nic o nim nie wiem i... spotykasz się z nim? Bo nie chciałabym wchodzić ci w drogę, jeżeli znajduje się na twoim terytorium albo...

– Czy z nim chodzę? Z Darrylem? – Zamrugała oczami. Inna kobieta odebrałaby to jako znak, że myśl taka nigdy nie przyszła jej do głowy, że Darryla nawet nie warto brać pod uwagę jako dobrą partię. Gdyby Tracer była taka jak większość kobiet, Darryl zostałby oceniony i być może odrzucony jako ktoś bezwartościowy.

– Nie mogłam nic z niego wyciągnąć. W ogóle nie chciał o sobie mówić... ale jest taki inteligentny i dowcipny, że czułam się, jakbym rozmawiała z prawdziwą przyjaciółką, jest zupełnie inny niż większość mężczyzn. Chyba... chyba nie jest gejem?

– Darryl? O rany, nie. – To prawda, że był nieprawdopodobnie dowcipny i błyskotliwy. Dziwne, że nigdy przedtem o tym nie pomyślała. Spojrzała na Tracer z urazą. – Ale, ojej, jest taki niski i... głupio byśmy wyglądali razem, bo ja jestem wysoka! Ty też. On wygląda jak jakiś mały... przypomina mi... sama nie wiem, jest tak ślicznuitki jak... może Montgomery Clift? – Ucichła. Spojrzała na Tracer, ale zapał malujący się na twarzy dziewczyny nie zmniejszył się ani trochę. Kiwała głową z równym entuzjazmem, co wcześniej.

– Ja uważam, że mężczyzna jest seksowny, jeżeli patrzy na ciebie w szczególny sposób, ma poczucie humoru, interesuje się tobą i zadaje właściwe pytania.

– Nie pamiętam, gdzie się poznaliśmy. Znam go, odkąd przeprowadziłam się do Nowego Jorku. Chyba był czyimś bratem. Nie, może... spotkałam go na jakiejś imprezie młodzieżowej w Muzeum Sztuki Współczesnej? Albo na otwarciu. Tak czy siak jesteśmy tylko przyjaciółmi. Możesz go sobie wziąć. Wypowiadając te słowa, mimo wszystko czuła lekki niepokój.

– Niedługo ma wydać książkę. Rozmawialiśmy o niej wczoraj.

– O... – Florence speszyła się, że Darryl nie powiedział jej o sobie aż tyle. – Tak właśnie mi się wydawało.

– To literatura faktu, reportaż z życia ludzi, z którymi pracował.

– Coś mi o tym wspominał.

– Jest nieprawdopodobnie błyskotliwym prawnikiem, gdyby chciał, mógłby zbić fortunę. – Jej rozanielone oczy lśniły, a końska twarz wyglądała młodo i naturalnie. – Skończył Harvard z pierwszą lokatą, nie powiedział mi o tym, ale poprosiłam wuja, żeby go odszukał w katalogu absolwentów; w Oksfordzie był stypendystą Marshalla, a potem rozpoczął pracę w ekskluzywnej firmie, ale rzucił ją i został adwokatem bezdomnych. Zaproponował, żebym w tym tygodniu poszła z nim do jadłodajni. On w czwartki po posiłku udziela ubogim porad prawnych.

– Och. – Florence wyobraziła sobie salę pełną śmierdzących pijaków i wariatów oblepionych brudem, jedzących jakąś gotowaną, białą breję i pijących napój jabłkowy z papierowych kubków. I Darryla, o wąskich, zaokrąglonych ramionach i w okularkach na czubku nosa, które zawsze wyglądały tak, jakby lada chwila miały się zsunąć i ratował je jedynie fakt, że nos ten był po chłopięcemu zadarty, pełnego zapału, szczerego, dociekliwego, nigdy nie protekcjonalnego. Jakże ta myśl ją irytowała!

– Nie mogę uwierzyć, że nic was nie łączy. Nie chciałam o nim rozmyślać, jeżeli było coś… – Spojrzała poważnie na Florence. – Wiedziałam, że nie mogłabym z tobą konkurować, co dwie sekundy wspominał o tobie.

– Jeśli go chcesz, jest cały twój! – Tracer mogła sobie pozwolić na takiego mężczyznę jak Darryl: adwokata bezdomnych! Może gdyby to Florence była brzydką milionerką, nie pogardziłaby biednym i przystojnym dobroczyńcą. Chciałaby w to wierzyć. Ale nawet przez sekundę nie potrafiła sobie wyobrazić takiego życia i miała pewność, że Tracer nie mogła sobie wyobrazić tego głodu, tego ssania w środku, pragnienia, by być bogatą, by ludzie kłaniali się do samej ziemi, by na widok takiej fortuny otaczali ją szacunkiem i podziwem. – Skąd... skąd pochodzisz?

– Wychowałam się głównie w Pensylwanii. Mamy duży dom w Bucks County. Nazywam go swoim domem, ale mieszkałam w wielu miejscach na całym świecie. Mój ojciec jest dyplomatą, już przeszedł na emeryturę, ale żyliśmy w Indiach, w Londynie. Moja matka jest Francuzką...

– A twoje nazwisko, czy pochodzi od Schmidt Pharmaceuticals?

– Mmm, to był mój pradziadek, zbił fortunę. – Urwała, a jej oczy znowu zabłysły. – Darryl wyglądał tak słodko w tym czarnym T-shircie i luźnych, brązowych spodniach z lnu. Faceci, którzy się tak ubierają, to zwykle geje. Na pewno nie jest gejem?

– Nie sądzę. – Florence była rozdarta między chęcią zmyślania a udzieleniem pomocy Tracer. Jej wiejska twarz wyglądała tak miło. Jakże łatwo byłoby ją zepsuć. – Bardzo mi się podobają twoje włosy – powiedziała nagle.

– Naprawdę? – Tracer się skrzywiła, jakby komplement Florence był jakimś wybiegiem.

– Szczerze? Uważam, że nie do twarzy ci w tej fryzurze, ale mają fantastyczny odcień.

Tracer zadarła głowę i spojrzała na Florence, odsłaniając szyję, jakby chciała przekazać Florence, że nie ma się czego obawiać.

– Myślisz, że źle się obcięłam? Dopiero co byłam u fryzjera.

– Powinnaś nosić dłuższe włosy. I bardziej wycieniowane. – Florence przyjrzała jej się krytycznie. – Ale nic nie szkodzi, kolor jest piękny, zupełnie jak naturalny. Gdzie je farbujesz?

– To naturalny kolor – odparła Tracer.

– Poważnie?

– Poważnie. Od zawsze. W dzieciństwie były bardzo jasne. Ale co mam zrobić z tą fryzurą? – Zaczęła z roztargnieniem ciągnąć włosy na czubku głowy.

Florence nie odpowiedziała. Zastanawiała się, czy Tracer mówi prawdę. Nie wierzyła, że to naturalny kolor włosów Tracer – głównie dlatego, że nie rozumiała, jak ktoś może nie chcieć zmienić swojego wyglądu. Sama nie miała w sobie nic naturalnego – dzięki Bogu poza nosem i szczęką, co jednak wynikało ze szczęśliwego zrządzenia losu. Już zaplanowała, że za parę lat poprawi sobie oczy, a potem zrobi lifting całej twarzy – ale na to miała jeszcze czas. Podejmie decyzję dopiero, kiedy skończy trzydzieści pięć lat.

– Jak myślisz, powinnam do niego zadzwonić?

– Do kogo? – Tak ją pochłonęły rozmyślania o liftingu, że zapomniała, gdzie jest.

– Do Darryla.

– Jeszcze o nim myślisz? Nie mogę uwierzyć, że się w nim zakochałaś. Pewnie, zadzwoń. Czemu nie?

– Ale co ja mu powiem? Nie potrafię umawiać się z facetami. Może powinnam zrobić imprezę, czy coś. Przyszłabyś? Mogłabyś zaprosić swoich znajomych. Hej, a może to ty zrobisz imprezę, ale u mnie? Kupiłabym alkohol i coś ugotowała.

– Ojej, sama nie wiem. – Wcale jej się nie spodobał pomysł, by organizować Tracer grupę przyjaciół, którzy pewnie od razu by ją polubili, i to bardziej niż ją samą. Każdy, kto by poznał Tracer i przekonał się o jej bogactwie oraz naiwności, natychmiast chciałby ją wykorzystać. Ale taka impreza pomogłaby Florence odzyskać dobre imię, a goście nie ważyliby się powiedzieć o niej złego słowa, przynajmniej nie od razu.

– Zgódź się, proszę. To twój przyjaciel. Mogłabyś zadzwonić i go zaprosić i wtedy nie wyglądałoby to tak, jakbym usiłowała go poderwać.

– Nie ma w tym nic dziwnego. To Nowy Jork; ludzie ciągle robią tu takie rzeczy. Już zdążyli się do tego przyzwyczaić.

– W każdym razie jeszcze się zastanów – poprosiła Tracer. – Uwielbiam gotować. Miałabym okazję się wykazać. Zadzwoń dziś wieczorem albo jutro. Masz ochotę coś przekąsić? Zaproszę cię na kolację. Albo zamówimy coś na wynos. Są tu w okolicy jakieś restauracje, które lubisz? Znam tylko dwa lokale w pobliżu.

– Powinnam już się zbierać – powiedziała Florence. Złapała torbę z biżuterią. – Mam przy sobie biżuterię, po którą pojechałam aż na Long Island i trochę się boję nosić ją po mieście. Dzięki za piwo.

– Jest poniedziałkowy wieczór w środku lata, a nie ma co robić! – Tracer nerwowo krążyła po pokoju. – Proszę, obiecaj, że zrobisz ze mną imprezę, bo inaczej chyba pojadę na resztę lata do Aspen, to miasto okropnie mnie drażni.

– Dobrze, jasne, zrobimy tę imprezę. – Florence odwróciła się w holu i zamykając drzwi, pomachała na pożegnanie. Kątem oka jeszcze dostrzegła Tracer, która wyglądała jak wystraszony koń pociągowy na kocich łbach śliskich po deszczu.

Wyczerpana, wgramoliła się do swojego mieszkania. Przynajmniej Tracer wygląda na rzeczywiście przyjaźnie nastawioną. To od wielu lat jedna z nielicznych kobiet, które nie patrzą na nią pustym, pełnym wyższości wzrokiem, jaki jest formą dominacji używaną przez kobiety na Manhattanie. Takim spojrzeniem udaje im się przekazać następującą wiadomość: „Naprawdę nie mam pojęcia, o czym mówisz, i niestety nie zamierzam sobie zawracać głowy takim dziwadłem jak ty". Nieuchronnie gasiło osobę, która została nim obdarzona. Ona sama niekiedy je stosowała. Teraz czuła się podniesiona na duchu, spędziwszy choć trochę czasu z osobą, która najwyraźniej ją podziwiała. Może znajdzie w niej przyjaciółkę, kogoś, z kim będzie mogła pogadać, kto zrozumie jej ciężkie położenie i znajdzie dla niej bogatego, przystojnego, młodego faceta. Może Tracer ma znajomych w Bucks County albo Aspen, którzy nie uznaliby, że Florence już nieco zbyt długo jest panną na wydaniu, którzy chcieliby ją u siebie gościć i spędzić z nią resztę życia.

Nie znalazła żadnych wiadomości na sekretarce. Była tak zmęczona, że w kąpieli nieomal zasnęła, czytając w magazynie podróżniczym artykuł o ekskluzywnej wyspie na Bahamach, gdzie poza sezonem można wynająć pokoje po sześćset dolarów za noc. Zastanawiała się, czy już teraz zarezerwować parę dni na okres Bożego Narodzenia. Może Tracer pojechałaby z nią? Do tej pory zdąży namówić ją na zmianę wyglądu: bardziej puszystą, lekką fryzurę, zmotywuje ją do schudnięcia, zaprowadzi na zakupy. Może jest jeszcze jakaś nadzieja na przyszłość. Najważniejsze to nie dać po sobie poznać, jak bardzo czuje się przygnębiona. Może patrzeć na swoje życie jak na do połowy pustą szklankę: dwa lata po trzydziestce, niskopłatna praca, która jej do niczego nie zaprowadzi i gdzie ma same problemy, i jest nielubiana, nędzne, podupadłe mieszkanie, którego nie może utrzymać, brak prawdziwego chłopaka czy związku, zbyt wiele romansów w zasadniczo małym mieście. Może też z tych samych elementów ułożyć całkiem inny scenariusz, stworzyć zadowalający punkt widzenia: ledwo po trzydziestce i w świetnej formie, praca z klasą w domu aukcyjnym, czarujące mieszkanko w najlepszym punkcie Manhattanu, powodzenie u mężczyzn.

Perfumowane bąbelki pieniły się i syczały w staroświeckiej wannie, wydzielając musujący zapach tuberozy. Położyła magazyn na podłodze, wyciągnęła korek i odkręciła kran. Popłynęła woda z rdzą, a Florence kurczowo trzymała się krawędzi wanny, jakby to była tonąca łódź ratunkowa.

5

W swoim biurze znalazła Marge Crowninshield i Sonię. Kiedy weszła, przerwały rozmowę i spojrzały na Florence. Sonia wybuchnęła nerwowym śmiechem.

– Dzień dobry – powiedziała Florence po chwili milczenia. – Marge, przepraszam, że wczoraj nie mogłam się z tobą spotkać. Umówiłam się w Maspeth z klientką i nie mogłam tego odwołać.

Marge rzuciła jej sceptyczne spojrzenie.

– Coś ciekawego?

– Mała kolekcja, nic szczególnego, ale ta kobieta była zdesperowana. Może dostanie dwadzieścia, dwadzieścia pięć tysięcy. Pomyślałam, że moglibyśmy wystawić tę biżuterię na zimową aukcję. To garść drobiazgów, ale w zeszłym roku drobna biżuteria sprzedawała się doskonale. Ludzie chcieli kupić coś niedrogiego na gwiazdkę; nie wiem, czy w tym roku ta tendencja się zmieni. Jest taka jedna sztuka... – Nagle sobie przypomniała, że zostawiła torbę z biżuterią w mieszkaniu. Zamierzała ją przynieść tego dnia rano i schować do skarbca. Ochrona w jej domu nie była zbyt sprawna. Dozorca miał klucze do wszystkich mieszkań.

– Czy mogłabyś po lunchu przyjść do mojego gabinetu? – Marge, mająca niemal metr osiemdziesiąt wzrostu, z absurdalną cytrynowo-białą szyfonową apaszką na szyi, wytoczyła się za drzwi.

– Oczywiście. O drugiej? – spytała Florence, bardziej samą siebie niż Marge.

Przepchnęła się koło Soni i usiadła przy biurku. Nie było powodu, dla którego Marge nie mogłaby w tej chwili z nią porozmawiać, po prostu chciała, by Florence aż do popołudnia drżała z niepewności. Sonia stała, patrząc na nią ze złośliwym uśmieszkiem na wąskich wargach. Florence pomyślała, że sekretarka rzuci jakąś kąśliwą uwagę albo ostrzeżenie, ale Sonia z pełnym zadowolenia westchnieniem hipopotama gramolącego się do bajora odwróciła się i poczłapała korytarzem.

Florence wyspała się tej nocy, poprzedniego wieczoru nic nie piła, a mimo to była zmęczona. Czuła się tak, jakby na jej głowie wylądował niewidzialny dla innych ludzi jakiś ogromny ptak, na przykład sęp, umościł się tam wygodnie i wczepił mocne szpony w jej ramiona, nie zamierzając ruszyć się z miejsca.

Ktoś opuścił żaluzje. W biurze było zupełnie ciemno – oprócz tej jednej czy dwóch godzin rano, kiedy światło wpadało ukośnie, skupiając się w brudną kałużę na szczycie zielonej, metalowej szafki na dokumenty. Nie mogła wytrzymać w tej więziennej celi, chociaż przyszła z jak najlepszymi intencjami. Zamierzała oddać sprawozdanie z całego dnia pracy – miała całą listę prostych, łatwych do rozpoznania egzemplarzy, na temat których już dokonano researchu. Jaką wymówkę znaleźć, by się stąd wyrwać? Może nikt nawet nie zauważy, że wyszła.

Raffaello nadal nie dzwonił. Nie zamierzała siedzieć w biurze cały ranek i wyczekiwać na telefon. Mogłaby powiedzieć, że musi czegoś poszukać w muzealnej bibliotece albo porozmawiać z kimś stamtąd (rzeczywiście jakiś czas wcześniej dostała sztukę biżuterii, której pochodzenia nie potrafiła rozpoznać, może była celtycka). Może nikt nie będzie pytał. Ale Sonia, siedząca w końcu korytarza, szpiegowała ją na każdym kroku.

Minęła jej stanowisko. Ku jej uldze Sonia, pochylona nad jakimś pudłem niczym padlinożerca nad zwierzęciem przejechanym przez samochód, tylko zerknęła na nią z poczuciem winy.

Był kolejny piękny dzień, rześki i wietrzny, wyjątkowo pogodny jak na koniec lipca w Nowym Jorku. Chodnikami płynęli przechodnie, ich letnie ubrania sztywniały w podmuchach wiatru jak szaty lub wykrochmalone lniane mundury z innej epoki. Madison Avenue zastawiały restauracyjne stoliki, sklepy stały otworem, a w powietrzu unosiła się cyrkowa atmosfera święta. Florence miała ochotę wstąpić do kawiarni na mrożone cappuccino, ale wolała nie ryzykować, że ktoś ją tam przyłapie.

Minęła malutki sklepik z włoskimi kapeluszami. Wystawa urządzona w stylu sceny teatrzyku marionetkowego, cała w różach, czerwieniach i błękitach, była pełna słomkowych hełmów i kanotierów ufarbowanych na kolor poobijanych owoców. Każdy kapelusz ozdabiał zwiewny tiul, żółto-różowa siateczka przetykana lśniącą, brązową nitką, co wyglądało jak nitki z karmelu na ciastkach.

Bez namysłu weszła do sklepu i zaczęła przymierzać kapelusze. Sprzedawczyni, drobniutka kobieta, była również projektantką. Uwijała się dokoła, zdejmując kapelusze ze stojaków i ze szczebiotem zakładając je na głowę Florence. Były tak zabawne i tak dobrze w nich wyglądała, że nie mogła zdecydować się na jeden, więc wybrała dwa. Kosztowały po czterysta pięćdziesiąt dolarów. Miała wielką ochotę wyjść ze sklepu w jednym z nich, ale gdyby wróciła do pracy w czymś nowym, Sonia pewnie odczekałaby jakiś czas, po czym skomentowała ten zakup w obecności Marge.

– Odbiorę je wieczorem – powiedziała, podpisując rachunek.

– Nie chce pani od razu założyć jednego? Powinna pani. Świetnie pasują do tego stroju!

Kiedyś ta malutka modystka z Włoch żyłaby wśród najgorszej biedoty i szyła fiszbiny dla bogatych dam. Teraz, jako projektantka kapeluszy z własnym sklepem na Madison Avenue, sama była bogata i pragnęła udowodnić, że ma talent, że prowadzi własną firmę, a najmniej ważne jest to, czy przynosi jej ona jakiekolwiek zyski. W tych czasach nie było pracy dla ubogich modystek.

W Central Parku mężczyzna w średnim wieku puszczał po jeziorku ręcznie robione łódeczki po trzy tysiące dolarów. Ci czterdziestolatkowie, rumiani, pretensjonalni, w białych koszulach i spodniach khaki, usiłowali wycisnąć ostatnie krople młodości. Byli wśród nich niedoszli aktorzy lub maklerzy na wagarach. Mieli byłe żony, dzieci i problemy seksualne biorące się z życia w Nowym Jorku – lub ich problem polegał na tym, że nie wiedzieli, dlaczego w ogóle przyjechali do tego miasta. To nie prawdziwi ludzie, lecz imitacje. Przez cały dzień wokół stawu przechadzały się kobiety i inni mężczyźni, którzy łypali na nich oczami i usiłowali ich poderwać.

Przystanęła i usiadła na suchym fragmencie niskiego murku okalającego wodę. Przez murek przeskoczył golden retriever biegnący za patykiem i zanurkował do ciemnej wody, niemalże zwalając z nóg dziecko. Na chwilę wyobraziła sobie, że tak wygląda Europa – miejsce, gdzie nigdy nie była. Jeżeli tu jej się nie powiedzie, zawsze może wyjechać, chociaż nie miała pojęcia, jak znaleźć tam pracę, jakie dokumenty okazałyby się potrzebne, gdzie by zamieszkała. To okropne, pracować tak ciężko i zdobyć pozory nowojorskiego wyrafinowania, lecz – z powodu okoliczności – w środku pozostać prowincjuszką. Jej przyjaciele, a raczej znajomi, zwiedzili cały świat. Paryż, Londyn, Praga – miasta te nie były dla nich niczym wyjątkowym.

Dochodziło wpół do pierwszej. Mogła sobie pozwolić na to, by ktoś ją widział jedzącą lunch na zewnątrz. Nawet Marge nie mogłaby narzekać, gdyby ktoś ją teraz spotkał. Wróciła na Madison Avenue. Kawiarniane stoliki na zewnątrz należące do różnych restauracji już były zajęte. Nieco dalej wstąpiła do bardzo drogiego sklepu stanowiącego połączenie piekarni z bufetem kanapkowym.

Wypatrzyła wolny stolik dla dwóch osób w tylnej części. Zamówiła kieliszek wytrawnego białego wina przyprawionego szczyptą marzanki wonnej i kanapkę dnia z pastą tampenade, pomidorami suszonymi na słońcu i wędzoną mozzarellą między grubymi pajdami wiejskiego chleba.

Siedziała, gapiąc się tępo w ścianę, a kiedy kelner przyniósł jej kanapkę, zaczęła ją żuć metodycznie, nie zastanawiając się nad smakiem, jak zwierzę u żłobu. Nie wiedziała, czy jest tak dlatego, że potrawa, choć atrakcyjnie wyglądająca, właściwie nie ma smaku, czy ona sama jest rozkojarzona. Była dziwnie niezadowolona, jakby właśnie skonsumowała iluzję. Do kanapki podano malutką sałatkę – bukiecik kiełków fasoli mung, trzy żółte miniaturowe pomidorki w kształcie gruszki i listek endywii. Nie mogła zrozumieć, dlaczego wydała prawie dwadzieścia dolarów na lunch, który składał się z paru kęsów smakujących jak guma z solą.

Robiła, co mogła, żeby wyrzucić Raffaello ze swoich myśli, ale bez powodzenia. Zupełnie jakby z jej żołądka podnosił się wielki balon o grubych, kleistych ściankach. To on ją zmusił do tego, by zaczęła grzebać w torebce w poszukiwaniu drobnych, pióra i kartki – chciał, by zadzwoniła do niego. Przez miniony dzień z całych sił starała się go zwalczyć, przekłuwała szpilką, obciążała, ale on nie znikał: ciągle rósł, ścianki mu grubiały i stawał się jeszcze bardziej uporczywy. Musiała porozmawiać z Raffaello.

Uregulowała rachunek i znalazła telefon przy głównym wejściu.

– Cześć, mówi Florence – powiedziała, kiedy włączyła się automatyczna sekretarka. – Jesteś tam? Pomyślałam, że moglibyśmy się razem wybrać na lunch. Zadzwoń, kiedy znajdziesz trochę czasu. – Usiłowała przybrać nonszalancki ton, ale zawsze kiedy traciła pewność siebie, głos jej się załamywał.

Gdy tylko odwiesiła słuchawkę, pożałowała tego, że zostawiła wiadomość. Powinna poczekać, aż Raffaello wróci do domu i osobiście odbierze telefon. Powtarzała sobie, że nie ma nikogo i jest nikim. Była zupełnie sama na świecie. Miała trzydzieści dwa lata i żadnych widoków na przyszłość. Życie przypomina komórki do wynajęcia. Dziewięćdziesiąt dziewięć procent jest już zajętych, a nie widziała, gdzie znajdują się wolne. Poza tym jeżeli takowe w ogóle jeszcze istniały, to nie bez powodu – były to zniszczone, brzydkie, tanie imitacje.

Poranne powietrze gdzieś się ulotniło. W południe już nie było tak przyjemnie. Pogoda w Nowym Jorku zmieniała się w nienaturalnym tempie, kolejne dni czy nawet ich połowy nie były ze sobą powiązane, zupełnie jakby na dachu któregoś z drapaczy chmur stał człowiek, który miał dostęp do rozmaitych przełączników i paneli regulujących temperaturę. Robiło się wilgotno. Z New Jersey nadciągała chmura chemikaliów i teraz, gdy wiatr ustał, zawisła nad miastem, szara i śmierdząca. Florence miała jeszcze czterdzieści minut do spotkania z Marge, za mało, żeby wybrać się na siłownię, za mało, żeby zająć się czymkolwiek. Znowu jej się przypomniało, że zostawiła w domu torbę z biżuterią Virginii Clary, chociaż wcale nie zamierzała jej zabierać ze sobą do pracy. Ta myśl jednak nie dawała jej spokoju.

Stanęła na rogu w kolejce do rzędu automatów telefonicznych. Przy jednym z nich na końcu metalowego kabla wisiała kobieta wyglądająca na narkomankę, z pryszczatą twarzą, ubrana w fioletowy, nylonowy dres do joggingu. Co chwila odwracała się twarzą do chodnika, po czym znowu do telefonu, żuła gumę, zanosząc się od śmiechu i rechocząc, niepomna na to, że inni czekają w kolejce – a może doskonale sobie z tego zdawała sprawę i po prostu rozkoszowała się sytuacją. W środkowej budce skuliła się dziewczyna wyglądająca na gońca, w obcisłych nylonowych szortach, T-shircie i długim szalu na głowie. Ostatni telefon był zepsuty; słuchawka wisiała bezwładnie między nóżkami budki.

Przed nią stało jeszcze parę osób. Narkomanka nadal nie odrywała się od telefonu, ale dziewczyna na posyłki już skończyła, a jeden mężczyzna zrezygnował z czekania. Inny – właściwie jeszcze chłopiec, mógł być z dziesięć lat młodszy od niej – podszedł i stanął za nią.

– Czeka pani na telefon? – spytał tak cicho, że właściwie zabrzmiało to jak mamrotanie.

Był wystrojony w niebiesko-różową muszkę, idiotyczną marynarkę w kratkę i pasiaste spodnie. Włosy miał gładko przylizane, a na jego nosie sterczały staroświeckie okrągłe okulary w rogowych oprawkach. Należał do tego typu facetów, którzy usiłują sprawiać wrażenie, że pochodzą z wcześniejszej epoki. Florence kiwnęła głową. W jego oczach zabłysł błazeński zachwyt; chłopak nie przestawał się na nią gapić. Przynajmniej komuś się spodobała. Kiedy mężczyzna przed nią skończył rozmowę, wykręciła numer do Raffaello. Znowu odezwała się sekretarka, więc Florence odłożyła słuchawkę. Już miała odejść, kiedy chłopak w muszce zastąpił jej drogę.

– Czy masz na imię Kerry? – spytał.

Pokręciła głową i ruszyła, chcąc go wyminąć.

– Nie, zaczekaj! Jestem... jestem pewien... chodziłaś do Bennington?

– Nie. – Przepchnęła się koło niego i skierowała z powrotem w stronę biura.

Doszła do wniosku, że równie dobrze może już teraz odebrać te kapelusze. Wolno jej było robić zakupy w porze lunchu. Marge nie mogła kontrolować jej wolnego czasu, a ona po pracy nie zamierzała nadkładać drogi, nawet jeżeli wcześniej to zaplanowała.

Już miała wejść do sklepu z kapeluszami, kiedy uświadomiła sobie, że śledzi ją ten idiota. Biedny kretyn wcześniej wetknął sobie między zęby cygaro, które teraz wyciągnął niczym koń uwalniający się od wędzidła.

– Przepraszam! – zawołał. – Przepraszam! – Przewróciła oczami i przystanęła. – Przepraszam, że przeszkadzam. Wiem... jest pani kobietą, mężczyźni pewnie często panią zaczepiają... ja tylko... pani pozwoli, że się przedstawię: nazywam się Spencer Hubert Fairbrother Trzeci. – Urwał, jakby się spodziewał, że albo zrobi na niej wrażenie tą informacją, albo Florence poczuje się zobowiązana podać własne nazwisko. – Jestem przekonany... mam całkowitą pewność, że się kiedyś poznaliśmy, może na imprezie, w każdym razie już gdzieś panią widziałem. Tak sobie pomyślałem: może czasami zagląda pani do Quayle'a, tego domu aukcyjnego?

– Pracuję tam – wyrzuciła z siebie, zaskoczona, że rzeczywiście już ją kiedyś widział.

– O! – Był z siebie zadowolony. Zaciągnął się cygarem, zanim sobie przypomniał, że go nie zapalił. – Wiedziałem, że skądś panią znam. Ten uśmiech. Ma pani niezwykły miły uśmiech, zupełnie jakby pani nawet nie wiedziała, że się uśmiecha. Wiem, że to dość bezczelne z mojej strony, ale czy nie miałaby pani ochoty wieczorem dołączyć się do mnie i grupy moich przyjaciół?

– Raczej nie. – Nie mógł mieć nawet dwudziestu dwóch lat; czy nie zdawał sobie sprawy z dzielącej ich różnicy wieku? Zobaczyła siebie z nim i jego kolegami, samymi dwudziestolatkami, bogatymi chłopcami, którzy w Alonquin bawią się w Rycerzy Okrągłego Stołu. Urocze. Ale co miała do stracenia? Może przyjdzie też jego ojciec, rozwiedziony albo owdowiały, bajecznie bogaty właściciel restauracji lub ktoś w tym rodzaju?

Spencer Hubert Fairbrother Trzeci patrzył na nią zza grubych szkieł. Oczy miał ogromne, nieśmiałe, koloru cementu, lecz na jego twarzy malowało się poczucie wyższości i rozbawienie.

– Może napiszę swój numer telefonu, a pani zadzwoni, jeżeli zmieni zdanie?

– Pewnie – powiedziała. – Napisz. Jeżeli nie dam rady dziś wieczorem, to może zadzwonię kiedy indziej. A tak przy okazji, gdzie można kupić dobre cygara?

6

Spóźniła się na spotkanie z Marge, ponieważ wstąpiła do sklepu z tytoniem i kupiła absurdalnie drogie urządzenie do obcinania czubków cygar. Z ogromnymi pudłami na kapelusze nie mogła zbyt szybko wymijać przechodniów. Potem czekała na windę, która utknęła między piętrami, w końcu poszła schodami i zdyszana pojawiła się w gabinecie szefowej. Marge rozmawiała przez telefon; królewskim ruchem skinęła głową w stronę Florence, wskazując jej krzesło, po czym wróciła do rozmowy. Florence czekała. Minęło dziesięć minut. Patrzyła przed siebie z wyrazem twarzy osoby pogrążonej w rozmyślaniach. Wiedziała, że kiedy Marge to zauważy, dostanie szału. Chciała ją poddać torturom. Florence przyszło do głowy, że techniki polegającej na wbijaniu wzroku w przestrzeń nauczyła się od matki, która na zawołanie potrafiła się włączać i wyłączać.

Być może Marge ją karała za spóźnienie na spotkanie. A może takie zachowanie zawsze stanowiło element jej stylu bycia.

– Potem jadę na tydzień do Morea, żeby spotkać się z Carlosem. Ma tam dom po ojcu. Wiesz, jego alzheimer chyba się ustabilizował.

Marge miała wysoki władczy głos. Kiedy mówiła przez telefon, wbijał się w ucho nieszczęsnego rozmówcy niczym metalowa sonda. Teraz nawet nie prowadziła rozmowy w interesach. W końcu odłożyła słuchawkę i spojrzała na Florence, jakby miała nadzieję, że ta spyta ją o planowany wyjazd do Morea. Florence nadal patrzyła przed siebie, aż wreszcie, jakby odrywała się od ważniejszego zajęcia, z lekceważącym uśmiechem przeniosła wzrok na Marge.

– Przepraszam, że wczoraj nie mogłyśmy się spotkać. Miałam na Long Island spotkanie z klientką, którego nie mogłam odwołać.

– Wiem – powiedziała Marge. – Zresztą nie o tym chciałam z tobą rozmawiać. Widziałam się z Casparem Baumgartenem – był to zastępca dyrektora Quayle'a – który od jakiegoś czasu uważa, że niezbędne są cięcia. W zeszłym tygodniu odbyło się zebranie zarządu i zasadniczo konkluzja jest taka, że w kilku działach trzeba przeprowadzić redukcje: pierwsze trzy to Biżuteria, Instrumenty Muzyczne oraz Sztuka Afryki i Oceanii. Zlecił mi przekazanie ci tej wiadomości.

– Rozumiem – celowo powiedziała to jak najspokojniejszym i obojętnym tonem. – Zamierzasz rozwiązać ze mną umowę o pracę?

– Przeżywamy trudny okres. Nawet u Sotheby'ego i Christie są cięcia. Wszystko przez te nowe podatki. Marża zysku u Quayle'a zawsze była mniejsza niż w większych koncernach. Rozmawiałam o tym z Casparem. Chciałby ci zaproponować tygodniową odprawę za każdy rok przepracowany u nas. Zdaje się, że byłaś u nas przez cztery lata.

– Cztery i pół.

– No cóż, będę musiała z nim porozmawiać o tych sześciu miesiącach. To pensja za przynajmniej miesiąc. Oczywiście masz parę dni urlopu...

– Dziesięć.

Marge miała zbolałą minę, lecz świetnie się bawiła, zupełnie jakby drapała ugryzienie komara albo wysypkę po trującym bluszczu.

– Mam ci też przekazać, że przez dziewięćdziesiąt dni pozostaniesz objęta programem ubezpieczenia zdrowotnego Quayle'a.

– Chciałabym, żebyście mi dali rekomendacje. – Sama się dziwiła własnemu opanowaniu.

– Z pewnością przedstawię twoją prośbę na najbliższym zebraniu. Może zaokrąglimy do dwumiesięcznej odprawy, do tego ubezpieczenie przez trzy miesiące; to ci na pewno wystarczy, dopóki nie znajdziesz następnej pracy, Flo. Nie ma powodu do zmartwienia, prawda? W końcu pracowałaś tu tylko dla przyjemności.

– Tak. – Posłała Marge chłodny uśmiech pełen wyższości.

Teraz żałowała, że tego dnia nie włożyła do pracy garsonki, czegoś szykownego i schludnego i bardziej eleganckiego niż wszystkie ciuchy, które w swojej szafie miała niezdarna i niezgrabna Marge. Dwumiesięczna odprawa! To jakieś trzy tysiące dwieście dolarów. Przypomniała sobie dział płac Quayle'a; wiedziała, że automatycznie odliczą podatek i ubezpieczenie. Ledwo jej starczy na hipotekę za miesiąc i utrzymanie. Quayle nie oferował funduszu emerytalnego, chociaż gdyby założyła sobie indywidualne konto emerytalne, odprowadzano by z jej pensji dwa tysiące rocznie. To by dało szesnaście tysięcy dolarów, ale ona nie odkładała pieniędzy na to konto. Podświadomie uważała, że zanim się zestarzeje, coś – lub ktoś – ją uratuje. Co z tego, gdyby w wieku sześćdziesięciu pięciu lat miała odłożone kilkaset tysięcy dolarów? Do tej pory ich wartość spadłaby do zaledwie kilku tysięcy. Zawsze sądziła, że lepiej wyjdzie na tym, jeżeli będzie inwestować w siebie, gdyż wtedy stanie się bardziej atrakcyjnym towarem. Cóż, przynajmniej nie musi kupować nowego stroju na poszukiwanie pracy.

Oczy ją zapiekły, kiedy pakowała swoje rzeczy, lecz zdecydowała, że się nie rozpłacze. Po paru chwilach w drzwiach pojawiła się Sonia, wypełniając pokój swą triumfalną obecnością.

– I co teraz zrobisz? – zajęczała.

– Znajomy zaproponował mi pracę u siebie – powiedziała Florence. – Ma prywatną fundację, finansuje różne przedsięwzięcia w Chinach. – Aż się zdziwiła, jak gładko z jej ust popłynęła ta zmyślona opowiastka.

– O! – Sonia wycofała się z rozczarowaniem i niedowierzaniem. – To wspaniale! Powinnaś powiedzieć Marge. Wiesz, ona szalenie się przejmuje tą sprawą. Bardzo cię lubi.

– Mmm.

Nie wiedziała, czy po prostu wyrzucić do śmieci rzeczy z biurka, czy poszukać pudła, w którym mogłaby je zataszczyć do domu. Niesamowite, ile zdążyła zgromadzić podczas tych paru lat pracy u Quayle'a. Buteleczki drogiego lakieru do paznokci, pończochy, w których poleciały oczka, dodatkowe pary, para brudnych, zdjętych po przyjściu do pracy prosto z mieszkania jakiegoś faceta, z którym spędziła noc. Zabawki, które kupowała w porze lunchu, by trochę poprawić sobie nastrój: malutki kalejdoskop z wnętrzem z lśniącego palisandru i mosiądzu, gdzie po potrząśnięciu okruchy szkła układały się we wzory przypominające misterne struktury molekuł. Zajrzała do środka, trzymając pod światło część z drobinkami szkła. Kalejdoskop skojarzył jej się z wszechświatem, który został uderzony młotem i wrzucony do kubła na śmieci. Dwie plastikowe nakręcane zabawki – drepcząca i gdacząca kurka i malutki skaczący kangurek. Torebka lizaków lśniących jak klejnociki, z których część wypadła i przykleiła się do metalowej powierzchni szuflady. Puszka po porzeczkowych pastylkach. Zeszłoroczna broszurka z horoskopem dla Skorpiona – jej znaku zodiaku. Pióro marki Mont Blanc z odpryśniętą emalią. Mała, częściowo opróżniona butelka wódki. Gwiazdkowy prezent od Quayle'a z poprzedniego roku – butelka wina, nadal w opakowaniu ze srebrnej folii. Podkładka pod myszkę z Looney Tunes, na której kurczaczek Tweety Pie poci się w klatce, a przy kratach czerwononosy Sylwester dyszy z gwałtownej żądzy. Pęknięty opal, który pewnie wypadł z oprawy, całkiem ładny, gdyby nie rysa z jednej strony, niemal czarny, w pstrokate cętki. Nie należał do niej, ale komu miała go oddać? Zgarnęła go razem z innymi gratami.

– Och, przecież możesz zostać do końca tygodnia. – W drzwiach stanęła Marge. – Właściwie chciałabym, żebyś popracowała do końca miesiąca. Nie oczekiwałam od ciebie, żebyś odchodziła już dzisiaj! Chciałabym, żebyś najpierw zakończyła wszystkie zadania, nad którymi pracowałaś: akta, katalogi. Nie chcę stracić całego materiału na październikową aukcję.

W takim razie powinnaś poczekać z tym zwolnieniem, pomyślała Florence. Albo wliczyć to w nieprzewidziane koszty. Odwróciła się i słodko uśmiechnęła do Marge.

– Niestety to niemożliwe. Znajomi prosili, żebym natychmiast rozpoczęła u nich pracę i chciałabym sobie zrobić parę dni przerwy. – Z jakiegoś powodu nie zabrzmiało to tak wiarygodnie, jak wtedy gdy powiedziała to Soni.

Twarz Marge nagle zaczęła sprawiać wrażenie galaretowatej i wodnistej, zupełnie jakby była zrobiona z rozgotowanego plastra cukinii.

– Nie zostaniesz do końca tygodnia?

Florence wzruszyła ramionami. Marge nigdy jej nie dała ani jednego dodatkowego dnia wolnego, odejmowała czas spędzony u dentysty, trzęsła się nad każdą sekundą, a w wolnych chwilach zasypywała ją opowieściami o kawalerach do wzięcia, których poprzedniego wieczoru poznała na przyjęciu, na jakie to Florence mogła pójść, gdyby Marge nie przechwyciła jej zaproszenia (kolacja u Meta, na którą obie zostały zaproszone; wykład i potem kolacja w Asia House), o którym wspominała dopiero następnego dnia. Podejmowała interesujących i ważnych klientów lub dilerów dzieł sztuki, nie proponując Florence, by się przyłączyła. Zważywszy na to, ile Florence zarabiała u Quayle'a, należały jej się przynajmniej takie zaproszenia. Kiedyś zorganizowano wycieczkę na Bahamy – w zamian za bezpłatny przejazd Marge miała tam wygłosić wykład. Nie mogła pojechać, ale powinna zaproponować wyjazd Florence. I tak dalej, i tak dalej. Ta baba miała pięćdziesiąt cztery lata. W tym wieku chyba powinna już się nauczyć wspaniałomyślności?

– Niestety w takim wypadku chciałabym zobaczyć wszystko, co zabierasz ze sobą do domu. To część nowej polityki wewnętrznej Quayle'a.

– Oczywiście. Oglądaj. – Zupełnie jakby po tylu latach była na tyle głupia, by zwędzić biżuterię i przechowywać ją w biurku. Marge pewnie uznała, że ją w ten sposób upokorzy, ale co tam! Wskazała na sterty gratów. – Chyba wyrzucę większość. Nie zataszczę wszystkiego przez pół miasta. – Wśród różnych rzeczy znajdowało się małe elektryczne radyjko z zegarem. Widziała, jak Marge zachłannie łypie na nie okiem. Florence przestawiła je na stos rzeczy, które zamierzała zabrać.

– Co zrobisz z rzeczami, które zostawiasz?

– Z tymi, których nie chcę? Wyrzucę do śmieci.

– Wolałabym, żebyś tego nie robiła. Sprzątaczki bardzo to denerwuje. Jeżeli czegoś nie chcesz, to oddaj biednym, jeśli jest jeszcze w dobrym stanie, albo weź do domu i wyrzuć u siebie. Zostało nam niewiele sprzątaczek. Wiele razy mi się skarżyły na problemy ze śmieciami i recyklingiem.

Marge stała przed dużym lustrem, które Florence przed laty powiesiła na ścianie. Widziała swoje odbicie tuż nad jej ramieniem. Nic dziwnego, że Marge jej nienawidzi i chce ją wyrzucić. Wygląda jak postać z kreskówki rozpłaszczona pod spadającym kowadłem. W porównaniu z nią Florence przypominała egzotyczny kwiat: skośne, błyszczące, szare oczy, usta zawsze wygięte w pełnym rozbawienia uśmiechu. Ale jej twarz wyglądała tak tylko, gdy była rozluźniona. Czyżby Marge nie wiedziała, że te płowe włosy i skóra, ta głowa osadzona na długiej łodydze szyi są faktem równie arbitralnym jak wygląd Marge? Wewnątrz niej tkwiły gorzkie nasiona. W środku nie była piękna; śliczna fasada była dziełem szczęśliwego zrządzenia losu i Florence nie mogła zrozumieć, dlaczego Marge tak bardzo chce ją za to ukarać.

– W takim razie teraz wezmę tylko kilka rzeczy – powiedziała.

Zgarnęła tyle, ile mogła udźwignąć: pudła z kapeluszami, ogromne torby na zakupy pełne pończoch, kasety magnetofonowe, kilka książek, trochę listów, i ruszyła schodami. Zatrzymała taksówkę i wsiadła. Niech już Marge i Sonia głowią się, co zrobić z resztą. Ona nie zamierzała tam wracać. Może tylko... pewnego dnia, kiedy będzie miała miliony dolarów i sławnego, bogatego męża – wtedy każe swojemu kierowcy zatrzymać się pod

Quayle'em, wejdzie na górę w błękitnej garsonce od Chanel i protekcjonalnie przywita się z Marge i Sonią, jakby ledwo je pamiętała. Wskaże na stronę katalogu ukazującą kolczyki ze szmaragdami za pięćdziesiąt, sześćdziesiąt tysięcy – najdroższy egzemplarz, jaki kiedykolwiek znalazł się w rękach Marge – i nonszalancko powie, że chciałaby je obejrzeć. A wtedy Marge pędem poleci wyjąć kolczyki z gabloty, będzie jej nadskakiwać, podsuwać herbatę, kawę, wino, słupki sera z pieprzem (dziesięć dolarów za funt), którymi częstowała tylko najbogatszych, najlepszych klientów. Wówczas Florence spojrzy na biżuterię, wzruszy ramionami i powie: „Kto ci ostatnio robi zdjęcia do katalogów? Te kolczyki wyglądają o wiele lepiej na fotografii". I jasno da jej do zrozumienia, że gdy chce kupić coś z biżuterii, prawie zawsze chodzi do Cartiera, Christie czy Van Cleefa, uśmiechnie się, weźmie swą torebkę ze skóry aligatora (mięciutkiej, najczystszej, prześlicznie błyszczącej i błękitnej – do kompletu z garsonką) i wyjdzie.

W idealnie rześkim powietrzu zaczęła narastać wilgoć. Stawało się lepkie jak żywy, starzejący się organizm o skórze skłonnej do podrażnień. Objuczona gratami, ściśnięta na tylnym siedzeniu śmierdzącej potem taksówki, Florence spoglądała przez okno na martwe budynki, tkwiące w skwarze niczym ogromne nekropolie, i na przechodniów w pogniecionych lnianych garniturach, którzy znikali za szybą taksówki mknącej w chmurze gorącego powietrza i spalin.

7

Przebrała się w obcisłe szare legginsy do kolan z bawełnianej mieszanki i obcisły różowy T-shirt. Więcej czasu jej zajęło odnalezienie butów do joggingu. Po ostatniej przebieżce kopnęła je pod kanapę i zapomniała, gdzie są. Na stole w holu znalazła przenośne radyjko. Było nastawione na stację nadającą czarny soul – muzykę, której zawsze słuchała podczas biegania. Skierowała się w stronę Central Parku, od czasu do czasu zatrzymując się po drodze, by zrobić parę ćwiczeń rozciągających. Oparła jedną stopę o latarnię na wysokości talii i zrobiła skłon, czując, że jej ścięgna rozciągają się jak krówka. Potem przez godzinę biegała bez przerwy. Tylko wtedy nie musiała myśleć, nie chciała ani nie miała takiej potrzeby. Z pewnością podobnie czują się konie wyścigowe, które po prostu pędzą przed siebie, nie martwiąc się, nie bojąc, nie przeżywając na nowo wydarzeń z przeszłości. Każdy krok przybliżał ją do czegoś, choć nie miała pewności, co to może być. Zupełnie jakby coś się za nią czaiło, nadciągało szybko, a jej jedynym zadaniem było uciekać i nie dać się złapać. Może powinna kupić sobie psa, zwierzę, które kochałoby ją bezwarunkowo, niecierpliwie czekało przy drzwiach na jej powrót, w nocy z radością wskakiwało do łóżka i zasypiało w jej ramionach. Problem polegał na tym, że chociaż sam pomysł jej się podobał, to jakoś nieszczególnie lubiła psy, które tylko wszędzie roznoszą sierść, ślinią się i wiecznie są brudne na swój psi sposób.

Zwiększyła tempo. Teren wokół stawu był zatłoczony przez desperados, pracowicie przebierających nogami w straszliwym skwarze. Grubasy, anorektyczki, mięśniaki, nieludzko idealni geje i nudni heteroseksualiści – wszyscy pędzili przed siebie jak w gorączce. Ślepi jak masowa migracja antylop gnu lub elandów, z głowami odrzuconymi do tyłu, ustami upstrzonymi sosem jajecznym i przewracający oczami, przetaczali się przez park jak grzmiąca burza. Tylko Florence biegła z tak zwierzęcym wdziękiem jak młoda lwica czy gepard. Nie sposób było nie zauważyć tego drapieżnika wśród zwierząt roślinożernych, zagubionego, atakującego na oślep uciekające w pośpiechu zwierzęta, jakby nie trafiło w swoją ofiarę.

W końcu spasowała. Czuła się tak, jakby chwilowo musiała ulec. Ruszyła wolno do domu, modląc się, by w jej głowie znowu nie zabrzmiała ta sama śpiewka: Co ze mną będzie? Kto mnie teraz zechce? Na rogu ulicy stał jakiś mężczyzna, który energicznym krokiem ruszył w jej stronę. Nie miała pojęcia, kto to taki, ale najwyraźniej ją znał. Kiedy tylko dostrzegła poczucie krzywdy na jego twarzy, dotarło do niej, że to John de Jongh. Nie potrafiła sobie wyobrazić, jakie to uczucie być tak amfiobiotycznym, mieć wygląd tak zmienny, że nawet nie poznaje cię kobieta, która się z tobą przespała.

– Cześć, John – powiedziała ze znużeniem.

– Cześć! Próbowałem się do ciebie dodzwonić, ale coś jest nie tak z twoim telefonem. Przechodziłem tędy, więc postanowiłem, że wpadnę. Chodzi o te udziały, które kupiłaś... – Rozejrzał się z niepokojem. – Mogę wejść na górę? Z moim szczęściem na pewno na kogoś tu wpadnę.

– Właśnie wracam z przebieżki. Muszę wziąć prysznic.

– To widać! – Zażartował obleśnie, co miało sugerować pewien stopień zażyłości. Obrzucił ją oceniającym głodnym spojrzeniem. – Mam parę minut. Mogę zaczekać. Albo przyłączyć się do ciebie!

Widziała, że jest zdecydowany wejść z nią. Ogarnęła ją irytacja. Jakie to niegrzeczne przychodzić bez uprzedzenia. Nie cierpiała, kiedy znajomi ją odwiedzali, chyba że sama ich zapraszała. Z tym mężczyzną nie miała poczucia żadnej więzi. Najwyraźniej wydawało mu się, że coś między nimi zaszło. Ubrany w oficjalny garnitur z granatowego kaszmiru, zarzucił rękę na jej spocone ramiona. Z wysiłkiem się powstrzymywała, żeby go nie kopnąć w kostkę albo nie nastąpić na stopę obutą w ohydny pantofel od Gucciego w soczystym, brązowym kolorze i ozdobiony czymś w rodzaju wędzidła. Wywinęła mu się spod ręki.

– Jestem cała spocona! Zniszczysz sobie garnitur!

Odźwierny rzucił jej ironiczne spojrzenie. Od kiedy to odźwiernym wolno szydzić z gości? Zignorowała go, gdy wsiadali do windy. Na ścianie wisiało zawiadomienie o zebraniu spółdzielni i lokatorów, które miało się odbyć tego dnia wieczorem.

– Nigdy nie chodzę na te idiotyczne spotkania.

John zignorował uwagę i włożył rękę pod T-shirt Florence.

– Myślę o tobie przez cały dzień. – Próbował sięgnąć pod stanik, ale to mu się nie udało, te sportowe biustonosze były uszyte ze sztywnej elastycznej gumy, a właściwie lycry, więc dzięki Bogu nie dał rady go ściągnąć. Cofnęła się. – Przepraszam, ale nie mogę się powstrzymać. – Z kieszeni wyjął chusteczkę, zdjął okulary i otarł rumianą twarz. – Chyba wariuję. Jeszcze nigdy nie przytrafiło mi się coś podobnego. Natalie wyrzuciła mnie z domu; nocuję w klubie. Coś mnie opętało. Co ty ze mną wyprawiasz?

– John, ja... – Winda się zatrzymała. Florence wysiadła i ruszyła korytarzem. John rzeczywiście wyglądał tak, jakby zwariował. Mowy nie ma, żeby się z nim przespała po to tylko, by urzeczywistnić jego fantazje. To nie ma z nią nic wspólnego. Czuła do niego wstręt. – Słuchaj, strasznie mi przykro... – zaczęła, otwierając drzwi.

– Nie chciałem ci nic mówić, uważałem, że nie powinienem cię tym obarczać – oznajmił. Widocznie oczekiwał od niej słów aprobaty lub zachęty, by wszystkim się z nią podzielić, oraz zapewnienia, że ona czuje to samo.

– Przykro mi, że przechodzisz ostatnio tak ciężki okres. Przeprowadziłeś się do klubu? Natalie latem mieszka w Bridgehampton, prawda? Nie mogłeś po prostu zatrzymać się w waszym mieszkaniu w mieście?

– Nie chcę mówić o sobie. Porozmawiajmy o tobie. Wiesz, że tak wiele osób chce zainwestować w tę nową restaurację, że Derek już nikogo więcej nie przyjmuje?

– Naprawdę?

– Uhm. Widzisz, troszczę się o ciebie. Wypisz czek, żebym mógł mu go przekazać. Chciałbym to szybko załatwić, bo inaczej stracisz okazję.

Stanął za nią i położył obie dłonie na jej piersiach. Ostatkiem sił się powstrzymała, żeby nie odwrócić się i nie walnąć go w twarz. Gdy przetoczyła się przez nią fala mdłości i nienawiści, na chwilę zamknęła oczy. To nie jego wina, ale nie przypominała sobie, kiedy ostatnio czuła się równie nieożywiona, zupełnie jakby była melonem na straganie albo srebrną wiktoriańską papierośnicą z obscenicznym malowidłem pod wieczkiem – przedmiotem jednocześnie pożądanym i wyśmiewanym.

– Pójdę po książeczkę czekową. – Wyślizgnęła się z jego mięsistego uścisku i złapała torebkę. Szybko wypisała czek. – A więc jeżeli będę chciała, mogę sprzedać swoje udziały i osiągnąć zysk?

– Słowo daję, Derek wyświadcza mi przysługę tylko dlatego, że jesteśmy starymi przyjaciółmi. Lepiej, żebyś na jakiś czas je zatrzymała – chyba chcesz coś na tym zarobić?

– Na kogo mam wystawić czek?

– Chyba po prostu na mnie, skoro jestem jego wspólnikiem w interesach.

– Jak ta restauracja będzie się nazywać?

– Nie wiem. Zapomniałem ci powiedzieć, daj mi znać, jeżeli wpadniesz na jakiś pomysł. Derek jest otwarty na propozycje. Może nazwiemy ją „Florence"!

Wypisała czek i zaczęła się wycofywać w głąb mieszkania.

– Sprawdzę tylko pocztę. Nalej sobie drinka! – zawołała do niego z przedpokoju. – W lodówce chyba jest piwo, mogłabym też zrobić mrożonej herbaty.

– Właściwie miałbym wielką ochotę na gin z tonikiem.

– Bierz, co tylko znajdziesz – wymamrotała. Od miesięcy nie otwierała swojej korespondencji, którą teraz zaniosła na stolik do kawy w salonie. W ten sposób przynajmniej zyska na czasie; może John zrozumie aluzję i pójdzie sobie, kiedy zobaczy, ile listów Florence ma do przejrzenia. Wszedł do salonu i stanął w drzwiach. – Powiedzmy, że udałoby mi się zdobyć jeszcze trochę pieniędzy, może sprzedałabym biżuterię... – Mówiąc, zaczęła sortować korespondencję na trzy kupki, dzięki czemu mogła na niego nie patrzeć. – W co jeszcze warto zainwestować? – Nie miała żadnej przyzwoitej biżuterii, ale zawsze dobrze wiedzieć, na wypadek gdyby niespodziewanie wygrała na loterii albo znalazła na ulicy pierścionek z brylantem.

– Masz biżuterię? Stanowczo powinnaś ją sprzedać i zainwestować. Wiem o pewnym małym rodzinnym biznesie, wiem z pewnego źródła, że niedługo ma wejść na giełdę. Gdybyś zdobyła trochę kasy, mógłbym już pierwszego dnia kupić dla ciebie akcje. Prawdopodobnie niemal natychmiast potroją swoją wartość. Jeszcze w połowie lat osiemdziesiątych kupiłem akcje Bermese Pythion, chyba po tysiąc dwieście. Dzisiaj jedna jest warta trzydzieści pięć tysięcy. Ale rozumiesz, w tych prywatnych inwestycjach mogę ryzykować nieco bardziej niż w biurze. Słuchaj, gdzie trzymasz gin?

– Poszukaj w szafce nad kuchenką. – Machnęła ręką w stronę holu.

Każda koperta, jaką otwierała, zawierała wiadomości od administracji; groźby dotyczące zaległego czynszu. Przecież po wprowadzeniu nowego programu to bank powinien automatycznie płacić czynsz. Koperta za kopertą: „Należność za czynsz". „Zaległe płatności". Kary. Ostrzeżenia. Listy od prawników. Wygląda na to, że czynsz nie był płacony od pół roku, to znaczy, mniej więcej odkąd przestała zawracać sobie głowę korespondencją i zgodziła się, by rachunki za eksploatację mieszkania i hipotekę były regulowane drogą elektroniczną. Z odrazą rzuciła listy na podłogę. To problem nie jej, tylko banku, prawda? Pójdzie tam jutro i niech oni wszystko załatwią. Wiedziała, że coś tam – nawet po wypisaniu tego czeku – jej jeszcze zostało na koncie, może ze trzydzieści. Obliczenia dokonywała w pamięci, głównie na podstawie domysłów, bo nigdy nie zawracała sobie głowy rejestrowaniem wypisanych czeków, już nie wspominając o wyrównywaniu konta.

John wrócił do salonu z butelką.

– Nie masz zbyt dobrze zaopatrzonego barku – powiedział. – Butelka akwavitu? Kto to pije? Oczywiście nikt, skoro zostało ci tylko to i jakaś peruwiańska woda ognista. Znalazłem około jednej ósmej cala ginu. Powinnaś kupić trochę alkoholu, butelki same się nie napełnią! – Ryknął śmiechem. – Może zamówię gin i, na co miałabyś ochotę?, parę butelek szampana dla ciebie?

– Nie. – Położyła nogi na stoliku, a John natychmiast go okrążył i rzucił się do przodu, wciskając rękę między jej uda, jakby to była ssawka na macce ośmiornicy.

– Mógłbym zamówić w restauracji dzbanek mrożonej margarity i jakieś meksykańskie jedzenie – powiedział. – Miałabyś ochotę?

– Nie! – Gdyby miała nóż pod ręką, złapałaby go i przebiła tę białą zapinaną koszulę. – Weź te łapska! Wynoś się z mojego domu, słyszysz? Wynocha!

Przez parę godzin siedziała w ciemnej sypialni. Wygląda na to, że zalega z opłatami na przynajmniej osiem tysięcy. Jeżeli bank nie spłacał hipoteki, to oznacza kolejne tysiąc siedemset. Mogła zadzwonić następnego dnia do Johna i powiedzieć, żeby nie realizował jej czeku; może nie straciłaby aż tak dużo. A może lepiej w ogóle z nim nie rozmawiać, tylko zadzwonić do banku i zlecić wstrzymanie wypłat? Może ma na koncie więcej gotówki, niż przypuszcza? Na pewno znajdzie się jakieś wyjście. Mogłaby znaleźć współlokatorkę i zażądać półtora tysiąca albo i dwa za miesiąc. Ale nawet gdyby znalazła osobę skłonną zapłacić aż tyle – i spać w salonie! – jej miesięczne wydatki nadal wynosiły ponad trzy tysiące i nigdy nie uda jej się uregulować należności. Czy ma sprzedać mieszkanie i wynająć kawalerkę? Problem jednak polegał na tym, że wątpiła, czy w obecnej sytuacji mieszkaniowej znajdzie nabywcę i to takiego, który zapłaciłby tyle, ile była winna bankowi... Może ta Tracer pozwoli jej zamieszkać u siebie za darmo? Ma więcej niż jeden pokój. Podniosła słuchawkę telefonu.

– Cześć, Tracer.

– Która godzina?

– Ojej, nie wiem. Jest niezbyt późno. Może jedenasta? Obudziłam cię?

– Yyy...

– Och, przepraszam! Nie wiedziałam, że jest aż tak późno. Która godzina?

– Po północy.

Właściwie dochodziła już pierwsza.

– Chodzi o to, że... Tak sobie myślałam o twojej imprezie! Mam mnóstwo świetnych pomysłów. Ale... przepraszam, że cię obudziłam. Mogę zadzwonić jutro.

– Nie trzeba, już się rozbudziłam. Tylko że... postanowiłam na jakiś czas wyjechać i nie wiem, kiedy wrócę, więc może na razie ją odłóżmy.

– Dlaczego? – Ledwo udało jej się opanować niepokój. – Myślałam, że chcesz ją urządzić. Czy coś się stało?

– Nie, nie. Tylko myślę, że powinnam... no, sama wiesz, jak jest w Nowym Jorku. Miałam ciężki dzień. W każdym razie mój tata chce, żebym spędziła z nim trochę czasu... teraz jest w Meksyku. Gości u siebie parę osób i potrzebna mu jest pomoc.

– Ojej. To fajnie.

Tracer nie odpowiedziała.

– Dzisiaj na kolacji spotkałam się z twoimi znajomymi.

– Naprawdę? Z kim?

– Yyy... jak on się nazywał?

– No, powiedz!

– John... John jakiś tam.

8

Kiedyś mieszkała z matką w ogromnym, bezbarwnym domu zbudowanym pod koniec lat pięćdziesiątych w Orange County. W tamtej okolicy wszystkie domy wyglądały jednakowo, stały przy ruchliwych, czteropasmowych ulicach i miały ogródki z przysadzistymi palmami, drapiącą trawą w niemal sztucznym odcieniu zieleni i kolczastą jukę. Nie była to luksusowa część Kalifornii, lecz w ciągu lat, w miarę jak rosły ceny nieruchomości, jej status stopniowo też zaczął rosnąć – władze miasta zawiesiły kosze z kwiatami nad sygnalizatorami świetlnymi, parę przecznic od jej domu wybudowano luksusowe centrum handlowe razem z supermarketem Neiman-Marcus i włoską *cucina*. Może dobrze się złożyło, że jej ojciec umarł, kiedy była jeszcze mała. Nie miała ani jednej koleżanki, której rodzice by się nie rozwiedli – zawsze to ojcowie uciekali z nowymi, młodszymi dziewczynami albo okazywało się, że mają kochanki, które od lat czekały za kulisami. Gdy zaś matki kogoś sobie znajdowały, zawsze był to tymczasowy kochanek, budowlaniec lub osiemdziesięcioletni emeryt. Jej ojciec pracował jako agent ubezpieczeniowy, lecz oczywiście nie zawracał sobie głowy kupnem własnej polisy na życie. Kiedy wydarzył się wypadek, uznano, że miał lekki wylew. Nie dało się inaczej wytłumaczyć, dlaczego przejechał na czerwonym świetle. Florence niezbyt dobrze pamiętała ojca – szarego człowieczka, który rzadko bywał w domu. Może gdyby nie ten wypadek, jej rodzice by się nie rozwiedli, choć było to mało prawdopodobne.

Po jego śmierci standard ich życia znacznie się obniżył. Ostatecznie matka wróciła do nauczania w piątej klasie, czym zajmowała się jeszcze przed urodzeniem Florence, lecz jej pensja ledwo starczała na miejscowy podatek od nieruchomości. Pomieszczenie nad garażem przebudowała na mieszkanie i wynajęła. Co drugi weekend spędzała jedno popołudnie u niedorozwiniętej siostry Florence w szpitalu stanowym, który znajdował się prawie półtorej godziny jazdy samochodem od ich domu. Bethany, dwa lata młodsza, cierpiała na porażenie mózgowe, była też głęboko upośledzona. Wątpliwe, czy rozpoznawała Florence i własną matkę, chociaż ta nie miała żadnych wątpliwości.

Nie licząc tych pomniejszych nieszczęść, dzieciństwo Florence przebiegało całkowicie normalnie. Była lubiana, najładniejsza w grupie rówieśników. Razem z koleżankami bawiła się trollami albo lalkami Barbie, potem chodziły na lekcje tenisa, jazdy konnej, jazdy na łyżwach, gimnastyki. Kiedy nieco podrosły, znalazły sobie pracę po szkole, a podczas wakacji dorabiały w Disneylandzie.

Uczęszczała na zajęcia w lokalnej filii Uniwersytetu Południowej Karoliny i mieszkała w domu przez dwa lata, kiedy jej matka umierała na raka piersi. Potem sprzedała dom. Z zaskoczeniem dowiedziała się, że choć kiepsko skonstruowany, jest wart pół miliona dolarów. Wzięła pięniądze i przeprowadziła się do Nowego Jorku, gdzie skończyła college Sarah Lawrence. Nigdy nie miała całkowitej pewności, co ją skłoniło do wyjazdu na Wschód. Idealnie pasowała do Kalifornii. Przyjemnie było być blondynką w świecie, gdzie wszyscy mieli ciemne włosy. Czuła się potężna i pewna tego, że sukces jest jej przeznaczony.

Po skończeniu college'u kupiła małe dwupokojowe mieszkanie w budynku, gdzie niegdyś znajdował się klasztor. Jej mieszkanie, podobnie jak dom, w którym się wychowała, było ciemne i niskie. Znajdowało się na tyłach, a jego okna wychodziły na inne domy, usytuowane niemal na wyciągnięcie ręki. Przez mroczny wąski przedpokój i kuchenkę – tak małą, że mieściła się tam tylko miniaturowa lodówka – wchodziło się do salonu, który, nie licząc mebli i regałów, był zagracony od podłogi do sufitu pudłami pełnymi bibelotów: wszystkich tych drobiazgów, jakie zgromadziła przez lata życia w Nowym Jorku i które odzwierciedlały jej gwałtownie zmieniający się gust. Stanowiły bezładną zbieraninę, lecz z żadnym nie potrafiła się rozstać. W równie ciasnej sypialni stały dwie szafy pękające od ciuchów – obfitych, satynowych spódnic przypominających spadochrony, staromodnych żakietów, kapeluszy, butów do jazdy konnej, narciarskich strojów. Za sypialnią znajdowała się zniszczona łazienka z rurami plującymi rdzą i wściekłością. Nocami podłoga wyłożona terakotą stawała się tak gorąca, że Florence musiała skakać na niemal poparzonych stopach.

Pomimo chaosu i nadmiaru przedmiotów Florence uparcie utrzymywała swe mieszkanko w stanie czystości, jeśli nie porządku. Jeden jedyny karaluch wystarczał, by natychmiast sprowadzała człowieka zajmującego się dezynsekcją – zidiociałego, nadpobudliwego mężczyznę z ciężkim kanistrem – który spryskiwał całe wnętrze tłustym, żółtawym płynem pachnącym śmiercią. Ponieważ wcześniej w miejscu tym znajdował się klasztor, korytarze miały szczególny układ, a jej dwa pokoje leżały na końcu prywatnego korytarza koło schodów, gdzie składowano śmieci. Niekiedy spod drzwi sączył się lekki odór rozkładu. W poniedziałki odźwierny dawał klucze sprzątaczce, Ivanie z Rosji (Florence mówiła o niej „moja gospodyni"), która za sto dolarów przez pół dnia odkurzała dwa pokoje, szorowała gnijącą łazienkę, zanosiła pranie do automatów w piwnicy i prasowała ubrania na desce ustawionej w jedynym pustym miejscu, czyli u stóp łóżka. Z i do pralni chemicznej wędrowały niekończące się sterty ubrań. Była to najdroższa pralnia, która wystawiała niebotyczne rachunki i dostarczała na miejsce każdy element stroju owinięty w śliczną, delikatną, różową bibułkę.

Co ważne, dom Florence miał jedną z najlepszych w latach osiemdziesiątych lokalizacji: stał między Madison a Parkiem. Wydawało jej się, że skoro już ma zamieszkać w tym mieście, to tylko w najbardziej ekskluzywnej dzielnicy. Była tak pewna, że wkrótce się wzbogaci, że wpłaciła tylko minimalną zaliczkę i wzięła potwornie duży kredyt hipoteczny. Przez pierwszych pięć lat jej opłaty znajdowały się na bardzo niskim poziomie (chociaż koszty utrzymania pod tak luksusowym adresem okazały się bardzo wysokie i wynosiły ponad tysiąc miesięcznie), potem jednak nagle wzrosły do ponad dwóch tysięcy miesięcznie – w tym samym okresie upadł cały rynek dwupokojowych mieszkań.

Odziedziczone pieniądze, które początkowo zdawały się być studnią bez dna – poza dwudziestoma pięcioma tysiącami – gdzieś się rozeszły. To prawda, dużą ich część – może ze sto tysięcy – przeznaczyła na naukę i wydatki na życie podczas dwóch lat u Sarah Lawrence. Miała też niewielki udział w mieszkaniu. Kolejną część wydała na podatki. Jej siostra przebywająca w zakładzie opieki miała założony fundusz. Florence mieszkała na Manhattanie od sześciu lat; kredyt i koszty utrzymania pochłaniały czterdzieści parę tysięcy rocznie, a u Quayle'a zarabiała tak symboliczne pieniądze, że trudno je było brać pod uwagę. Pieniądze zniknęły, a ona nie bardziej zbliżyła się do osiągnięcia swojego celu, jakim było prawdziwe życie, niż gdyby nadal mieszkała w tamtym zawilgoconym domu zbudowanym w miejscu, gdzie kiedyś płynął strumień lub znajdowało się bagno i które już dawno zasypano, lecz nadal wydawało się grząskie pod stopami, nie chcąc całkowicie wyrzec się swego pochodzenia.

Rano wstała i jak zwykle ubrała się, zanim zdążyła sobie przypomnieć, że już nie musi iść do pracy. Była dopiero ósma rano. Zeszła na dół po cappuccino i słodką bułkę z włoskiej restauracji połączonej z piekarnią, gdzie przy małym barku podawano kawę po włosku. Słońce prażyło tak mocno, że aż bolały ją oczy. Zasłony na wystawie piekarni były zaciągnięte do połowy; w innym wypadku torty w szklanych gablotach by się rozpuściły. Były to przepysznie wyglądające ciasta ozdobione marcepanem, ufarbowane i przedstawiające scenki z plaży, zwierzęta z zoo oraz inne niejadalne wyroby przeznaczone dla amatorów tego, co niejadalne. Jedna sztuka kosztowała pięćdziesiąt, sześćdziesiąt, osiemdziesiąt i więcej dolarów – w zależności od wielkości. Kusiło ją, żeby kupić jeden z mniejszych, który wyglądał na czekoladowy i miał zwieńczenie w postaci podwodnej scenki z syrenkami o pulchnych rękach i z pomarańczowo-niebieskimi rybami. Wiedziała jednak, że w obecnym stanie poszłaby do domu, zagrzebała się w pościeli i zjadła cały, krusząc do łóżka.

Zamiast tego wybrała wielką cynamonową bułkę z orzechami i rodzynkami i wzięła ją ze sobą do barku. Kawa była gorzka i gorąca; między łykami Florence pojadała bułkę, odsłaniając ciasto drożdżowe i odrywając kawałki. Miała przed sobą koszmarny dzień. Najpierw musi zadzwonić do Johna i namówić go, by oddał jej czek, a przynajmniej pozwolił sprzedać akcje, które dla niej kupił. Jeżeli nagadał o niej Tracer lub komuś innemu, to też od niego wyciągnie.

Bar coraz bardziej zapełniał się biznesmenami i bizneswomen, którzy w biegu kupowali kawę na wynos. Wszyscy byli w drodze do pracy. Znajdował się wśród nich szczególnie uroczy facet w garniturze w prążki, który wyglądał na szyty na miarę. Innego dnia może kusiłoby ją, żeby go poderwać, ale dzisiaj tylko przepchnęła się przez tłum. Wychodząc, znowu zatrzymała się przy dziale piekarniczym i kupiła pół kilo mieszanych, polanych czekoladą ciasteczek z pomarańczową marmoladą i migdałowymi płatkami. Zapach masła i cukru był oszałamiający. Otwierając pudełko na ulicy i skubiąc ciastka, wiedziała, że jeżeli przed powrotem do domu nie pożre ich wszystkich, to przez cały ranek w dzikim szale pochłonie resztę. Kiedy dotarła do domu, podała pudełko odźwiernemu.

– Dziękuję!

Był to młody, niespełna trzydziestoletni facet, Rosjanin albo Grek. Nigdy tak naprawdę z nim nie rozmawiała. Pracował tam od niedawna, miał dużą smutną twarz i opadające kąciki ust, jakby przed chwilą zabrano mu bałałajkę. Ciastka kosztowały osiemnaście dolarów za pół kilo. Chłopak wyglądał na bardziej przerażonego niż zachwyconego tym podarunkiem – otwartym pudełkiem pełnym okruchów.

Przez resztę ranka próbowała znaleźć Johna. Mówił, że nocuje w klubie, ale nie miała pojęcia, o jaki klub chodzi. Dzwoniła po kolei do University Club, Cornell Club i Yale Club, ale bez skutku. Nawet nie wiedziała, w jakiej firmie pracuje John – jeżeli należała do niego, to na pewno nie miała w nazwie jego nazwiska. Florence nie mogła zadzwonić do Natalie, która w najlepszym razie trzasnęłaby słuchawką. Chciała powiedzieć Natalie, że szaleństwo jej męża nie ma z nią nic wspólnego, wiedziała jednak, że przyjaciółka by jej nie uwierzyła.

Zadzwoniła do Raffaello, ale jak zwykle włączyła się sekretarka. Przez godzinę otwierała pudła pełne dokumentów, usiłując znaleźć swój życiorys, który chciała uaktualnić, ale została z pustymi rękami. Będzie musiała napisać go na nowo, niewyobrażalny koszmar. Nagle coś jej przyszło do głowy. Musi istnieć inny numer telefonu na nazwisko Raffaello di Castignolli. W końcu na Pięćdziesiątej Siódmej Ulicy znalazła jego sklep – Raffaello mówił, że modernizuje i unowocześnia zarówno sam magazyn, jak i organizację sprzedaży.

– Di Castignolli. – Mężczyzna, który odebrał telefon, miał włoski akcent.

Jej głos załamywał się od zdenerwowania.

– Szukam pana di Castignolli – Raffaello.

– Kto mówi?

– Florence Collins.

– W jakiej sprawie?

Nie mogła oprzeć się wrażeniu, że w głosie jej rozmówcy zabrzmiała ironiczna nuta.

– Yyy... on będzie wiedział.
– Proszę chwileczkę poczekać.
– Jak mnie znalazłaś? – spytał z rozbawieniem.

Była tak zaskoczona, że to rzeczywiście on, że nie mogła sobie przypomnieć, co chciała powiedzieć. Dlaczego poniżała się w ten sposób? Dopóki się nie odezwał, nie uważała swego kroku za coś poniżającego, lecz za przejaw przedsiębiorczości, odpowiedzialności za własne życie. Teraz dostrzegła, że oszukiwała samą siebie.

– Co z naszym lunchem? – wypaliła.
– A tak, poszłabyś ze mną na lunch?
– Może... Mam dla ciebie mały prezent.
– Co to takiego?
– Sam musisz się przekonać!

Roześmiał się.

– Może u Egezio? O drugiej?

Było po jedenastej. Wzięła gazetę i poszła zrobić sobie manikiur w salonie za rogiem. Zaczęła przeglądać ogłoszenia typu „Potrzebna pomoc", ale nie znalazła ani jednej posady, którą mogłaby wziąć pod uwagę. W każdym razie dziewięćdziesiąt dziewięć procent stanowiły oferty rzekomo zamieszczane przez agencje i podejrzewała, że dotyczą nieistniejących stanowisk, że to fałszywe ogłoszenia mające zwabić kobiety do biur, z których zostaną odesłane na rozmowę w sprawie posady recepcjonistki.

Doszła jednak do wniosku, że każda praca, jaką znajdzie, okaże się poniżająca. Gdyby dostała posadę w innym domu aukcyjnym – a tych nie było aż tak wiele na

Manhattanie, już nie wspominając o działach z biżuterią, jedynych, w jakich miała praktykę – zawsze miałaby kogoś nad sobą, kogoś lepiej ustosunkowanego, z większym doświadczeniem, lepszą przeszłością, większymi pieniędzmi. Nawet gdyby ta osoba odeszła, to nie Florence dostałaby awans; przyjęto by kogoś z zewnątrz. A nawet gdyby dzięki szczęśliwemu zrządzeniu losu została kierownikiem działu, to czy wiązałoby się to z wyższym statusem? Ich pensje nie były zbyt duże, a ich zdjęć nie umieszczano na okładkach gazet. Jaką satysfakcję dałaby jej ta praca, skoro Florence nigdy nie byłoby stać na to, co przez cały dzień obracała w rękach? Inne posady – praca w magazynie, agencji modelek, w sklepie czy galerii sztuki – prowadziły w ten sam ślepy zaułek.

Gdyby tylko urodziła się bajecznie bogata... Ale nawet wówczas... Z dwóch bogatych kobiet, które znała, wszyscy lekko drwili. Kiedy wymieniano ich nazwiska, na twarzach ludzi pojawiały się ironiczne uśmieszki – tylko dlatego, że nie wyszły one za mąż. Te kobiety, które znała osobiście lub z prasy i które miały pracę dającą pewien zakres władzy – prowadzenie magazynu czy agencji literackiej – również wyszydzano lub potępiano.

Nikt nie chciał się do tego przyznać, ale nawet teraz mieszkanki Nowego Jorku mogły osiągnąć najwyższy status, bogato wychodząc za mąż. Małżeństwo nadal uważano za największe osiągnięcie, a samotne kobiety, choćby sprawujące wielką władzę, uznawano za podejrzane, zdesperowane lub wybrakowane. Najlepiej było poślubić wziętego artystę, wystarczyłby też każdy inny bogaty mężczyzna. Czyż jej punkt widzenia nie był jedynym realistycznym? Może to nie najpiękniejsza konkluzja, ale skoro świat tak wygląda, to dlaczego temu zaprzeczać? Mężatkami nikt nie gardził (chyba że zostały porzucone dla młodszej). Mężczyzna i rodzina to nadal najlepsze zabezpieczenie dla kobiety. Bez mężczyzny kobieta była niczym.

– Pedikiur też? – Kiwnęła głową i wyjęła jasnozłoty lakier w najmodniejszym odcieniu. Koreańska manikiurzystka spojrzała nań pożądliwie. – Bardzo ładny – powiedziała, po czym wymieniła nazwę sklepu, w którym Florence go kupiła, jedynego, gdzie ta marka była dostępna. Nawet manikiurzystki, dorabiające napiwkami, znały się na takich rzeczach, godzinami studiowały najnowsze magazyny (które w chwili wydania były już pół roku przestarzałe) – ze strachu, że zostaną w tyle, gdy przetaczać się będzie potężna fala mody.

Stopy miała małe i wypielęgnowane, paznokcie jak brzęczące muszelki. Patrzyła na nie z podziwem, podczas gdy manikiurzystka szorowała je i masowała. Manikiur i pedikiur zajął półtorej godziny. Powlokła się do domu w papierowych kapciach z salonu, z butami w ręku i kawałeczkami waty wystającymi spomiędzy palców u nóg. Kolejne czterdzieści minut zajęło jej ubranie się – rozłożyła na łóżku połowę zawartości szafy, aż wreszcie zdecydowała się na nieco dziwną spódnicę z szarych i różowych szyfonowych płatków oraz szary T-shirt. Do tego stroju pasowała jedna z marynarek, ale Florence doszła do wniosku, że jest zbyt elegancka i zamiast niej złapała cienki szary sweter z bawełny, którego rękawy zawiązała sobie na szyi. Mała obcinarka do cygar była zawinięta w fantazyjny, matowy papier, gruby i drogi.

Wskoczyła do taksówki i o drugiej dojechała do restauracji. Nigdzie nie widziała Raffaello, nie było też rezerwacji na jego nazwisko. Usiadła przy barze i zamówiła kieliszek białego wina. Restauracja była pełna. Może kiedy Raffaello przyjdzie i okaże się, że nie zarezerwował stolika, będą musieli przenieść się gdzie indziej.

Tylko kelnerzy spoglądali na nią z zachwytem. Nieopodal stał stolik, przy którym siedziało czterech mężczyzn – trzej byli starsi i siwi; w jednym z nich rozpoznała magnata wydawniczego – ale nawet jeżeli zwrócili na nią uwagę, rzucali jej spojrzenia tak ostrożne i subtelne, że niczego nie zauważyła. Obok przed ogromnymi sałatkami – na stole stała tylko woda mineralna – siedziały dwie kobiety, tak pogardliwie skubiąc po listku sałaty, że domyśliła się, iż rywalizują o to, która potrafi zjeść mniej. Wyglądały tak fatalnie w burych garsonkach i bladym makijażu, że nie rozumiała, dlaczego tak im zależy, żeby schudnąć. W lokalu panowała iście pogrzebowa atmosfera; jedyny kolorowy akcent stanowiły jasnoróżowe obrusy. Mężczyźni mieli na sobie szarości, kobiety – czernie. Egezio znany był jako ulubione miejsce świata wydawców, ale cały Nowy Jork wyglądał podobnie.

Obok niej przy barze usiadł dość atrakcyjny Azjata, szczupły, o przejrzystych, zimnych oczach jak u niektórych mistrzów sztuk walki. Nożem i widelcem atakował ogromne kapelusze grzybów, czarne i lśniące. Zerknął na nią, jakby chciał coś powiedzieć, a ona spostrzegła, że mężczyzna ma na sobie garnitur doskonałej jakości. Wyglądał jak bogacz z Hongkongu. Już miała się do niego uśmiechnąć zachęcająco, kiedy ktoś poklepał ją po plecach. Odwróciła się i ujrzała Raffaello.

– Przepraszam za spóźnienie – powiedział. – Nie mogłem wyrwać się z biura. – Spojrzała na zegarek. Minęło wpół do trzeciej. Usmiechnęła się blado, nie wiedząc, czy ma okazać irytację, czy też wyrozumiałość. Przez chwilę zobaczyła go jako chłopca w ogromnym, rodzinnym domu lub mieszkaniu, za starą bramą czy murem i podwórzem, rozpieszczanego przez służącą i grubą kucharkę – jakże chichotały i skakały koło niego, podsuwając mu pod nos miski najsłodszych wiśni na lodzie, najbardziej czosnkowe, soczyste oliwki, najdelikatniejsze kąski – i zepsutego jak maharadża lub książę. Twarz miał zdeprawowaną, ale atrakcyjną, nieco nadąsaną i pełną wdzięku. Złamany nos jeszcze dodawał mu czaru; dzięki niemu wyglądał jak cwany Apollo, a nie zbyt idealny przystojniaczek.

– Chyba nie mają rezerwacji.

– Co? – Zamienił parę słów z hostessą, tą samą, którą czterdzieści minut wcześniej potraktował tak niegrzecznie, i natychmiast zaprowadzono ich do części sali z lepszymi stolikami, pod świetlikiem. Kelner przyniósł koszyk chrupiących bułeczek i maselniczkę z masłem w kształcie miniaturowych muszelek. Florence miała trzydzieści dwa lata, a wciąż czuła tremę przed lunchem z przystojnym mężczyzną. Zresztą może to właściwie nie były nerwy, lecz raczej podniecenie podobne do tego, jakie ogarnia tygrysa ścigającego apetyczną zwierzynę. Zdjęła serwetkę z koszyka z pieczywem, odsłaniając jędrne rumiane bułeczki, którymi poczęstowała Raffaello. Złapał jedną z wierzchu i położył sobie na talerz trochę masła. Ona oczywiście nie jadała masła; ciekawe, czy w tej sali znajdowała się choć jedna kobieta, która by je tknęła? Kawał tłuszczu, puste kalorie – och, co za zgroza – a jednak miała apetyt na jego kremową gładkość. Wzięła bułkę, przełamała ją na pół i zaczęła skubać twardą skórkę, by się czymś zająć.

– Napijesz się białego wina? – spytał. W Nowym Jorku tylko obcokrajowcy pili alkohol podczas lunchu. Ona zazwyczaj zamawiała kieliszek białego wina, co nie mieściło się w normie. – Ach! – Czytał kartę win. – Świetnie, świetnie, mają tu coś, czego powinnaś spróbować.

– Co to takiego?

– Niespodzianka.

– Doskonale. A oto moja niespodzianka dla ciebie. – Podała mu pudełeczko. – To zwykłe srebro. Zobaczyłam ją i pomyślałam, że jeżeli już masz taką, to ją zatrzymam i będę używać do podwijania rzęs.

Rozwinął pudełko, zajrzał szybko do środka, kiwnął głową i wsunął je do kieszeni.

– Dziękuję. Od Leafa, nie? Bardzo miły sklepik.

Na przystawkę zamówiła karczochy z grilla posypane tartym serem asiago, a następnie makaron z atramentem kałamarnicy. Wino, które przyniósł kelner, pochodziło z winnicy rodziny di Castignolli. Rocznie produkowano tam bardzo niewiele butelek tego trunku, już nie wspominając o eksporcie, ale właściciel restauracji, znajomy Raffaello, specjalnie je zamówił i trzymał dla niego skrzynkę butelek z najlepszych roczników.

Rozpoczęła się gra w myśliwego i ofiarę. Wykorzystała każdą sztuczkę, jaką tylko znała: kiedy mówił, spoglądała na niego z podziwem i zadawała wszystkie właściwe pytania, by wyciągnąć z niego jak najwięcej. Trochę pływał ścigaczami – najbardziej fascynująca rzecz, jaką kiedykolwiek słyszała. Zauważyła, że to bardzo niebezpieczny sport i dziwiła się, że Raffaello się nie bał. Podróże – na Alaskę i Islandię, gdzie uprawiał wędkarstwo muchowe. Filmy, które ostatnio widział. Osobowość jego rodziców. Jego trzej bracia. Kiedy spytała, czy poważnie zastanawia się nad rozwodem, było to już pytanie starego przyjaciela, a nie kobiety szukającej męża. Czy to prawda, że we Włoszech rozwód jest niemal niemożliwy do przeprowadzenia? Och, nie ożenił się tam – jak to mądrze z jego strony. Zamówili drugą butelkę wina.

– Przepyszne! – powiedziała.

Bułka, którą wcześniej złapał, pozostała nietknięta na jego talerzu. Prawie nic nie zjadł; przed nim leżał kopczyk smakowitych kąsków, lśniących od kosztownej oliwy.

Przez szybę nad ich głowami wpadało popołudniowe światło. Pozostali goście już dawno wyszli. Wino było bardzo zimne i orzeźwiające, a ponieważ kelner nie napełnił ponownie ich kieliszków, uczynił to Raffaello, czułym, wytwornym gestem. Ale wszystko na nic.

– Muszę wracać do biura – powiedział raptownie, pociągając łyk wody.

Była za dwadzieścia piąta. Jego oczy nie zaiskrzyły się ani razu. Nic z tego nie rozumiała. Tak się starała, wiła z wdziękiem jak tasiemiec, a nie zauważyła u niego ani śladu zadurzenia. Był równie chłodny i odległy jak parę nocy wcześniej, kiedy zaczęli rozmawiać w kolejce do bufetu – teraz też strzelał oczami po całej sali w poszukiwaniu lepszego kąska. Polował tak samo jak ona.

Ku jej zaskoczeniu zaproponował, by pojechała z nim do biura. Jeżeli da mu parę minut, może uda mu się skończyć wcześniej. Mogliby pójść do kina albo do muzeum. Kiedy ruszyli Pięćdziesiątą Czwartą Ulicą, wziął ją pod rękę.

9

Kiedy poszedł na górę do biura, zaczęła przechadzać się po sklepie. Towary były najrozmaitsze i nieprawdopodobnie drogie. Stał tam ogromny wyściełany fotel obity połyskującym pomarańczowo-czerwono-złotym materiałem, niemal perski w swym przepychu. Nie znalazła na nim ceny, ale okładka na książkę z materiału i torba podróżna z tkaniny dekoracyjnej kosztowały odpowiednio pięćset i półtora tysiąca dolarów. Dostrzegła też kilka sztuk odzieży – szlafrok, fioletowo-kremowe spodnie – i abażur z tkaniny. W sklepie były tylko dwie sprzedawczynie, które ją ignorowały. Kiedy się rozglądała, nie wszedł nikt inny. Nie potrafiła sobie wyobrazić, jak to możliwe, że taki sklep nadal działa i do tego przynosi dochody na tyle duże, by Raffaello mógł opłacić czynsz. W całym mieście znajdowało się wiele równie dziwnych miejsc, pustych sklepów z kilkoma drogimi artykułami, galerii sztuki o powierzchni trzech tysięcy metrów, gdzie wystawiano na sprzedaż dwie rzeźby z metalu i gumy. Jeżeli tylko nie stanowiły przykrywki dla innej działalności, przedsięwzięcia takie zdawały się być zupełnie bezużyteczne. Czekała prawie czterdzieści minut i już miała poprosić jedną ze sprzedawczyń o przekazanie Raffaello, że wychodzi, kiedy ten zszedł, zarumieniony i rozdygotany.

– O, jeszcze tu jesteś! – zdziwił się. – Nie wiedziałem, że będziesz czekała tak długo. Niestety mam pilną sprawę do załatwienia i nie mogę się wyrwać. Może umówimy się na kiedy indziej?

Sprzedawczynie, brunetki o rubinowych ustach, świergotały na zapleczu sklepu jak czarnopióre ptaki.

– Masz tu ładne rzeczy! – powiedziała nieco za głośno.

– Już i tak musiałam lecieć, zadzwonię do ciebie. – Zrobił krok do przodu i wykonał mały taniec, polegający na ujęciu ją za ramiona i cmoknięciu powietrza po obu stronach jej policzków.

Minęła piąta. Ulice były pełne ludzi wychodzących z pracy. Powietrze przesiąkała atmosfera przepracowania i zużycia, jaka pojawia się przed letnią burzą, kiedy zbyt wiele osób raz za razem pobiera tę samą próbkę powietrza, które następnie przetwarza, aż zostaje zaledwie odrobina tlenu. Florence szła Madison Avenue, czując się jak idiotka: za dużo wypiła podczas lunchu, za długo czekała w tym sklepie, chociaż było oczywiste, że Raffaello nie wyjdzie ze swojego biura. Bolała ją głowa. Przynajmniej nie zaproponowała, że zapłaci za posiłek! Uświadomiła sobie, że idzie coraz wolniej. Nie potrafiła zmierzyć się ze swym mrocznym, zagraconym mieszkaniem, z jęczącym klimatyzatorem w sypialni, wydmuchującym wąski strumień wilgotnego, pachnącego stęchlizną powietrza, który rzadko spełniał swoją funkcję. Z pewnością był ktoś, do kogo mogła zadzwonić, kto by się z nią spotkał i czymś zajął. Kiedy znajdzie się już w domu, przejrzy notes z adresami. A może wcześniej zapisała w kalendarzu notatkę o jakimś spotkaniu lub imprezie i zupełnie o tym zapomniała.

Weszła do księgarni, wąskiego sklepiku, gdzie na wystawie, na niebieskim aksamicie, pięknie ułożono najnowsze powieści. Nie były to szmatławce, jakie się czyta na plaży, czy pozycje z list bestsellerów, lecz działające na wyobraźnię klejnociki o tytułach, takich jak *Gwiazdy dryfujące przez granit*, *Mleczny taniec z nosem Jolsona* i *Skamieliny wielorybów i ptaków*. Sklep uosabiał spokojne wyrafinowanie, nastrój, jaki tam panował, przesiąknięty był przekonaniem, że istnieje wyższy porządek egzystencji i inteligencji. Księgarnia ta usiłowała sugerować, że nadal można znaleźć starą kulturę Nowego Jorku. Była to jednak iluzja, dekoracja mająca koić nerwy, sklep pełen placebo.

Wzięła do ręki trzy czy cztery książki, o których wspominali jej znajomi – a może czytała recenzje w jakiejś gazecie? – i kartkując je, przekonała się, że są pretensjonalne i niestrawne, lecz uznała, że widocznie się nie zna i ostatecznie wydała sto dwadzieścia dolarów za cztery egzemplarze – trzy powieści i biografię żydowskiej poetki lesbijki, którą zaczęto wydawać dopiero po jej śmierci w 1940 roku. O mały włos nie kupiła też luksusowego albumu o netsuke za sto siedemdziesiąt pięć dolarów – jako prezentu dla Raffaello. Ledwo się powstrzymała; w głębi serca, miejscu, któremu nie chciała się przyglądać, wiedziała, że nawet podarowanie mu tego srebrnego obcinacza do cygar było błędem.

Jeżeli uda jej się uspokoić i zostać w domu, przynajmniej będzie miała coś do czytania, a jeżeli zdecyduje się wyjść, będzie mogła powiedzieć, że kupiła taką a taką książkę. Bardzo chciała uważać się za dziewczynę, która potrafi spędzić miły wieczór w domu, czytając w skupieniu lub odpisując na listy. Nie była głodna, ale na wszelki wypadek wstąpiła do delikatesów i kupiła za siedem dolarów pojemnik gazpacho oraz ćwierć kilo sałatki z pomidorów, bazylii i mozzarelli w oliwie z pierwszego tłoczenia.

Weszła do domu i natychmiast zrozumiała, że nie da rady zostać. Gdy zobaczyła światełko mrugające na automatycznej sekretarce, pomodliła się w duchu, by było to zaproszenie na imprezę.

– Chciałem po ciebie wpaść. – Był to Darryl Lever. – Ale robi się późno i ledwo mam czas, żeby skoczyć do domu i się przebrać. Moglibyśmy się spotkać parę minut przed ósmą na Avery Fisher? Bilety są na moje nazwisko.

Przypomniało jej się, że zgodziła się pójść z nim w niedzielę na jakiś koncert w Lincoln Center. Jakże teraz tego żałowała! Musiała być bardziej pijana, niż pamiętała. Zupełnie wyleciało jej to z głowy. Gdyby nie ta wiadomość, zrobiłaby sobie chłodną kąpiel, włożyła białą bawełnianą piżamę i zagrzebała się w pościeli z egipskiej bawełny... Już nie miała ochoty nigdzie wychodzić. Musi być jakiś sposób, żeby znaleźć Darryla i powiedzieć mu, że źle się czuje. Zadzwoniła do jego biura. Recepcjonistka powiedziała, że wziął sobie wolne. Nie mogła mu zostawić wiadomości, bo jego automatyczna sekretarka tylko podawała godzinę. Najpierw wydawało jej się, że nie ma nic nudniejszego niż pozostanie w domu, lecz teraz pomyślała, że o wiele gorsze okazałoby się siedzenie na jakimś koncercie z Darrylem, który trzymałby ją za rękę.

– Jasna cholera! – Mogłaby go po prostu wystawić do wiatru, w ogóle nie przyjść, poczekać, aż zadzwoni, i powiedzieć, że jest chora, ale to zbyt niegrzeczne. Nie byłoby tak źle, gdyby po prostu pogodził się z faktem, że nie łączy ich nic oprócz przyjaźni, lecz zawsze miała wrażenie, że wydawało mu się, że jeżeli jeszcze trochę poczeka, może liczyć na coś więcej.

Otworzyła notes z telefonami i już miała zostawić dla niego wiadomość, kiedy zobaczyła, że na ten dzień zapisała sobie kilka zaproszeń: przyjęcie inauguracyjne połączone z wystawą prac jakiegoś dziewiętnastowiecznego francuskiego malarza w wykwintnej galerii nieopodal Madison Avenue, od szóstej do ósmej (jej znajoma, która tam pracowała, dopisała: „Mam nadzieję, że przyjdziesz!") oraz inne przyjęcie mniej więcej o tej samej porze. Obecność na pierwszym potwierdziła listownie, drugie – telefonicznie przed paroma dniami. Gospodyni organizowała koktajl na cześć projektanta biżuterii, który przyjechał z Egiptu.

Skoro już ma się męczyć na jakimś koszmarnym koncercie muzyki poważnej, to równie dobrze może najpierw skoczyć na te dwa przyjęcia – przynajmniej w ten sposób przed spotkaniem z Darrylem przejdzie jej ochota na pozostanie w domowych pieleszach; może nawet uda jej się przestać o nim myśleć.

Ściągnęła spódnicę z płatków i wskoczyła pod prysznic. Miała wrażenie, że jej włosy są oklapnięte i tłuste. Umyła je i przeczesała i już miała włożyć czarną jedwabną suknię koktajlową bez rękawów, kiedy się rozmyśliła i zamiast niej wybrała bawełnianą sukienkę w biało-czerwoną kratkę, dopasowaną u góry i z rozkloszowaną spódnicą. Była bardziej przewiewna i mniej strojna, a Florence wiedziała, że wszystkie pozostałe dziewczęta – przynajmniej na dwóch pierwszych imprezach – włożą małe czarne. Po co wyglądać dokładnie tak samo jak one? Zdecydowała się na parę jaskrawoczerwonych, bardzo drogich i nieco wyzywających sandałów na paski z lakierowanej skóry, które włożyła na gołe stopy.

Galeria sztuki znajdowała się w byłej rezydencji parę przecznic dalej. Ta firma rodzinna specjalizowała się głównie w starych mistrzach, Akademii Francuskiej i tak dalej. Drzwi frontowe były przeszklone i zabezpieczone ozdobnymi żelaznymi kratami. Uzbrojony ochroniarz przyjrzał jej się podejrzliwie i dopiero po chwili wskazał na wyłożony marmurem hol prowadzący do recepcji, gdzie na liście odhaczano nazwiska. Na szczęście nieopodal stała kobieta, która ją zaprosiła, Marisa Nagy. Pamachała do niej na powitanie i wprowadziła, omijając kolejkę gości.

Marisa, wysoka i czarnowłosa, miała na sobie czarną prostą suknię-futerał.

– Och, jak miło, że przyszłaś! Co u ciebie? – Florence nie mogła zrozumieć, dlaczego Marisa ją zaprosiła, a jednak musiała to zrobić właśnie ona, bo do zaproszenia była dołączona jej wizytówka. Florence nigdy wcześniej nie dostała zaproszenia na otwarcie wystawy w tej galerii. Marisa pracowała w dziale badawczym, miały jakąś wspólną znajomą, obie chodziły do Sarah Lawrence, ale była od niej cztery, pięć lat młodsza. – Chciałabym, żebyś poznała mojego chłopaka. – Marisa wskazała na niespełna czterdziestoletniego mężczyznę o woskowej cerze, który trzymał kieliszek szampana. – John Henry Pugh, moja przyjaciółka, Florence Collins.

Uścisnęła dłoń mężczyzny. Miał na sobie szary garnitur w niemal tym samym odcieniu, co skóra jego właściciela. Wyglądał zamożnie, choć nie bajecznie bogato i nieco bardziej ludzko niż Marisa, która była zbyt idealna. Ubrana w obcisłą suknię z jakiegoś matowego materiału, może krepdeszynu, przepasała biodra szerokim pasem z czarnej satyny. Na jedno ramię zarzuciła żakiecik do kompletu i nawet w tym skwarze nosiła gładkie czarne pończochy. Na stopach miała czarne satynowe czółenka, nieco za duże w piętach, jak to zauważyła Florence. Nie mogła się pochwalić aż tak dobrymi nogami jak Florence, ale jej ciało było niemal idealne, a twarz – o malutkim nosku i ogromnych brązowych oczach z gęstymi rzęsami – nie nosiła prawie śladu makijażu i była ładniejsza niż u każdej modelki. Modelka powinna wyglądać ponuro i skromnie, gdyż inaczej posądzono by ją o pławienie się we własnej urodzie. Niemodelki natomiast mogły sobie pozwolić na małą autoreklamę i przeważnie to one wydawały się o wiele piękniejsze. Strój Marisy był strojem kobiety, która chce się zareklamować jako niezły materiał na żonę bogatego mężczyzny.

Florence wzięła od kelnera kieliszek szampana. Inny kelner podszedł z tacą z trójkącikami wędzonego łososia z kwaśną śmietanką na kromkach grzanek z pumpernikla.

– Co u ciebie?

– Może byśmy się umówiły? Poszłabyś ze mną w tym tygodniu na lunch? Jak ci się podoba praca w Saskelone?

– Tak, umówmy się na lunch. Strasznie mi się tu podoba! To bardzo cenne doświadczenie! Wiesz, pracowałam w dziale badawczym, ale niedawno zajęłam się też handlem. To wspaniałe.

Florence zrozumiała, że Marisa nienawidzi pracy w tej galerii. Gdyby jednak poszły na ten lunch, może dowiedziałaby się od niej, kto właśnie odszedł z pracy albo został wyrzucony, i mogłaby złożyć podanie. Odwróciła się do Johna Henry'ego.

– A ty też zajmujesz się sztuką?

– Nie, nie. – Uśmiechnął się kokieteryjnie i wziął z talerza miniaturowe ciasteczko nadziewane czymś, co wyglądało na malutkie kosteczki okraszonych masłem grzybów. – Nie bardzo się na tym znam. – Może był bogatszy, niż jej się wydawało. Albo po prostu Marisa wpadła w desperację i widząc, że jej szanse maleją, zdecydowała się na niego do czasu, kiedy znajdzie sobie kogoś lepszego?

– Tak? A jaka jest twoja dziedzina?

– Johnie Henry, chciałabym, żebyś poznał mojego szefa. – Marisa ujęła go pod ramię. – Florence, przepraszam cię, muszę sprawdzić sytuację na dole. Zobaczymy się później.

Została sama i zaczęła obserwować tłum gości. Nikogo tu nie znała. Wśród zaproszonych znajdowali się sami bogacze – podstarzałe kobiety z siwymi, natapirowanymi fryzurami, w staroświeckich, czarnych sukniach wieczorowych wyszywanych koralikami i garsonkach w kolorze ametystu, dotrzymywały towarzystwa siwym mężczyznom, którzy chodzili, szurając nogami. Młodych nie było prawie wcale, ale cała sala pachniała pudrem, perfumami i pieniędzmi.

Do sal wystawowych nie wolno było wnosić drinków. Czarni ochroniarze wesoło napominali gości, którzy przed wejściem musieli odstawić kieliszki. Podłogę pokrywał pluszowy szary dywan, miękki jak warstwy tłuszczu. Obrazy przedstawiały nijakie, sympatyczne scenki – łódki, francuską Riwierę w latach osiemdziesiątych dziewiętnastego wieku, rybaków, *Winobranie*, górską wioskę – i, umieszczone w ciężkich, złoconych ramach, miały zawisnąć w domach bogaczy, i już nigdy potem nie zwrócić na siebie uwagi. Niewiele bardziej subtelne byłoby powieszenie tysiącdolarowych banknotów w ramach wysadzanych brylantami. A jednak te scenki w odcieniach brązów, szarości i kremu jajecznego, satynowe światło rzucane przez umiejętnie ustawione reflektory, bogate pary stanowiące ostatni przyczółek swojego rodzaju na Manhattanie – wszystko to tchnęło pewnym spokojem. Wszyscy potem wybiorą się na kolację do przyćmionych francuskich restauracji, dokąd nigdy nie wchodziły osoby młode i modnie ubrane, albo do swych jadalni w apartamentach wychodzących na Piątą Aleję. Chętnie zgodziłaby się na jednego z tych szurających starców, gdyby zapewniło jej to akceptację i koronkowe poduszki. Ale żaden z tych bogaczy nie zaakceptowałby jej. Mężczyźni z tego świata, jeżeli w ogóle chcieli ponownie się ożenić, wybierali spośród własnej grupy. Omijali ją z daleka, chociaż widziała, że od czasu do czasu rzucają w jej stronę nieco lubieżne spojrzenia, po czym szybko odwracają wzrok i udają, że oglądają obraz, przy którym akurat stała.

Ruszyła na dół, bez przekonania szukając po drodze Marisy. Powinna jej podziękować, raz jeszcze wspomnieć o wspólnym lunchu – powiedzieć „Chciałabym cię zabrać na lunch", by dać jej do zrozumienia, że to ona płaci – i zrobić konkretny krok w stronę nawiązania przyjaźni. Nigdzie jednak nie widziała Marisy i nieco jej ulżyło, że nie będzie musiała publicznie wyrazić wdzięczności za zaproszenie. Zbytnio to przypominało rytuały obowiązujące wśród psów: musiałaby okazać uległość, a już i tak czuła się zbyt podle, by wykonywać taniec, który pozwoliłby Marisie zademonstrować swoją szlachetność.

Na Madison Avenue było prawie pusto. Nocami East Side zawsze sprawiała wrażenie opustoszałej, tylko sporadycznie do jednej z nielicznych restauracji lub budynku wpadała jakaś osoba. Zupełnie jakby nocą bogacze z natury swojej zaczynali się zachowywać ukradkowo lub ostrożnie. Dla własnego bezpieczeństwa czmychali jak myszy przed sowami, które przycupnęły za gargulcami na szczytach budynków. Druga impreza odbywała się zaledwie piętnaście przecznic dalej. Florence mogła pójść pieszo, ale nadal nie wiedziała, czy ma ochotę wybrać się z Darrylem na koncert. Jeżeli się na to zdecyduje, na drugim przyjęciu nie zostanie jej zbyt wiele czasu, więc wskoczyła do taksówki.

Lisa Harrison była rozwiedziona. Miała mniejsze mieszkanie niż to, w którym mieszkała z mężem, lecz i ono znajdowało się w dobrym punkcie. Florence nigdy wcześniej jej nie odwiedziła. Lisa z pewnością zasięgnęła porady u dekoratora wnętrz. Nic, tylko perkal, porcelanowe małpki, lustra w złoconych ramach, okna ciężkie od baloniastych zasłon z tafty w różowo-białe pasy i z kontrastującą kratką oraz tureckimi wzorami. Kelner przy drzwiach spytał, czy woli białe wino, czy perriera. Wydało jej się dość smutne, że Lisa nie może, czy też nie chce zapewnić większego wyboru. Minimalną przestrzeń między wyściełanymi meblami zajmowali goście grubo po trzydziestce – mężczyźni w garniturach, wszystkie kobiety w czarnych koktajlowych sukienkach.

Lisa chwiejnym krokiem zeszła po schodach – mieszkanie było dwupoziomowe. Za nią wlokły się trzy dyszące mopsy. Miała puste, wystraszone spojrzenie, jakby nie wiedziała, gdzie jest. Ujęła Florence pod rękę. Była w szarej, satynowej, źle dopasowanej sukience, a włosy upięła w skomplikowany, natapirowany kok na czubku głowy.

– Dopiero teraz przyszłam na dół – powiedziała. – Ukrywałam się w swojej sypialni. Przed chwilą dostałam okres. Właściwie, w zaufaniu mówiąc, tu podniosła głos – właśnie ronię! To już drugi raz, ostatnio przebiegało to o wiele gorzej, ciąża była bardziej zaawansowana, a ja byłam na przyjęciu w MOMA. Nagle poczułam, że jeden but mam całkiem mokry, spojrzałam w dół i zobaczyłam, że pełno w nim krwi, pończochy też były przesiąknięte! Więc poszłam do toalety, oczywiście zostawiając za sobą krawy ślad... – Odwróciła się, gdy do pokoju wszedł nowy gość. – O, cześć, Maura, właśnie opowiadałam Florence o moim ostatnim poronieniu, za chwilę do ciebie przyjdę. Nie do wiary, że się na to zgodziłam – przyjęcie na cześć jakiegoś projektanta biżuterii, jakie to pospolite! Nie rozumiem, dlaczego się na to zdecydowałam. Poznałam go w Kairze, kupiłam trochę jego biżuterii i powiedziałam: „Zadzwoń, kiedy przyjedziesz do Nowego Jorku, coś zorganizuję". Nawet mi do głowy nie przyszło, że rzeczywiście się pojawi! Coś okropnego.

Już była pijana. Mówiono, że za dużo pije i bierze różne pigułki, ale przynajmniej kiedyś była żoną bogatego chińskiego restauratora. Z jakiegoś powodu to jej zapewniło lepszą pozycję, niż gdyby nigdy nie miała męża. Zataczając się, poszła dalej – miała niebotycznie wysokie szpilki – a Florence przedostała się przez zatłoczony pokój do jadalni, łapiąc po drodze szparaga z tacy niesionej przez kelnera. Umierała z głodu. Czuła, że nie wytrzyma już ani chwili, musi zapchać się jedzeniem, lecz za każdym razem, kiedy dostrzegała kelnera, ten niósł tacę z kruchymi ciasteczkami pełnymi masła i nadziewanymi serem lub czymś równie tuczącym.

Przyjęcie wyglądało obiecująco. Lisa znała samych bogaczy – dbała o to, by obracać się tylko w takich kręgach. Może w najbliższej przyszłości zażąda czegoś od Florence. Trudno było uwierzyć, że zapomniała, iż Florence nie jest bogata. Wtedy Florence się przypomniało, że to przyjęcie połączone ze sprzedażą biżuterii. Tak czy siak, Lisa najwyraźniej nie zdawała sobie sprawy z niezamożności Florence i założyła, że stać ją na taki wydatek. Projektant, okrągły jak worek treningowy, miał na głowie fez ozdobiony króliczkami z filcu i stał w jadalni przy stole przykrytym fioletowym aksamitem. Na jego powierzchni rozrzucono biżuterię: ogromne, jarmarczne łańcuchy szmaragdów i rubinów nie najwyższej jakości, które wyglądały jak szklane bryłki, plastikowe bąbelki. Wzięła do ręki obróżkę na szyję.

– Pomogę ją pani zapiąć – powiedział projektant. – Wygląda fantastycznie.

Florence wzruszyła ramionami.

– Ile kosztuje?

– Ta? – Otworzył mały notes. – Trzy tysiące. Ręczna robota. – Przyjrzał jej się z pożądaniem udającym serdeczność. – Pięknie na pani wygląda! Jest pani modelką? Mam nadzieję, że jeśli ją pani kupi, to pozwoli się sfotografować do mojej broszury. Proszę spojrzeć! – Złapał podobną obróżkę z jakimiś niebieskimi kamieniami i jednym wiszącym pośrodku i przyłożył ją sobie do szyi. – Może ją pani nosić tak albo tak, każdy egzemplarz jest wielofunkcyjny. Czy zna pani prace...? – Wymienił nazwisko znanej projektantki mody. – Ma wykorzystać moje naszyjniki w swojej wiosennej kolekcji. Będą sprzedawane tylko w kilku wybranych sklepach. Ten jest z niebieskimi topazami. Proszę przymierzyć. Myślę, że świetnie by pasował do pani błękitnych oczu.

– Bardzo ładny. – Przejrzała się w lustrze. Rzeczywiście ładnie na niej wyglądał. Zastanawiała się, czy go kupić. Kosztował fortunę, ale może dałaby radę go spłacić w ciągu roku czy dwóch lat. Głupio nie kupić czegoś, w czym wygląda fantastycznie, to inwestycja na przyszłość. Schyliła głowę, by go rozpiąć. – Przymierzę jeszcze kilka.

– Uważam, że jest pani najlepiej wyglądającą osobą w tym pokoju. – Koło niej stanęła ciemnowłosa dość brzydka kobieta w jaskrawoczerwonej garsonce z koszmarnie wywatowanymi ramionami. – Kupuje coś pani? – Kobieta mówiła nosowym głosem jak ktoś, komu zależy na tym, by sprawiać wrażenie absolwenta szkoły z internatem. Nie najlepiej jej to wychodziło. – Zastanawiam się nad tą ametystową bransoletką. To mój przyjaciel, Thor.

– Jaki miły komplement! Jestem Florence Collins.

– Widzisz, Thor? Mówiłam mu, że to najlepiej wyglądająca osoba w tym pokoju. Pani też jest bardzo miła! – Kobieta czmychnęła, ale nieszczęsny Thor został. Był uroczy, ale prawdopodobnie dopiero niedawno przekroczył dwudziestkę.

Florence ujęła go pod ramię.

– Muszę się zastanowić, czy chcę coś kupić – powiedziała. – Usiądę i pomyślę.

Najwyraźniej nie wiedział, czy Florence go zaprasza, by do niej dołączył.

– Nazywam się Thor Thorson.

– Usiądź ze mną na chwilkę. Ładna ta biżuteria, prawda?

Posłusznie opadł koło niej na jedno z krzeseł w czarno-białe pasy, które ustawiono pod ścianami, by zrobić miejsce dla osób, które chciały obejrzeć biżuterię.

– Lisa ma ładne mieszkanie, prawda?

– Uważam, że to bardzo śmiały krok pomalować ściany na czarno. Są czarne prawie jak węgiel. Ładnie to wygląda.

– Tak, ładnie.

Miał na sobie garnitur w prążki, pantofle od Gucciego i skarpetki – również prążkowane. Podobały jej się jego zakłopotane oczy za grubymi szkłami.

– Ładne skarpetki, Thor! – powiedziała. – Rzadko widuje się mężczyzn w skarpetkach w prążki.

– Och, naprawdę ci się podobają? Czasami lubię sobie zaszaleć, jeśli chodzi o wybór skarpetek. Moje ulubione miały wzór z indyków. Te też lubię. Mam je na sobie chyba pierwszy raz.

– Ładne. Oczywiście problem ze skarpetkami polega na tym, że zawsze gubi się jedną z ulubionej pary.

– Mój przyjaciel nosi podwiązki podtrzymujące skarpetki.

– Na pewno w ten sposób odcina sobie dopływ krwi. To niezbyt zdrowe.

– Jesteś pielęgniarką? – spytał Thor.

– Nie, nie jestem pielęgniarką. – Usiłowała wymyślić jakiś temat, dzięki któremu zachowałaby pozory rozmowy. – Dlaczego pytasz? Jesteś lekarzem?

– Tak.

– O, to... bardzo interesujące. W czym się specjalizujesz?

– Właściwie nie wykonuję swojego zawodu. – Kiedy przyjrzała mu się dokładniej, doszła do wniosku, że Thor na pewno ma nie więcej niż dwadzieścia cztery lata, ale może po prostu młodo wyglądał. – Inwestuję w firmy.

– Ale byłeś lekarzem?

– Tak, kiedyś byłem lekarzem.

– Jakim?

– Po studiach właściwie nie wykonywałem zawodu. Postanowiłem zająć się inwestowaniem w nowe technologie medyczne.

– To cudowne.

– Słyszałaś o tej nowej metodzie korekcji wzroku? Ma przyszłość. Dużo w nią zainwestowałem.

– Taka operacja musi być straszna.

– Jest absolutnie bezpieczna.

– Gdybyś teraz rozpoczął praktykę, jaki dział medycyny byś wybrał?

Wzruszył ramionami.

– Dermatologię.

– Szkoda, że nie jestem lekarzem. Nigdy nie studiowałam medycyny, ale zawsze chciałam być lekarzem. Jeździłabym na te opłacane przez podatników wycieczki do krajów Trzeciego Świata, dokąd lekarze pływają statkami, a potem zakładają szpital na wodzie albo w dżungli, operują dzieci i zmieniają ludzkie życia. – Na chwilę rzeczywiście ujrzała się w wianuszku brązowych twarzy dzieci i ich matek, łkających z wdzięczności i niosących całe naręcza arbuzów i kiście bananów. Uśmiechnęła się bardziej do siebie niż do Thora, który nagle strasznie zbladł, jakby go spoliczkowała. Podniósł się.

– Ja czynię dobro na świecie, inwestując w nowe technologie medyczne. Prawdopodobnie przyniesie to więcej korzyści! – Bez słowa usprawiedliwienia szybko podszedł do swojej znajomej, która wcześniej usiłowała ich ze sobą skojarzyć.

Może traciła wyczucie. Nie miała pojęcia, że jej paplanina tak zrani Thora. Czyżby pomyślał, że Florence usiłuje go oskarżyć? Tak czy siak, było w nim coś, co wywoływało gęsią skórkę, a poza tym chyba go nie zainteresowała, spodobała się tylko jego znajomej, która uznała, że Florence jest dla niego odpowiednia. Ten Thor to pewnie jakiś pomniejszy kanciarz, który próbuje znaleźć bogatą dziewczynę, i ocenił, że Florence ma nie więcej pieniędzy niż on sam. A może spostrzegł, że jest prawie dziesięć lat starsza? Mógł też być bardzo bogaty, ale szukał słynnej modelki - jak oni wszyscy, prawda?

Była za dwadzieścia ósma. Ledwo miała czas, by dotrzeć na drugi koniec miasta, ale ostatecznie postanowiła pójść z Darrylem Leverem na ten koncert. Już miała spytać projektanta biżuterii, jak długo zamierza zostać w mieście, i dowiedzieć się, czy mogłaby dać mu zaliczkę, kiedy do pokoju wpadła Lisa, która ścigała jakiegoś chłopaka tuż po dwudziestce, z długimi, przetłuszczonymi, czarnymi włosami i kozią bródką, w garniturze w zielono-niebieskie paski, zaprojektowanym przez francuskiego kreatora mody znanego ze zwariowanych i ekscentrycznych męskich strojów.

– Lisa chce ci coś powiedzieć! – chłopak krzyknął przenikliwie do projektanta biżuterii. Jego głos nie pasował do wyglądu, który miał stanowić połączenie partyzanta z alfonsem i właścicielem wytwórni muzycznej z Ameryki Łacińskiej.

– Charles mówi, że powinieneś mi dać naszyjnik albo przynajmniej obróżkę na szyję za to, że wydałam na twoją cześć to okropne przyjęcie! – powiedziała Lisa. – Takie imprezy to straszna żenada! Równie dobrze mogłabym wydać przyjęcie połączone z promocją sprzętu kuchennego!

Chłopak z kozią bródką ryknął śmiechem.

– Lisa, na twoim miejscu nie mówiłbym o tym głośno!

– Ale to był twój pomysł, żeby wydać to przyjęcie!
– Projektant biżuterii wyglądał, jakby go przysłano z agencji castingowej do odegrania roli postaci z filmu szpiegowskiego z lat czterdziestych; przedtem podejrzany, nieco złowieszczy, teraz niemal doprowadzony do łez przez żonę oficera SS lub kobietę smoka. – Nic nie sprzedałem!

10

Dotarła do Lincoln Center zaledwie parę minut przed rozpoczęciem koncertu. Nawet nie miała pewności, czy Darryl jeszcze na nią czeka, lecz on stał w holu z wyrazem podenerwowania na twarzy, który zastąpiła ulga, gdy Florence zbliżyła się do niego.

– Przepraszam.

– Szybciej. No, chodź! – Złapał ją za rękę i pogonił na górę. Znajdowali się wśród ostatnich osób, które weszły na widownię. Bileterka przy drzwiach trzymała całe naręcze programów i Florence sięgnęła po jeden.

– Czy ma pani program? – spytała bileterka, cofając stertę. Florence pokręciła głową i znowu wyciągnęła rękę. – Czy ma pani program? – powtórzyła bileterka, tym razem opryskliwie wykrzywiając usta.

– Nie, nie mamy programów – powiedział Darryl.

Bileterka już im miała podać dwa, kiedy Florence znowu wyciągnęła rękę, by wziąć ten z góry. Bileterka wyrwała jej oba.

– Czy ma pani program?

– A widzi pani, żebym miała? – spytała Florence. Czuła, jak narasta w niej wrogość. Kobieta rzuciła jej gniewne spojrzenie. – Nie, nie mam programu.

– Czy życzy sobie pani program?

Kobieta czekała na odpowiedź Florence, która jednak nie mogła się na nią zdobyć. Bileterka podała program Darrylowi – tylko jeden.

No dobrze, może to wariatka. Kobieta zerknęła na bilety w dłoni Darryla i odebrała mu je, by sprawdzić, gdzie mają miejsca.

– Czy wskazać państwu miejsca?

– Tak, poprosimy.

Darryl starał się jak mógł, żeby ją udobruchać. Florence czuła, że jego zdaniem to ona w jakiś sposób sprowokowała bileterkę.

– Chętnie wskażę państwu miejsca, jeżeli pokażą mi państwo bilety! – Słowa te zostały skierowane do Florence. Teraz kobieta okazywała jej nieskrywaną nienawiść, a Florence nic nie mogła poradzić na to, że rewanżowała się tym samym. Uświadomiła sobie, że nadal gapi się tępo na bilety, bileterka zaś najwyraźniej odebrała to jako akt rozmyślnej złośliwości. Niemal wbrew własnej woli podała bilety kobiecie, która rzuciła na nie okiem. – Tam są państwa miejsca – powiedziała, wskazując ręką.

– Bardzo dziękujemy!

Darryl zawsze zachowywał się przesadnie grzecznie, zwłaszcza wobec osób, które – zdaniem Florence – cechowała wyjątkowa arogancja, grzeczność ta była jednak pozbawiona ironii czy wrogości. Nikt nigdy nie dopatrywał się w niej sarkazmu, który bez wątpienia dostrzegano u Florence. Wszystkich umiał udobruchać. Zaprowadził ich na miejsca. Zerknęła za siebie i zobaczyła, że bileterka spogląda na nią pogardliwie. Nie potrafiła zrozumieć, co właściwie się stało. W jednej chwili bileterka najwyraźniej poczuła do niej antypatię i dołożyła wszelkich starań, żeby udowodnić, że to Florence jest gburem. Florence żałowała, że nie potrafi ignorować takich incydentów lub przynajmniej nie traktować ich osobiście. Nie było sensu pytać Darryla, czy według niego wydarzyło się coś dziwnego. Nigdy nie zważał na takie rzeczy. A nawet gdyby coś zauważył, powiedziałby, że to jej wina, że często zachowuje się wyniośle. Może rzeczywiście była nieco arogancka, ale gdyby nie udawała ważnej osoby, nikt by jej za taką nie uznał. Jak Darryl mógł to zrozumieć? Był mężczyzną, a mężczyzn – zwłaszcza białych – zawsze traktowano jako szczególnie ważne osoby. Studiował w Harvardzie. Z własnego wyboru pracował dla biednych. Mężczyźni, którzy znajdowali się na samym szczycie drabiny, mogli sobie pozwolić na wspaniałomyślność dla ustawionych niżej.

Niemal matczynym gestem pomógł jej zająć miejsce, a kiedy już została uwięziona w fotelu, spojrzał na nią z satysfakcją.

– Po tym, co mi zrobiłaś poprzedniej nocy, już miałem ci powiedzieć, żebyś nie przychodziła – powiedział wyzywająco. Na scenę weszła orkiestra. Muzycy mieli na sobie nędzne czarne garnitury, a kobiety były ubrane w obrzydliwe, jaskrawe, fioletowo-zielone topy, jakby dyrygent kazał im założyć „dla odmiany coś kolorowego i wesołego". Na twarzy Darryla na chwilę pojawiła się panika. Florence, zbesztana, mogła nagle się podnieść i wybiec z teatru. – Tylko żartowałem – powiedział, biorąc ją za rękę.

Była pewna, że niektóre kobiety uznałyby go za czarującego, a nawet seksownego. Każde zakończenie nerwowe w jej ciele skręcało się pod jego dotykiem. Był czyściutki jak mały kotek – nie miała nic przeciwko czystości, lecz jej ciało buntowało się przeciwko niemu. Jego czarne włosy podwijały się z tyłu, tworząc dziwnie staroświecką falę, a na dość arystokratycznie zadartym nosie tkwiły okularki w drucianych oprawkach. Nawet zbyt mały podbródek potęgował wrażenie wyrafinowania. Darryl był próżny – to jasne, miał małe, białe i pulchne dłonie, opiłowane paznokcie i gładką, miękką jak u dziecka skórę – ale co mu dawało takie prawo? Czyż nie widział, jak głupio wygląda w tym tandetnym ciemnoniebieskim garniturze, który pasowałby do starszego mężczyzny, kupionym pewnie w sklepie z używaną odzieżą?

Jej podobali się duzi blondyni w kalifornijskim stylu, z seksowną głupotą malującą się na twarzach, lub tacy jak Raffaello, w typie opalonych europejskich zabijaków szusujących po narciarskich stokach. Myśląc o Raffaello, poczuła, że pogrąża się w depresji. Czy dlatego, że mu obciągnęła, miał wrażenie, że ją zdobył i już nie widział żadnego pożytku w kobiecie, którą zdążył uwieść? Ale w końcu się z nim nie przespała, a takich incydentów Europejczycy – w przeciwieństwie do Amerykanów – nie traktują poważnie. Gdyby obciągnęła Darrylowi, zakochałby się w niej jeszcze bardziej i przyjąłby to za znak, że są zaręczeni lub przynajmniej łączy ich coś poważnego. Gdyby na jego miejscu znalazł się inny typ amerykańskiego samca, surferprzystojniaczek, uciekłby ze strachu. Ale Raffaello z pewnością nie zaliczał się do żadnej z tych dwóch plebejskich kategorii.

Na scenie pojawił się słynny flecista. Publiczność zaczęła bić brawo i zabrzmiała muzyka, koncert Mozarta. Florence nie mogła się uspokoić. Rozejrzała się po widowni. Z tyłu niemal wszyscy widzowie wyglądali na siwowłosych. Kobieta obok niej miała na sobie koszmarną długą, kwiecistą spódnicę, a wszystkie inne, które mogła dojrzeć, były ubrane w nędzne, kwieciste niemodne topy z bufiastymi rękawami lub bure szale mające chronić przed – w dużej mierze wyimaginowaną – klimatyzacją. Co ona robi w samym środku tego tłumu, który przypominał bandę starych profesorów i babć niemających zielonego pojęcia o modzie, dobrych restauracjach czy zimowych wycieczkach do St. Barts i letnich wakacjach w Hamptons?

Na twarzy Darryla malował się wyraz błogości. Niewątpliwie był szczęśliwy, że udało mu się porwać ją na ten wieczór i wcisnąć w fotel jak motyla do butelki. Teraz nie miała możliwości go porzucić i uciec z innym mężczyzną. Jak on mógł tu siedzieć i zachwycać się jakąś staroświecką muzyką? Wiedziała, że powinna lubić i doceniać muzykę poważną. Nie chodzi o to, że za nią nie przepadała; z pewnością znalazłoby się dla niej miejsce. Nadawała się na ścieżkę dźwiękową do jednego z tych starych filmów, w których bohaterka wybiera się na bal. Ale poza tym była martwa, powinno się ją zamknąć w pudle, nie miała żadnego związku ze światem końca dwudziestego wieku. Jak można czerpać przyjemność z odkopywania jakiegoś starego trupa, z którego został sam proch i uschnięte ścięgna?

Między częściami koncertu Darryl odwracał się i spoglądał na nią oczami lśniącymi od ekstazy, jakby spodziewał się, że te chwile ciszy połączą ich w miejscu, którego nigdy nie odwiedziła. Po pierwszej części zrozumiała, o co mu chodzi, a w trakcie następnej uśmiechnęła się do niego, choć dość słabo – to powinno wystarczyć. Po każdej części publiczność wybuchała gwałtownym kaszlem. Następny utwór, skomponowany przez Bacha, wykonał maleńki wietnamski skrzypek. Tym razem po drugiej części oniemiali widzowie ucichli, po czym nagle rozległo się spontaniczne westchnienie pełne zachwytu. „To najwspanialsze... jakie kiedykolwiek słyszałem..." – wymamrotał mężczyzna za nią. Darryl nieomal mdlał z rozkoszy. Co jest z tymi ludźmi – albo z nią samą? Czy po prostu udają rozemocjonowanie, czy to ona nie potrafi przeżywać? Myślała tylko o przerwie i drinku.

– Fantastyczne, prawda? – powiedział Darryl, po czym dodał bardziej niepewnym tonem: – Podoba ci się?

– Uhm. – To irytujące, że tak potrzebował jej potwierdzenia. Kupił dla niej plastikowy kieliszek beznadziejnego szampana i colę dla siebie i zaniósł do wyściełanej ławy koło windy, gdzie siedziała. Teraz, kiedy mogła się z bliska przyjrzeć tym ludziom, wyglądali jeszcze gorzej. Była wśród nich pewna kobieta, którą znała z gazet i w której rozpoznała umiarkowanie znaną pisarkę – brzydką czterdziestolatkę z mocno skręconymi włosami i w zupełnie niemodnej długiej, plisowanej spódnicy i czerwonym swetrze. Dlaczego o siebie nie zadba? To absurdalne – mieszkać na Manhattanie i nie nadążać za najnowszymi trendami. Nic dziwnego, że od przynajmniej dziesięciu lat żadna z jej książek nie została bestsellerem. Wyglądała jak stara hipiska, kompletne bezguście. Przynajmniej mogłaby się porządnie ostrzyc i nie łazić w starej plisowanej spódnicy babuni. Oczywiście większość kobiet z widowni wyglądała podobnie: jedna miała na sobie czarną sukienkę, brązowe sandały i biały żakiet; inna – niebieską, kwiecistą sukienkę z poliesteru i białe czółenka ze sztucznej skóry, odpowiednie w sam raz na mormońską wieś. Może to turyści albo psychicznie chorzy? Nie wiedziała, dlaczego widok bandy obdartych odmieńców tak ją wzburzył. Nawet sam teatr był źle zaprojektowany i tandetny jak lotnisko. Niegdyś obecność na takim koncercie stałaby się tematem powieści Edith Wharton, a muzyka odgrywałaby poślednią rolę: przyszliby tu wszyscy z towarzystwa, młodzi zerkaliby na siebie, a dorośli aranżowali małżeństwa i załatwiali interesy. Teraz była to zbieranina nieudaczników, którzy wszystkiego sobie odmawiali, by zaoszczędzić pieniądze na bilety na tak żałosną imprezę.

– ... więc jutro chcą powtórzyć testy, a jeżeli wynik znowu okaże się pozytywny, zrobią mi prześwietlenie.

– Co?

– W ogóle nie słuchałaś, prawda?

– Powtórz tylko ostatnie zdanie.

– Mówiłem, że kiedy poszedłem do kontroli, lekarz zrobił mi test na gruźlicę, który dał wynik pozytywny. Ale te wyniki nigdy nie dają stuprocentowej pewności, więc trzeba powtórzyć badanie.

– Dlaczego nie mogą stwierdzić, czy wynik jest pozytywny, czy nie?

– Robią ci zastrzyk. Jeżeli potem pojawia się opuchlizna i zaczerwienienie, to wynik jest pozytywny. W moim wypadku było zaczerwienienie i lekka opuchlizna, więc nie wiedzą, czy mam gruźlicę, czy to fałszywy wynik pozytywny.

– Och! To potworne! To znaczy, straszne. Co się z tobą stanie, jeżeli masz gruźlicę?

– Teraz jest na nią lekarstwo. To żaden problem. Wiesz, w mieście pojawia się coraz więcej przypadków gruźlicy, zwłaszcza wśród bezdomnych, a przecież to z nimi pracuję przez cały dzień. Od spania na ulicy, narkotyków i braku właściwego pożywienia spada im odporność – niesamowite, na co chorują niekórzy z nich. Zaprzyjaźniłem się z jednym takim i zauważyłem, że z tygodnia na tydzień jego prawa noga robi się coraz większa. Po jakimś czasie ledwo mógł chodzić. W końcu zabrałem go do Bellevue. Okazało się, że złapał jakąś tropikalną chorobę. Lekarze nie mogli uwierzyć, że na Manhattanie zdarzył się taki przypadek. Ciągle go pytali, czy był ostatnio w Afryce, ale twierdził, że nie. Wiesz, Bellevue to najlepsza klinika w mieście, gdzie leczą choroby tropikalne. Tamtejsi lekarze, dzięki pracy z bezdomnymi i ludźmi, którzy nie mogą zapłacić za leczenie, stali się prawdziwymi ekspertami od chorób tropikalnych i ran postrzałowych. A teraz, po tych wszystkich cięciach, ci ludzie nie mają dokąd pójść.

– To ohydne.

Przerwa się skończyła, więc Florence szybko wypiła ostatnie krople szampana i wróciła z Darrylem na swoje miejsce. Było dziesięć po dziewiątej. Koncert z pewnością potrwa do dziesiątej. Usiadła, przygotowana na niekończące się pięćdziesiąt minut. Orkiestra zagrała utwór Vivaldiego, a potem jakiegoś Niemca z okresu baroku, którego nazwiska nie słyszała nigdy wcześniej. Miała nadzieję, że nie będzie musiała przez najbliższą godzinę zamartwiać się, co się z nią stanie, ani snuć obsesyjnych rozmyślań na temat Raffaello. Kiedy ją coś zdenerwowało, jak staroświecka zdarta płyta zatrzymywała się na jednym problemie, jednej kwestii, jednej myśli. Jednakże, ku jej zdziwieniu, minęła zaledwie minuta, a widownia już zaczęła wściekle bić brawo.

– Co się stało? – spytała, skonsternowana.

– Jak to?

– Druga połowa koncertu była taka krótka! – Spojrzała na zegarek. Dochodziła dziesiąta; minęło pięćdziesiąt minut. Gdzie ona była przez ten czas? Bardzo dziwne. Czy celem koncertu jest to, by słuchacz opuścił swe ciało jak zombi? Nie widziała w tym żadnego sensu. Wyszła za Darrylem z widowni, zbita z tropu i oszukana. Czuła się tak, jakby została uprowadzona przez kosmitów i nie mogła wytłumaczyć tej przerwy w życiorysie.

Dała się zaprowadzić na drugą stronę ulicy do hałaśliwej restauracji. Kelnerzy na wrotkach przeciskali się przez tłum od stolika do stolika. Poczuła chwilowe wyrzuty sumienia – Darryl nie miał pieniędzy, jego kancelaria adwokacka w całości utrzymywała się dzięki dotacjom, a on sam prawie nic nie zarabiał – ale umierała z głodu. Oczywiście w tej restauracji, pełnej nieprzyjemnie głośnych, pseudomodnych ludzi, podawano tylko najbardziej prymitywne dania. W menu znajdowały się smażone kalmary, hamburgery, kilka rodzajów sałatek, które – sądząc po ogromnej misie stojącej na sąsiednim stoliku – zawierały głównie sałatę lodową, sałatę rzymską, grzanki i sos. W końcu zdecydowała się na talerz makaronu z krewetkami i owocami morza w sosie marinara.

Darryl patrzył na nią z zachwytem.

– Dobrze się bawiłeś wczoraj wieczorem? – spytała. Było to niemal jak policzek. Poprzedniego wieczoru zupełnie go zignorowała i wyszła na spotkanie z Raffaello, nawet nie zawracając sobie głowy tym, by wziąć Darryla na bok i się z nim pożegnać, nie potrafiła jednak wymyślić innego sposobu na wybrnięcie z niezręcznej sytuacji. – Co myślisz o tej Tracer? Bardzo jej się spodobałeś!

Zaprosiła mnie do siebie – kiedy to było? Parę dni temu. Chyba chciała wydobyć ze mnie jakieś informacje na twój temat. Nie uwierzysz, jaka jest bogata! Nieźle nadziana. – Uznała, że może zachwalać Tracer, wiedziała bowiem, że Darryl nigdy się w niej nie zakocha. Może wyjawienie, że Tracer próbowała dowiedzieć się czegoś o Darrylu, było nielojalne, ale dlaczego miałaby zachować wobec niej lojalność? Tracer z pewnością uwierzyła we wszystko, co jej powiedział John de Jongh, bo kiedy rozmawiały przez telefon, była wyjątkowo chłodna i nieprzyjazna.

– Jest miła. To miła dziewczyna. – Darryl lekceważąco machnął ręką. – Zazwyczaj dziewczyna tak bogata jest jak ludzik z papieru, sprawia wrażenie opakowanej w plastik. Ale ona bardzo twardo stąpa po ziemi. Przydałaby ci się taka przyjaciółka.

– Uhm. Przepraszam, muszę iść do toalety.

Przecisnęła się między kelnerami mknącymi na grzechoczących wrotkach. Koło toalet znajdował się automat. Wykręciła swój numer telefonu, a potem kod, by przesłuchać wiadomości nagrane na sekretarce. Pomyślała, że chyba upadła na głowę, skoro wierzy, że Raffaello mógłby do niej zadzwonić. Nic jednak nie mogła na to poradzić. Miała wrażenie, jakby coś jej pękło w głowie, jakby neurony z trudem przeskakiwały między synapsami, nie mogąc pokonać przepaści. Piśnięcia oznaczały, że ma trzy wiadomości. Czekała niecierpliwie. Pierwsza pochodziła od Johna de Jongha, druga – od Darryla, który dzwonił z holu filharmonii i mówił, że jest za dziesięć ósma i nie wie, czy Florence w ogóle przyjdzie, a trzecia... ale to znowu był tylko John de Jongh. Wyrzuciła go zeszłej nocy. Pewnie poszedł prosto od niej na kolację z Tracer i innymi, obgadał ją z zemsty, a następnego dnia zadzwonił, jak gdyby nigdy nic.

W kolejce do telefonu czekał całkiem przystojny facet – bejsbolówka, spodnie khaki, koszulka polo, opalenizna – typ, który chodził najpierw do dość ekskluzywnej szkoły z internatem na Wschodnim Wybrzeżu, a potem do średniej klasy prywatnego college'u w otoczeniu licznych siedzib bractw studenckich i pobliskich stoków narciarskich, a zaraz potem rozpoczął pracę w firmie swojego ojca. To z nim powinna teraz jeść kolację, a nie z jakimś dziwacznym Darrylem, który zbyt bacznie się w nią wpatrywał.

– Co się stało? – spytał, kiedy odwiesiła słuchawkę.

– To samo co zawsze.

– Tak? Siedzę przy barze – miałabyś ochotę na drinka?

– Yyy... Nie, jestem tu ze znajomym. Może uda mi się go spławić! – Oboje się roześmiali.

– Nazywam się Bill Smiley. Przyjaciele mówią do mnie Smiley.

– Jestem Florence.

– Florence! Dość... niespotykane imię. No, pozbądź się tego kolegi.

– Może.

– Proszę, to moja wizytówka. – Podał jej wizytówkę z wydrukowanym nazwiskiem i słowami GRINNING FLICK PRODUCTIONS nad numerem telefonu i faksu.

– Co to jest Grinning Flick Productions? – spytała.

– Firma z branży filmowej. Jesteś aktorką? – Użył tego pytania jako wymówki, by móc ją obciąć wzrokiem, niemalże parodiując seksualne zainteresowanie, co dało efekt przeciwny do zamierzonego. Pokręciła głową. – Jeszcze jakiś czas posiedzę przy barze, właśnie kończę spotkanie, do zobaczenia później!

Została odprawiona. Nawet nie poprosił, by do niego zadzwoniła. Miał wszystkie atuty, a przejawem jego zainteresowania było to, że nie użył choć jednego z nich. Wszystko przemawiało na jego korzyść – był przystojny, najwyraźniej bardzo bogaty, tuż po trzydziestce, pracował w przemyśle filmowym – kiedy wróci do baru, pewnie rzuci się na niego z pół tuzina kobiet. Przynajmniej zachowała styl i atrakcyjny wygląd – prawdopodobnie po raz pierwszy od lat zaczepił obcą dziewczynę przy telefonie. Kobiety z Nowego Jorku są agresywne. Każda inna, widząc go stojącego samotnie, natychmiast zaczęłaby błagać o ćwierć dolara, papierosa lub spytałaby o godzinę – cokolwiek, żeby tylko rozpocząć flirt.

Wróciła do swojego stolika. Kelner przyniósł jedzenie w mgnieniu oka, ale Darryl niecierpliwie czekał na nią.

– Jak szybko! – powiedziała. – Powinieneś był zacząć beze mnie!

Wyglądał na rozkojarzonego. Może w ogóle nie zauważył, że danie ma już przed sobą.

– Florence – zaczął – czy możemy porozmawiać?

Spojrzała przez salę i zauważyła, że Bill Smiley już wrócił od telefonu i siedzi przy barze. Podniósł kieliszek w jej stronę. Dwie kobiety przy barze wyraźnie usiłowały zwrócić na siebie jego uwagę. Odruchowo uśmiechnęła się, zadowolona z jego zainteresowania.

– Nie chciałbym cię zaskakiwać, ale wiesz, że od dawna jestem w tobie zakochany. Myślę, że powinniśmy się pobrać.

11

– Och, Darryl... – Zwariował, czy jak? Czy po prostu jest żałosny? Przecież chyba widzi, że nie pasują do siebie? Już mu dała do zrozumienia, czego oczekuje od mężczyzny. Nie była nim zainteresowana. Nigdy jej nie obchodził.

– Nie, nie, zanim cokolwiek powiesz, wysłuchaj mnie. Pewnie myślisz, że jestem biedny, ale... to się może zmienić. Jeżeli chcesz, rzucę swoją pracę.

– To jest bez znaczenia. – Pomyślała sobie, że straszna z niej kłamczucha. To prawda, że nie należała do jego ligi – on pochodził z lepszej. Był szlachetnym dobroczyńcą o czystym sercu na planecie, gdzie reakcją na dobre uczynki było potępienie i policzek w twarz, jeśli nie coś gorszego. Patrzył na nią z zachwytem. W porządku, kilka razy się z nim przespała, ale to było całe wieki temu. Zrobiła to, zanim odszedł z tej ekskluzywnej firmy na Wall Street – jednej z najstarszych i najwspanialszych – i wstąpił na drogę świętości.

Teraz nie mógł uwierzyć, że po paru spotkaniach nie chciała znowu z nim pójść do łóżka, bo nie była nim zainteresowana. Przyjmował jej zachowanie z całym szacunkiem, jakby istniały jakieś dziwne nowoczesne zasady mówiące, że partnerzy mogą raz czy dwa razy skosztować siebie nawzajem, a potem aż do ślubu nie dopuszczać do zbliżenia.

– Darryl, słuchaj – powiedziała raptownie – nie rozumiesz, że jesteś... taki miły i dobry, a ja... nie mam żadnej etyki ani wartości?

Ujął jej rękę i pogłaskał z roztargnieniem.

– Nie, nie, nie mów tak. Oczywiście, że masz. Jesteś bardzo moralną osobą. Wyznajesz mnóstwo wartości.

– Obudź się, Darryl. Przynajmniej bądź wobec mnie szczery. Nie wyznaję żadnych wartości poza tym, że pragnę pieniędzy. Pieniędzy i statusu. Uznajesz to za wartość? Pewnie, czasami źle mi z tym, że jestem płytka i powierzchowna, ale przeważnie myślę sobie: taka już jestem, wszyscy inni są tacy sami, dlaczego miałabym się od nich różnić? Chcę, czego chcę, i już.

– Nie jesteś płytka ani powierzchowna! Znam cię! – Zdenerwował się. Nie chciał uwierzyć jej na słowo. To jasne, że nikt by się nie przyznał do swojej płytkości i powierzchowności. Ale dlaczego ona nie miałaby się do tego przyznać? Manhattan to obskurny świat zamieszkany przez postaci wycięte z papieru, a ona jest jedną z nich. Gdyby pszczoła w ulu składającym się z milionów innych pszczół mogła mówić, czy powiedziałaby, że jest niepowtarzalna, że szuka czegoś innego niż pyłku, którego szuka cała reszta? Jej pyłkiem były pieniądze i status. Mogła je zdobyć tylko wtedy, gdy pozbyła się wszelkich śladów człowieczeństwa, a tego nie uważała za zbyt wysoką cenę. Skala przyjemności, którą znała, wydawała się mikroskopijna w porównaniu z całym bólem i lękiem, jakie musiała znosić na co dzień.

– Darryl, posłuchaj. Wiem, że nie chcesz mnie uważać za płytką i powierzchowną. Nie jestem złym człowiekiem, ale nie jestem też dobra. Nawet nie wierzę w dobroć. Myślę, że to, co robisz, jest wspaniałe. To znaczy, to wspaniale, że własnym zdaniem czynisz dobro. Ale ja tego nie widzę w ten sposób. Pomagasz w wydawaniu ustawy, zgodnie z którą bezdomni menele będą mogli oddawać do supermarketu miliony puszek po napojach, co wcześniej nie było dozwolone. Albo walczysz z ustawą, która im zabrania żebrać w metrze. A oni wracają na ulicę, palą crack i umierają. Albo te jadłodajnie, gdzie radzisz bezdomnym, jak dostać rentę. Co, jeżeli jeden z nich coś z tego zrozumie, pójdzie za twoją radą, zacznie dostawać rentę, znajdzie sobie jakieś obskurne, nędzne mieszkanie? Wróci do tego nieludzkiego społeczeństwa i… sama nie wiem, zacznie molestować dzieci. Albo bić swoją dziewczynę. Po prostu… po prostu nie mogę uwierzyć, że istnieje szansa na ulepszenie świata. Już i tak zbyt dużo wysiłku kosztuje mnie troska o samą siebie.

– Ja się tobą zaopiekuję. – W ogóle jej nie słuchał. Po raz pierwszy pozwoliła sobie ujawnić, jak głęboko jest zakorzeniony jej cynizm i gorycz, a on i tak patrzył na nią z uśmiechem, jego brązowe oczy zerkały znad oprawek staroświeckich okularków. Kochał ją. Gdyby tylko sama jego miłość mogła jej dać szczęście! Większość kobiet – również jej matka – pewnie by się cieszyła, ale w końcu kobiety są wdzięczne za każdy okruch!

– Masz ładne oczy – wymamrotała. Jego rzęsy były gęste jak u cielaka rasy Jersey – zbyt ładne jak na mężczyznę. Niemal zarumienił się ze skrępowania i radości z tego komplementu. Nagle schowała twarz w dłoniach i się rozpłakała. – O Boże, Darryl, co ze mną będzie? Potrzebuję pieniędzy. Potrzebuję pieniędzy. Potrzebuję pracy. Tonę w długach i stracę mieszkanie. Potrzebuję męża. – Wstał i przysunął do niej swoje krzesło.

– Nie płacz, Florence. Słuchaj, jestem z tobą. Zaopiekuję się tobą. – Wyjął z kieszeni chusteczkę i niezręcznie podsunął ją Florence pod nos. Chwyciła ją i wydmuchała nos, wściekła na samą siebie. Otoczył ją ramionami i próbował przytulić, ale go odepchnęła. – Przecież powiedziałem, że się z tobą ożenię.

– Daj mi spokój. Nie potrzebuję żadnych przysług. – Podświadomie wiedziała, że jego słowa nie do końca zabrzmiały tak, jak chciał. Darryl się nad nią nie litował, on ją kochał. Biedak, stanął na ruchomych piaskach.

– Ja tylko próbuję ci pomóc. – Wyglądał na zranionego.

– Jeżeli naprawdę chcesz mi pomóc, to daj mi spokój. – Nagle coś jej przyszło do głowy. – Słuchaj, mam trochę biżuterii. Nie... nie całkiem należy do mnie. Gdybym ci ją dała, przechowałbyś ją? Mogłabym powiedzieć, że włamano się do mojego mieszkania i je okradziono. Ta kobieta dostanie odszkodowanie i...

Z powrotem przesunął krzesło na swoją stronę stolika i zaczął sobie wpychać jedzenie do ust.

– Żartujesz, prawda?

– Nie.

– Zwariowałaś.

– Nie musiałbyś nic robić, tylko przechowaj u siebie tę biżuterię, dopóki o nią nie poproszę.

– Florence, ty żartujesz, tak?

– Komu stanie się krzywda? Jestem zdesperowana. Nie mam rodziny. Cieszyłbyś się, gdybym straciła to cholerne mieszkanie? Może zostanę jedną z twoich biednych bezdomnych klientek! Wtedy rzeczywiście musiałbyś się mną zaopiekować!

Wyglądał na roztrzęsionego. Pochłonął swoje jedzenie, które już ostygło, i teraz łakomie spoglądał na jej talerz. Z roztargnieniem, czując jego zwierzęcy wzrok, zaczęła zbierać swoje rzeczy.

– Nie mam nic do powiedzenia – odezwał się w końcu.

– Pogardzasz mną? – Zrobiło jej się niemal wesoło.

– Nie, nie. Martwię się o ciebie. Wiem, że nie mówisz poważnie. Ale znam cię już prawie dziesięć lat i nigdy cię nie widziałem w takiej... w takiej desperacji. To do ciebie niepodobne.

– Więc po co chcesz się ze mną ożenić? Z taką zdesperowaną trzydziestodwulatką, która kieruje się czymś, co byś nazwał gorszymi zasadami etyki.

– Nieistniejącymi zasadami etyki! – wyrzucił z siebie, po czym odwrócił wzrok, zawstydzony. – Nie wiem, co powiedzieć. Ciągle mi się wydaje, że mi przejdzie, że spotkam inną, że moglibyśmy się zaprzyjaźnić. Pamiętam jednak czas spędzony razem i żałuję, że nie mogę do niego wrócić. Mam do ciebie słabość, Florence. Wiem, że jesteś mi przeznaczona.

Może nie była aż tak szalona, jak jej się wydawało. To on zwariował! Czas, jaki spędzili razem? Spotykała się z nim – a w każdym razie kilkakrotnie pieprzyła – przez pół roku, co najwyżej rok, a to było osiem, dziesięć lat temu. Nigdy nie stworzyli prawdziwego związku. Chodzili tylko do kina albo na łyżworolki, niekiedy uprawiali seks. Zresztą było to w tym okresie, kiedy brała kokainę i razem z dwiema czy trzema koleżankami – Allison miała fundusz powierniczy – ćpały, łaziły po barach i podrywały facetów. To normalne zachowanie, całkiem typowe dla świeżo upieczonych absolwentek college'u, które później żartobliwie określały mianem „studiów magisterskich".

– Proszę tylko, żebyś przechował dla mnie parę rzeczy. Nawet nie musisz wiedzieć, co to takiego.

– Ja... Florence... – Wyjął chusteczkę i wydmuchał nos. – Boże, jaka ty jesteś dla mnie niedobra. To ja ci mówię, że mam gruźlicę i jestem w tobie zakochany, a ty, zamiast dostrzec cały romantyzm tej sytuacji, chcesz, żebym przechował rzeczy pochodzące z kradzieży.

– Tak, tak. – Wbrew sobie musiała się roześmiać. – Powinieneś już się do mnie przyzwyczaić. Jeżeli naprawdę chcesz się ze mną ożenić, wyzbądź się wszelkich złudzeń.

– Uwierz mi, że już to zrobiłem.

12

Tej nocy w domu przejrzała zawartość torby z biżuterią należącą do Virginii Clary. Jutro zaniesie ją do Quayle'a i zostawi Marge. Wcale nie miała zamiaru prosić Darryla o przechowanie tych rzeczy i oznajmiać, że pochodzą z kradzieży. Powiedziała tak tylko po to, by go poddać próbie – i może przy okazji sprawdzić samą siebie. Nigdy nie zrobiłaby niczego niemoralnego czy nielegalnego, choć mało szkodliwego – głównie ze strachu, że zostanie przyłapana. Na jej twarzy zawsze malowało się poczucie winy, co w pewnej mierze stanowiło urok, który działał na mężczyzn. Częściowo z tego powodu kobiety jej nie lubiły: była jak kot, który ukradkiem zjadł masło.

Na dnie jednego z aksamitnych woreczków znajdował się inny z żółtego chińskiego jedwabiu owinięty w bibułkę, którego wcześniej nie zauważyła. Przypuszczała, że to kolejne rupiecie, garść pierścionków, sztuczna biżuteria, cyrkonie albo niskogatunkowe brylanty i szafiry w krzykliwej oprawie, które dałyby co najwyżej pięćset lub tysiąc dolarów od sztuki. Cały kraj był pełen kobiet wyłudzających szlachetne kamienie od mężów lub kochanków, kobiet, które wydawały zbyt dużo na rupiecie, robiły zakupy u jubilera w centrach handlowych na przedmieściach, by móc zabłysnąć przed innymi kobietami. Który mężczyzna doceniłby tłustą, opuchniętą dłoń z palcami opasanymi mnóstwem pierścieni? Dłonie z dołeczkami, polakierowane, opiłowane na ostro paznokcie połyskujące czerwienią. Po ukończeniu powiedzmy dwudziestego czy dwudziestego piątego roku życia kobiety tak rzadko przyciągają uwagę mężczyzn, że równie dobrze mogłyby chodzić w kwefie. Nawet przedtem mężczyznami, których interesowały, byli przeważnie starzy, opaśli faceci po sześćdziesiątce, jeżdżący na motocyklach, lub pryszczaci pracownicy Hardee czy McDonalda. W Arabii Saudyjskiej bogate kobiety kupowały stroje z renomowanych domów mody, lecz – jeśli w ogóle wychodziły z domu – musiały chować je pod ciemnymi całunami.

Ale ku jej zdumieniu biżuteria w woreczku była wartościowa. Florence nie miała całkowitej pewności, kiedy jednak obejrzała ją pod lupą, okazało się, że kamienie są bardzo wysokiej jakości. Ogromny rubin otoczony perłami, szafir w dziwnym kształcie ze szlifem kaboszonowym, misterny flaming wysadzany różowymi brylantami i bardzo podobny do tego, który został zaprojektowany dla księżnej Windsoru przez tego żałosnego, smętnego księcia. To, co powinno stać się historią miłosną wszech czasów, przerodziło się w farsę. Ale ten flaming z pewnością był prawdziwy. Na koniec znalazła pierścionek z opalem niesłychanie wysokiej jakości, ogromnym okrągłym kamieniem w intensywnym, granatowoczarnym odcieniu i poprzecinanym żyłkami cukierkowoczerwonych płomyków.

Podminowana i ożywiona, przez wiele godzin nie mogła usnąć. W jej głowie na okrągło wirowały te same myśli. Żartowała, prosząc Darryla o przechowanie biżuterii, żeby móc potem zgłosić jej kradzież, lecz teraz zaczynało jej się wydawać, że to całkiem rozsądne rozwiązanie. W końcu część biżuterii nie została wymieniona na liście. Czy Virginia Clary wiedziała o jej istnieniu? Może zupełnie o niej zapomniała, a w takim wypadku nie zauważy jej braku. Florence nawet nie musiała w to wciągać Darryla – mogła po prostu zanieść resztę do Quayle'a i zostawić sobie tylko ten jeden cenny woreczek.

W salonie stała staroświecka drewniana szafka na dokumenty. Florence nigdy nie prowadziła żadnej dokumentacji – wszelkie papiery, które mogły jej się jeszcze kiedyś przydać, po prostu wrzucała do środka, a teraz wytrząsnęła jej zawartość na podłogę z nadzieją, że wśród nich znajdzie rozwiązanie swoich obecnych problemów. Może list odrzucający jej podanie o pracę, lecz sugerujący, by zgłosiła się ponownie po paru latach, czy przeoczony rachunek bankowy matki, który teraz by uratował Florence.

Z przeszłości pamiętała bardzo niewiele. W szarej kopercie natknęła się na plik zdjęć z wycieczki na narty zrobionych przed ośmioma laty. Mężczyzna

– a właściwie chłopiec – który ją wtedy zaprosił i zapłacił za jej towarzystwo, już dawno zniknął z jej życia. Kim był? Prawnikiem lub architektem, teraz żonatym i mieszkającym w San Francisco. Jego rumianą twarz okalała przystrzyżona czupryna rudawych włosów. Nawet nie pamiętała jego imienia. Dlaczego nie wyszła za niego za mąż? Z perspektywy czasu wydawał jej się całkiem miły. Wtedy uważała go za wyjątkowo nudnego. Kiedy miała dwadzieścia cztery lata, nadal wierzyła w to, że napotka na swojej drodze jakiegoś sławnego artystę, gwiazdę rocka czy miliardera, że zwiąże się z takim mężczyzną, jakiego pozazdroszczą jej inne kobiety, gdy się z nim pokaże. Ten architekt (Brandon – przypomniało jej się) był chłopięcy i zwyczajny, projektował budynki biurowe i domki weekendowe. Ożenił się i założył własną firmę z kilkoma równie chłopięcymi wspólnikami, wszyscy w jego typie.

Było też jej własne zdjęcie zrobione na przyjęciu przed pierwszym porodem Allison. Siedziała na kanapie między jakąś Daisy a Clare. A może Clare-Alice. Daisy trzymała w górze zielony ręcznik frotté z kapturem w kształcie smoczego łba. Na ręczniku znajdował się też grzebień z pomarańczowego materiału. Dziecko będzie mogło się nim wycierać na plaży albo po kąpieli, zakładając na siebie kostium smoka. Daisy poślubiła bajecznie bogatego chłopca z Dallas, podobno bardzo głupiego. Znana była z koszmarnego temperamentu, który udało jej się ukryć przed narzeczonym, lecz nie przed Florence. Krótko przed ślubem, który odbył się na Bermudach, okropnie się pokłóciły. Florence sobie przypomniała – co zdjęcie jeszcze podkreślało – że Daisy wyglądała zupełnie jak ostryga: takie same wyłupiaste, zbyt szeroko rozstawione oczy, cofnięty podbródek, wyraz tępego zdumienia. Ani trochę nie dorównywała urodą Florence, a jednak to jej udało się złapać bogatego faceta. Clare-Alice również trzymała prezent – pluszową, niemal półtorametrową małpkę w pieluszce, a na jej kolanach leżało pudełko z luksusowego sklepu z zabawkami. Małpka kosztowała pewnie trzysta albo i więcej dolarów. To prawda, że mężczyzna, za którego wyszła, miał dwójkę dzieci z poprzedniego małżeństwa, które z nim mieszkały, ale rok wcześniej dostał Nagrodę Nobla w dziedzinie... chemii, a może fizyki. Na jej ślubie Florence myślała, że to straszne poślubić wykładowcę, pracownika naukowego.

Wszystko leżało w stertach na podłodze. Stare wizytówki, które dostała na różnych przyjęciach, skrawki papieru, rogi serwetek i pudełka zapałek z nabazgranymi telefonami i imionami, które teraz nic jej nie mówiły. Widokówki, kartki świąteczne, paragony, wyciągi bankowe, rachunki za zakupy płacone kartą kredytową. Zdjęcia, przestarzałe znaczki, opinie o nieistniejących już restauracjach wydarte z „Timesa". Walentynka zrobiona przez nią w wieku ośmiu lat dla matki. Zepsuty zegarek, podróbka Chanel, który kupiła na ulicy za dziesięć dolarów. Może wystarczyłaby tylko nowa bateria, ale za każdym razem, kiedy go zakładała, jej nadgarstek zabarwiał się na zielono. Flakoniki perfum, które dostała w prezencie na rozmaitych przyjęciach, pięć bejsbolówek: jedna z otwarcia nowej siłowni, inna z przyjęcia wydanego przez firmę odzieżową w olbrzymim magazynie na molo. Całe jej życie, historia jej egzystencji w Nowym Jorku, a wszystko to w sumie nie przedstawiało dosłownie żadnej wartości. Negatywne wyniki rozmazu, kółko do kluczy z maleńką latareczką w kształcie ryby. Ckliwy liścik od Darryla z zaproszeniem na eleganckie przyjęcie w Waldorfie, na którym jego pracodawca miał dostać jakąś nagrodę. Liścik pochodził sprzed dziesięciu lat, jeszcze z czasów, kiedy Darryl pracował w prestiżowej, starej firmie nowojorskiej. Niesamowite, że już wtedy się w niej kochał, a przynajmniej miał do niej słabość. List od Carlosa, po aborcji. Carlos był bogaty. Przez jakiś czas kochała się w nim. Rozmawiali nawet o ślubie, ale żadne z nich nie było gotowe na dziecko. Wspólnie podjęli tę decyzję. Wkrótce potem wrócił do Chile i od tamtej pory nie miała od niego żadnych wieści. Fotka przedstawiająca ją z Jamesem na plaży. Powiedział, że wyrósł z tego, ale fakt, że kiedyś był gejem – w porządku, jeszcze w szkole i rok później, w Anglii – napawał ją niepokojem – to, i jego zniewieściałość. Wydawało jej się aż nadto jasne, że szuka kogoś silnego. Skąd mogła wiedzieć, że w ciągu pół roku po jej odejściu James odziedziczy tytuł i ogromny majątek w Szkocji – czy też może w Walii?

Kiedyś otwierało się przed nią milion perspektyw – teraz to widziała – a ona zatrzasnęła wszystkie drzwi. Znalazła kartkę papieru z papeterii i napisała liścik: „Droga Tracer. Co u ciebie? Mam nadzieję, że niczym cię nie obraziłam i że kiedy wrócisz, twój pomysł zorganizowania imprezy będzie nadal aktualny. Życzę ci udanej podróży – w sierpniu niczego nie tracisz w Nowym Jorku! Zadzwoń do mnie! Twoja Florence. PS Dziś wieczorem widziałam się z Darrylem i rozmawialiśmy o tobie!".

Z wielkiej odległości, z samego środka fali na otwartym oceanie, wyłoniła się malutka rączka machająca białą chusteczką. Florence obudziła się ze snu, zlana potem. Powietrze stało w miejscu. Było tak cicho, że dopiero po chwili uświadomiła sobie, że szlochający wentylator musiał się zepsuć. Ucichły jego zwykłe jęki pełne cierpienia i rozpaczy, do pokoju już nie wpadał podmuch zatęchłego, wilgotnego powietrza. Tylko zegarek przy łóżku ponuro zmagał się z czasem, ogłuszającym tykaniem odmierzając posępne sekundy.

Część trzecia

1

Pomimo wysokich miesięcznych opłat – prawie półtora tysiąca dolarów za mieszkanie z jedną sypialnią – i podobno doskonałego punktu, jej apartament – i sam budynek – znajdowały się w opłakanym stanie. Instalacja elektryczna była przestarzała, a bezpieczniki się przepalały, jeżeli Florence włączała naraz więcej niż jedno urządzenie elektryczne. Kiedy chciała zapalić światło, co drugi raz jej się to nie udawało. Całe wnętrze przedstawiało obraz nędzy i rozpaczy. Okna były staroświeckie, z małymi szybkami; zimą do środka wpadało mroźne powietrze, a latem nie dało się ich całkowicie otworzyć. Może z Australii wróciła sąsiadka z góry, która korzystała z tego samego zespołu obwodów elektrycznych i próbowała uruchomić klimatyzację. Miała szczęście, mieszkając na stałe w Australii, a tego mieszkania na Manhattanie czasami używając tylko jako garsoniery.

Był koniec sierpnia, minęło ponad trzy tygodnie od oświadczyn Darryla i od tamtej pory Florence nie miała od niego żadnych wieści. Nieważne: jeżeli tak łatwo go urazić, zaszokować lub wzbudzić w nim wstręt propozycją, by przechował biżuterię, której kradzież mogłaby zgłosić, to naprawdę nie chciała już mieć z nim nic wspólnego. Czy on nie widzi, że jego etyka i moralność są równie kruche jak jej, skoro potrafi porzucić kogoś tylko dlatego, że nie zgadza się z jego czy jej poglądami?

Miała dziwne poczucie słuszności. Jaki mężczyzna oświadcza się kobiecie, a potem – przekonawszy się, że ta wpadła w tarapaty, zbankrutowała i jest zrozpaczona – postanawia dać sobie z nią spokój? Stworzył sobie własny wizerunek Florence, a kiedy nie zechciała go potwierdzić, czym prędzej wykonał na niej wyrok, co prawda tylko we własnym umyśle.

Przedtem zależało jej tylko na tym, by się go pozbyć, ale teraz, gdy odszedł, ze zdziwieniem stwierdziła, że za nim tęskni. Miała wrażenie, że był jej jedynym przyjacielem. Naprawdę nie zamierzała zgłaszać kradzieży tej biżuterii, lecz teraz zaczęło jej się wydawać, że to jedyne rozwiązanie.

Raffaello wyjechał na miesiąc do Włoch – zresztą i tak by go nie poprosiła o pomoc, nadal za bardzo się w nim durzyła – a nie przychodziła jej do głowy ani jedna osoba, która mogłaby jej pomóc lub której mogłaby zaufać. Gdyby tylko bardziej się starała, by zdobyć prawdziwych przyjaciół! Był sierpień, telefon dzwonił rzadko, wszyscy wyjechali i, jak gdyby wyczuwając jej desperację, nikt nie chciał jej zaproponować wspólnego wyjazdu na weekend czy spotkania wieczorem w dzień powszedni na mieście. W Nowym Jorku tak to już jest: kiedy ci się układa, wszyscy chcą przebywać w twoim towarzystwie, lecz gdy wszystko ci się wali na głowę, nikt nie chce się od ciebie zarazić.

Minął prawie miesiąc, a ona była w jeszcze gorszym stanie niż kiedykolwiek przedtem. Bank, podpuszczony przez zarząd spółdzielni i rozwścieczony tym, że Florence od ponad pół roku nie płaciła czynszu, wszczął procedurę zajęcia jej mieszkania. Może instalacja elektryczna wcale się nie zepsuła, tylko odcięto jej prąd, chcąc ją przepędzić. Nie mogła znaleźć Johna de Jongha, by wydobyć od niego te dwadzieścia pięć tysięcy, a kiedy skontaktowała się z bankiem, by wstrzymać wypłatę, już jej odliczono tę sumę od rachunku. Zdawała sobie sprawę z tego, że bez przekonania szuka nowej pracy, lecz i tak nie wpadła na nic interesującego lub choćby możliwego do przyjęcia.

Wyobrażała sobie siebie po paru miesiącach, nadal bezrobotną, niemogącą uregulować rachunków, spłacić hipoteki, eksmitowaną, bez tych paru dolarów, dzięki którym mogłaby przechować swoje rzeczy w magazynie. Dokąd pójdzie, co zrobi? Nie mogła z powrotem usnąć, ta sama myśl na okrągło tłukła jej się po głowie, jakby coś się w niej zacięło. Dzwonił telefon. Spojrzała na zegar, którego świecące wskazówki artretycznie skrzypiały w ciemności. Trzecia dwanaście rano.

– Halo? – wychrypiała.

– To ja. – Milczała. – Czy mogę do ciebie przyjść?

– ... Raffaello?

– Proszę, proszę, pozwól mi do siebie przyjść. Nie chcę być sam.

– Gdzie jesteś? Nawet nie wiedziałam, że wróciłeś! Tak długo się nie odzywałeś...

– Przyjechałem dopiero dzisiaj. Jesteś pierwszą osobą, do której dzwonię. Słuchaj, jestem w klubie na... – Na chwilę odłożył słuchawkę; słyszała, jak z kimś rozmawia. – Na Czternastej Ulicy, koło autostrady. Zaraz zamykają. Nie mogę wracać do domu.

– Dlaczego?

– Wytłumaczę, kiedy się spotkamy. Podaj mi swój adres.

Zrobiła to.

– *Ciao, bella*. Do zobaczenia za parę minut. – Lekko bełkotał.

Odłożyła słuchawkę i wskoczyła pod prysznic. W dolnej szufladzie znalazła swoją najładniejszą bawełnianą piżamę w paski i szlafrok do kompletu. Przejrzała się w lustrze. Nieźle. Chciała wyglądać słodko i uroczo, ale nie uwodzicielsko, gdyż wypadłoby to nienaturalnie. Lekko upudrowała nos i umalowała usta, ale zaraz starła szminkę, by jej wargi zaczerwieniły się, lecz nie wyglądały na umalowane. Zastanawiała się, czy zmienić pościel, ale zrezygnowała. Usiłowała szybko posprzątać pokój, poprawiła pościel, by łóżko wyglądało bardziej kusząco, wstrząsnęła poduszki. Dochodziło wpół do czwartej rano. Była zła, że pozwoliła mu przyjść, ale jednocześnie czuła podenerwowanie, niepokój, podniecenie. Pokręciła gałkami wentylatora, usiłując go uruchomić. W końcu się włączył, wydając z siebie ochrypły jękliwy dźwięk.

Chodziła tam i z powrotem po mieszkaniu, pogardzając sobą za to, że zaprosiła go o tak późnej porze, że pozwoliła, by potraktował ją bez szacunku. Już od dawna nie była w nim zakochana. Nie zależało jej na szacunku Raffaello. Miło będzie czuć koło siebie drugie ciało, a skoro zadurzenie już jej przeszło, to przynajmniej może zrobić użytek ze swej atrakcyjności fizycznej. Zapraszając go do siebie, w pewnym sensie wykorzysta go, zabawi się, a potem odeśle rano. Ją zawsze traktowano w ten sposób, lecz teraz role się zmieniły. Poza tym we Włoszech ludzie zachowują się inaczej. W świecie Raffaello takie postępowanie jest normalne, pozornie nonszalanckie, w rzeczywistości oznacza zażyłość i akceptację.

Już prawie się poddała i wróciła do łóżka, kiedy zadzwonił domofon i odźwierny sennym głosem oznajmił, że Florence ma gościa.

– Proszę mu powiedzieć, żeby wszedł na górę. – Starała się mówić władczym tonem, jakby nie było nic nienaturalnego w tym, że kobieta w środku nocy przyjmuje u siebie obcych mężczyzn. Zresztą to nie sprawa odźwiernego. Powinien zachować dyskrecję. Wiedziała jednak, że o szóstej, kiedy skończy pracę, opowie swojemu następcy wydarzenia z minionej nocy, ten zaś wszystko powtórzy dozorcy, zaczną się ironiczne uśmieszki i przez jakiś czas wszyscy będą jej się baczniej przyglądać, by sprawdzić, czy nagle nie rozpoczęła kariery prostytutki.

Usłyszała dudnienie windy, która się otworzyła, i pod drzwiami Florence stanął Raffaello. Już zapomniała, jaki jest przystojny, jak ją oszałamiał zapach jego wody po goleniu i zagranicznych papierosów. Miał zmierzwione włosy, wygnieciony garnitur od Armaniego i na wpółprzymknięte oczy o ciężkich powiekach. Zachwiał się, wyciągając ręce, by ją objąć. Jedną rękę zsunął na jej pupę.

– *Bella, bella* – wymamrotał po włosku, całując ją w szyję, włosy i ucho. Cuchnął ginem i potem. – Tak się za tobą stęskniłem.

Nie zamierzała dawać mu przewagi. Planowała powolny rozwój wypadków, najpierw go żartobliwie zbeszta i zaproponuje herbatę. Teraz jednak doszła do wniosku, że nie chce jej się wysilać – kręciło jej się w głowie od samej jego obecności. Pozwoliła, by rozwiązał jej szlafrok i rozpiął piżamę, a potem wziął na ręce i zaniósł do szafy w przedpokoju.

– Twoja sypialnia – powiedział, kiedy na głowy spadły im kaskady ubrań. – Jest strasznie ciasna i mała, nie?

– Yyy, właściwie to szafa. Sypialnia jest na końcu przedpokoju. Tam chyba będzie nam wygodniej.

– Jak sobie życzysz. – Z futrzaną kurtką wiszącą mu na głowie i nadal trzymając Florence na rękach, chwiejnym krokiem ruszył przedpokojem, wpadł na ścianę i framugę, zanim wreszcie złożył ją na łóżku.

– Daj mi spokój. Chcę spać.

– Och, jakie to samolubne. Zrobiłem ci dobrze, chcesz iść spać, a mnie tak zostawiasz? – Wskazał na swoją erekcję, po czym wstał i zaczął krążyć po pokoju.

– Nie chcę być samolubna, ale wszystko mnie boli. Zresztą która godzina?

– Szósta rano. Wiem, że w takim stanie już nie usnę. Zróbmy coś. Chodźmy gdzieś.

– Jest szósta rano! – Jeszcze nigdy w życiu nie widziała czegoś podobnego. Rzucał się na wszystkie strony jak tygrys w klatce. – Nie ma dokąd pójść. To pewnie przez zmianę stref czasowych. Nie możesz się po prostu spokojnie położyć koło mnie? Prześpię się parę godzin i na pewno odzyskam ochotę na jeszcze.

– Nie, nie, wiem, co się ze mną dzieje w takich sytuacjach. To na nic. Jeżeli się położę, jeszcze bardziej się nakręcę i znowu zacznę rozmyślać. Myślałem, że pomożesz mi przestać myśleć. Znam pewien nocny klub. Jestem jego członkiem. Zabawimy się. Otworzyli go dopiero w tym tygodniu. Jesienią wszyscy zaczną tam chodzić.

– Jestem wykończona! Może ty nie potrzebujesz snu, ale ja tak. Nie mam siły wstawać, ubierać się i iść do klubu.

– Nie musisz się specjalnie stroić. Po prostu włóż dżinsy i T-shirt. Chodź, chociaż na chwilę.

– Ale ja jestem taka zmęczona!

– Przestań narzekać.

– Nie... nie narzekam. – Była tak zaszokowana, jakby ją spoliczkował. Nigdy nie chciała, by ktoś, zwłaszcza mężczyzna, uznał ją za jedną z tych wiecznie zrzędzących kobiet.

– No, chociaż raz. Jutro możesz sobie wziąć wolne.

– Właśnie szukam pracy.

– A widzisz? Niedługo znajdziesz następną pracę i znowu będziesz musiała wstawać rano. Jest sierpień na Manhattanie, jesteś młoda, świetnie się razem bawimy, może nawet zakochujemy w sobie, nie musisz się zachowywać jak stara baba. Chodź, zaszalejemy. Do tego klubu nigdy byś nie trafiła beze mnie. Wiem, że jesteś zmęczona.

– Pewnie okropnie wyglądam.

– Nie, nie, nawet jeszcze bardziej seksownie niż zwykle. Masz, zapal sobie. – Z kieszeni spodni przewieszonych przez łóżko wyjął szklaną fifkę i maleńką fiolkę z czerwoną zatyczką.

– To crack. – Zaalarmowana, wsparła się na łokciu.

– No i co? Została tylko odrobinka. Podzielimy się. No, nie utrudniaj. W ten sposób możemy być razem. – Zębami otworzył fiolkę i wysypał do miseczki białe kryształki, a następnie włożył Florence do ust końcówkę fifki.

2

Nie wiedziała, czy też nie rozumiała, jak wielką moc może mieć substancja chemiczna. Czuła się, jakby wzięła ślub, poślubiła coś nieożywionego. Na tej planecie od zawsze istniała ta substancja, która tylko czekała, aż Florence ją poślubi. Florence wkroczyła w inny, lodowatozimny wszechświat z ruchomą fasadą skonstruowaną z geometrycznych molekuł, starożytną cywilizację alchemii. Leżeli na podłodze, pełzając jak gady, dwa zimne, ślizgające się, syczące ciała. A może jej ciało reagowało jak pewien szczególnie złośliwy wirus, który rozprzestrzeniając się, pożera mózg w ostatnich fazach AIDS czy raka, obcy popychający swego gospodarza ku śmierci. Nic z niej nie zostało. Ludzka istota, którą kiedyś była Florence, odeszła. Ale nie bała się w tej lodowatej próżni; nie miała już żadnych uczuć.

Dwa ciała przez jakiś czas mechanicznie kłębiły się i zderzały ze sobą, po czym gwałtownie, unisono, oderwały od siebie i wstały. Częściowo wrócił jej wzrok i Florence uświadomiła sobie, że na pewien czas – chociaż nie wiedziała, na jak długo – całkowicie oślepła.

– No, chodźmy. – To, co stało przed nią, również nie było człowiekiem. Miało czerwone oczy i skórę pokrytą woskową warstewką żółtego tłuszczu. Wciągnęło na siebie zewnętrzną skórę, w której Florence rozpoznała ubranie. Jego zapach, dziwny i osobliwy, kojarzył jej się z pomarańczami, nie tymi prawdziwymi, lecz tworzonymi przez Marsjan do zwabiania ludzi do klatek. Był paskudniejszy od odświeżacza powietrza, ale wciągnęła go głęboko, nie mogąc się nim nasycić.

– Teraz wiem, jak się czuła Pandora, kiedy otworzyła puszkę. – Słowa te wypowiadało jej ciało, skorupa, która niegdyś była nią samą.

– Idziesz, czy będziesz tak stała? Włóż coś na siebie.

– Czuję się tak, jakby moją krew zastąpiono formaldehydem. – Zgrzytała zębami. Mimo że jakiś czas wcześniej wentylator zatrzymał się z jękiem, marzła z zimna.

– Masz, pomogę ci się ubrać. – To coś w pokoju, nadal nie była pewna, co to takiego, podeszło do komody i wyjęło parę sztuk ubrania. – Podnieś ręce – powiedziało. – W ogóle mi nie pomagasz. No, teraz nogi, po jednej naraz. – Próbowała podnieść prawą nogę, ale ta była ciężka jak zamrożony udziec barani i zupełnie obca. Florence przewróciła się na łóżko. – Słuchaj, po prostu leż, sam cię ubiorę. – To, co robiła ta istota, sprawiało wielki ból jej skórze.

– Co ty robisz? Co ty robisz? – Zamachała rękami, dosłownie wrzeszcząc.

– Ćśśś, ćśśś, nie tak głośno! Wkładam ci nogi w spodnie, o co chodzi?

– Och. – Leżała, obejmując samą siebie i drżąc.

– Dobrze się czujesz?

– Nie wiem. Chyba się porzygam. Ile mi dałeś?

– Wypaliliśmy tylko trochę, może po jednym machu. Musisz mieć bardzo niską tolerancję na takie rzeczy.

– Umrę, prawda?

– Nie, nie, wszystko będzie dobrze. Wyjdziemy, łykniemy świeżego powietrza, napijemy się i poczujesz się lepiej.

Na ulicach wciąż było ciemno, ale nie wiedziała, czy to dlatego, że nadal panuje noc, czy dlatego, że znowu oślepła albo jej wzrok już na stałe się pogorszył. Siedzieli w taksówce. Kierowca najwyraźniej był znajomym istoty. Tak czy siak, coś się działo: Raffaello wysiadł z samochodu, a ona nie chciała zostać sama. Próbowała się za nim wygramolić, ale kierowca ciągle powtarzał:

– On za chwileczkę wraca, poczekaj na niego.

Ale i tak wysiadła i ruszyła w dół wąskimi schodami, na których cuchnęło moczem. Otworzyła drzwi. Pokój był tak niski, że uderzyła się w głowę, ale nie poczuła nic oprócz jakiejś lepkości. Kiedy z zaciekawieniem podniosła rękę i dotknęła czoła, jej dłoń zabarwiła się dziwną, czerwoną mazią. Wędrowała wąskim korytarzem, na wpół kucając. Tutaj sufit był jeszcze niższy, a na drodze napotykała najprzeróżniejsze przedmioty: rury, rzeczy, których przeznaczenia nie znała. Było ciemno jak w grobie i tak ciasno, że mogła dotknąć rękami obu ścian.

Otworzyła jakieś drzwi. Zanosiło się na niezły ubaw. Po mroku panującym w korytarzu pokój wydał jej się wyjątkowo jasny; na drucie wisiała goła żarówka. Na podłodze leżał materac i połamane krzesło. W pokoju stało pięciu czy sześciu mężczyzn, którzy na jej widok niemalże podskoczyli z przestrachem.

– O, cześć! – powiedziała wesoło. – Szukam Raffaello.

Jeden z mężczyzn odłączył się od grupy i rozpoznała w nim zgubę. Zawstydziła się. Przynajmniej miała nadzieję, że to rzeczywiście jest Raffaello, właściwie wcale nie była tego pewna.

– Co ty tu robisz? – spytał ze złością. – Kazałem ci zaczekać w samochodzie.

– Nie wiedziałam, czy wrócisz.

– Mówiłem, że wrócę za minutę.

– Ale super! Co my tu właściwie robimy? – Przykleiła do niego jak wosk. Mężczyźni uśmiechali się szeroko. Jeden z nich wsunął coś Raffaello do ręki, który z kolei podał mu garść pieniędzy.

– Co ci się stało w głowę? – Wyglądał na przerażonego.

– Chyba mózg mi wycieka. Spójrz na moje ręce! – Były pokryte grubą warstwą sadzy. Podniosła je i pokazała mężczyznom.

– No, musimy już iść. Dzięki, Fafaa, jestem ci bardzo wdzięczny. – Popchnął ją przed sobą korytarzem, dosłownie zmuszając do biegu. Taksówka nadal czekała na zewnątrz. – Co z tobą? – Wyjął chusteczkę i zaczął wycierać jej czoło, aż zaskomlała z bólu. Potem spróbował wytrzeć jej ręce, ale brud nie chciał zejść. – Przecież miałaś czekać w taksówce! Nie wiesz, że mogłaś narazić się na niebezpieczeństwo?

Taksówka gwałtownie zmieniała kierunek w ciemności. Florence nie wiedziała, jak długo już jadą.

– Gdzie teraz jesteśmy?

Raffaello roześmiał się, pochylił w stronę ścianki działowej i wymamrotał coś do kierowcy. Z pewnością byli w konspiracji. Działo się albo już się stało coś, w co nie była wtajemniczona. Kiedy samochód zatrzymał się na czerwonym świetle, jakiś mężczyzna stojący na ulicy podszedł do auta od strony przedniego miejsca dla pasażera. Spod płaszcza wyjął strzelbę i wetknął ją przez otwarte okno, wskazując lufą w stronę kierowcy.

– Chcesz ją kupić? – spytał.

– Yyy... nie, dzięki, kolego – odparł kierowca. Chociaż lufa strzelby nadal tkwiła w oknie i wciąż paliło się czerwone światło, wcisnął pedał gazu i przejechał przez skrzyżowanie. – Uff! – powiedział w końcu. – Ale jazda.

– Coś niesamowitego.

– Co się stało? – spytała Florence. – Czy on chciał nas obrabować?

Nikt nie odpowiedział. Raffaello wyjął fifkę i fiolkę z niebieską zatyczką. Podstawił ogień pod substancję, zaciągnął się dymem i postukał w szybkę z pleksiglasu, oddzielającą kierowcę od pasażerów z tyłu. Kierowca zatrzymał samochód i Raffaelo podał mu fifkę. Następnie mężczyzna oddał ją Raffaello, który przekazał ją Florence.

– Masz – powiedział, pstrykając zapalniczką.

– Hej, skąd to się wzięło? – spytała. – Och, w tamtej piwnicy kupowałeś narkotyki? O rany, ale musiałam być naćpana!

Włożyła fifkę między wargi i zamknęła oczy, kiedy Raffaello podsunął jej ogień. Lodowaty wiatr, który przemknął przez jej gardło, był jak stary przyjaciel. Teraz wiedziała, co to znaczy osiągnąć zero absolutne: temperatura ta oznaczała konkretne miejsce. Gdyby w pobliżu znajdował się pojemnik ciśnieniowy z zamrożoną spermą, roztworem azotu i suchym lodem, chętnie by tam weszła, mogłaby też przedostać się przez śluzę powietrzną w przestrzeń kosmiczną i z przyjemnością obserwować, jak jej ciało pęka na bryłki, ostre i suche jak diamenty.

Właśnie mu obciągała na tylnym siedzeniu, kiedy samochód raptownie się zatrzymał. Jedna chwila nie łączyła się z następną, zupełnie jakby klatki filmu posklejano czarną rozbiegówką, gubiąc po drodze akcję. Musiała się skupić, żeby ją sobie przypomnieć: siedziała w taksówce, mężczyzna, na którego kolanach trzyma głowę, to jakiś Włoch, właśnie jadą do klubu.

Taksówkarz teraz stał się częścią grupy. Zaparkował samochód i wysiadł razem z nią.

– Idziesz z nami? – zawołała wesoło, wycierając usta. Odwróciła się, kiedy Raffaello, nadal zmagając się z rozporkiem, zamknął drzwi po jej stronie.

– Tak, idzie z nami. Pytałaś go o to chyba z milion razy.

– Właśnie kończę pracę. Już tu kiedyś byłem.

Taksówkarz wyglądał całkiem nieźle, zdziwiła się, że wcześniej tego nie zauważyła, był wysoki, o długich, jasnych, potarganych włosach i umięśnionej sylwetce.

– Gideon, przypomnij mi, skąd pochodzisz? – Nie wiedzieć skąd znała jego imię. Ujęła go pod ramię, a Raffaello ujął ją pod drugie, jakby potrzebna jej była pomoc przy utrzymywaniu się w pozycji stojącej. – Nic mi nie jest!

– Pochodzę z Utah, Florence. Tylko spójrz na nią – Gideon powiedział do Raffaello ponad jej ramieniem. – Śliczna. Ma wspaniały uśmiech. Powinieneś się jej trzymać.

– Tak też planuję – ponuro odparł Raffaello.

– A ja planuję trzymać się jego. To mój włoski gwiazdor. Uuups! – Potknęła się; dźwignęli ją na nogi. – A więc z Utah! Co robiłeś w Utah? Opowiedz mi wszystko o sobie.

– Moi rodzice byli mormonami...

– Mormonami! Twój ojciec miał więcej niż jedną żonę?

– Nie.

– I jeździłeś na te...?

– Misje? Tak. Właśnie w ten sposób tu wylądowałem.

– Ale już nie jesteś mormonem, co?

– Nie, ja... – Powiedziałby więcej, ale stało się oczywiste, że Florence nie słucha.

– Patrzcie! Idę sobie z mormonem i Włochem, pewnie jedyną kategorią mężczyzn, którzy noszą poświęcane majtki.

Dwaj mężczyźni uśmiechnęli się lekceważąco, zjednoczeni w relatywnej trzeźwości. Niebo zmieniło barwy z mrocznych – czerni rozświetlonej żółtymi światłami miasta – w granat, a potem niebieskawy fiolet poprzecinany różowymi smugami. Na ten widok, straconej i zmarnowanej nocy przechodzącej w dzień, zrobiło jej się niedobrze. Zaczęło ją ogarniać obrzydzenie do samej siebie.

– To tam. – Raffaello wciągnął ją za róg i zeszli krótkimi schodami.

3

– Co to? – Siedziała na stołku barowym. Miała nieprawdopodobne trudności z utrzymaniem równowagi. Ciągle się ześlizgiwała, to na jedną, to na drugą stronę.

– Twój drink.

– Jaki to drink?

– Southern Comfort z lodem.

– Nie piję Southern Comfort! Błe.

– Cały czas to pijesz.

– Naprawdę? Sama to zamówiłam?

– Mówiłaś, że masz na to ochotę. Ostatnie trzy wyraźnie ci smakowały.

– Gdzie jest ten... jak-mu-tam?

– Kto?

– Yyy... no wiesz.

– Ten Włoch? Raffaello? A co, stęskniłaś się za nim?

– Ja...

– Zrobiło mu się niedobrze i poszedł do domu. Nie pamiętasz?

Pokręciła głową i upiła łyk drinka.

– Nie mogę tego pić.

– A co chcesz? Chyba masz już dosyć.

– Chcę drinka! Chcę... wódkę.

– Nie powinnaś pić wódki po tych wszystkich whisky.

– Nie chcesz mi kupić drinka? – Kapryśnie wydęła usta. – Może postawi mi ktoś inny.

Rozejrzała się po sali. Przypominała miniaturową rzymską łaźnię. Jej ściany, podłoga i nawet sufit były wyłożone złoto-brudnobiałą mozaiką. Niski sufit podtrzymywały jońskie kolumny, a pośrodku znajdowało się małe jeziorko, może fontanna, co tłumaczyło unoszący się wokół zapach chloru i stęchlizny. Kiedy przyjrzała się uważniej wystrojowi wnętrza, odniosła wrażenie, że zewsząd wyrasta pleśń, włochata i szara, nie wiedziała jednak, czy to prawdziwa porośl, czy też kłaczki starej, tuftowanej wykładziny. Światło było przyćmione, tu i ówdzie stały rozmaite popsute lampy podłogowe, a pod ścianami ustawiono obite aksamitem sofy, na których siedzieli ludzie.

W pomieszczeniu znajdowało się w sumie dziesięć, dwadzieścia osób. Może więcej chowało się za kolumnami lub w innej sali, jeżeli takowa była. Wśród gości przeważali mężczyźni, o szarawych twarzach, w czarnych T-shirtach, dżinsach, wytatuowani, z tłustymi włosami i kozimi bródkami. Sprawiali takie wrażenie, jakby na coś czekali, jakby klub ten był burdelem pełnym satyrów do wynajęcia. Tylko pięcioosobowa grupka w kącie – trzech mężczyzn i dwie kobiety – wyglądała na zarozumiałych studentów z Ivy League, którzy lubują się w imprezowaniu w slumsach i którym rodzice dali pieniądze na narkotyki. Na innej sofie namiętnie całowały się splecione w uścisku dwie kobiety. Kiedy zrobiły sobie krótką przerwę, Florence spostrzegła, że są młode i ładne, o wyzywającym wyrazie twarzy, choć było oczywiste, że są tu akceptowane i nie muszą nikogo prowokować.

Taksówkarz coś do niej mówił, ale pulsująca muzyka ryczała tak głośno, że Florence nie mogła rozróżnić jego słów, a ponadto z wielkim wysiłkiem ogniskowała wzrok, by Gideon nie rozdzielał się na dwie osoby. Ciągle musiała sobie przypominać, żeby zaciskać lewe oko, gdyż inaczej nie mogła się zdecydować, na którego z nich patrzeć.

– Spytałem, czy napijemy się piwa! – krzyknął.

– Piwa? Nie cierpię piwa.

Dał znak barmanowi, chłopakowi po dwudziestce, z krótkimi włosami i w różowo-białej sukience w groszki i z falbankami.

– To co chcesz?

– Może... mówisz, że nie powinnam pić wódki? – Nagle jej się przypomniało, że taksówkarz ma na imię Gideon.

– Chcesz kieliszek wina?

– Tak! Poproszę duży kieliszek białego wina z mnóstwem lodu i odrobiną wody sodowej. – Wychyliła się do przodu i powiedziała poufale do barmana: – On jest mormonem, ma na imię Gideon, a jego ojciec miał siedem żon.

– Mój ojciec wcale nie miał siedmiu żon!

– Naprawdę? – Barman nie okazał zainteresowania. Kołysał biodrami w rytm muzyki.

– Naprawdę. Gideon wszystkiego się wyprze, ale jest tu na misji. Nie daj się nawrócić!

– Super. Białe wino z wodą i...

– Ja poproszę heinekena – powiedział Gideon. – Ładna sukienka.

– Dzięki! Sam ją zaprojektowałem.

– Sam ją zaprojektowałeś? – powtórzyła Florence. – Masz wielki talent.

Stali na chodniku. Na ulicach roiło się od ludzi i samochodów, a światło było tak jasne, że raziło ją w oczy. Pędzący przechodnie, w świeżych ubraniach, z teczkami i kubkami kawy na wynos, wyglądali tak, jakby pochodzili z zupełnie innego świata.

– A tak w ogóle to która godzina?

– Nie wiem – odparł Gideon. – Nie mam zegarka. Dziewiąta? Dziesiąta? – Wzruszył ramionami. – Może później. Co chcesz teraz robić? Chcesz jeszcze dokądś skoczyć? Masz ochotę na śniadanie?

– Chcę wracać do domu.

– Dobra. Zawiozę cię do domu. Tylko muszę sobie przypomnieć, gdzie zostawiłem taksówkę.

Bez końca wlekli się ulicami, szukając samochodu. Florence nie mogła się zorientować, gdzie się znajdują. Miasto sprawiało takie wrażenie, jakby zmieniło się w ciągu tej nocy, jakby Florence przypadkowo wypadła ze swojego wszechświata i dostała się do trochę innego. Ulice były oznakowane tablicami, których sobie nie przypominała – Mata Hari Avenue, Ketchup Street – ale nie chciała nic mówić, obawiając się, że Gideon popatrzy na nią jak na wariatkę. Może już dawno temu je tak nazwano, a może to, co paliła przez całą noc, w jakiś szczególny sposób uszkodziło jej mózg.

Gideon nie znalazł samochodu tam, gdzie, jak myślał, go zostawił, ale kiedy już miał się poddać, wypatrzył taksówkę na parkingu.

– Jesteś pewien, że to ta sama? – spytała Florence, kiedy zamachał na parkingowego i oboje usiedli z przodu.

– To moje rzeczy – oznajmił, zaskoczony. W tej chwili wyglądał dokładnie jak mały chłopczyk albo skonsternowany, oszałamiająco śliczny szczeniak rasy golden retriever, więc pochyliła się i pogłaskała go po jasnych włosach.

– No nie! – wykrzyknął. – Ona głaszcze mnie jak pieska!

– Jesteś taki śliczny – powiedziała. – Taki śliczny i słodki! Jak mały ptaszek.

Zaczęli się całować i przestali dopiero wtedy, kiedy uruchomił silnik i wycofał samochód z parkingu. Zaczęli znowu, czekając, aż parkingowy podejdzie po opłatę i otworzy bramę. Całowali się na każdym czerwonym świetle albo kiedy stanęli w korku.

– Poczekaj chwilę! – Zahamował, zaparkował taksówkę na waleta i wyskoczył.

Ktoś wsiadł do jednego z samochodów stojących przy krawężniku i nacisnął klakson, po czym opuścił szybę w oknie od strony pasażera i ryknął do Florence:

– Hej, blokujesz mi wyjazd! Cholera, przestaw tę taksówkę!

Usiłowała go zignorować, patrząc wprost przed siebie. Mężczyzna wysiadł z samochodu i posyłając wiązankę przekleństw, zaczął lawirować między jadącymi pojazdami w kierunku taksówki od strony Florence.

– Co jest? Głucha jesteś? Zabieraj tę taksówkę!

Wrócił Gideon z wielką, brązową, papierową torbą. Natychmiast zorientował się, o co chodzi. Podszedł do bagażnika, otworzył go, włożył torbę i wyjął ogromny drewniany kij bejsbolowy, który uniósł w kierunku mężczyzny.

– Parkowałem na waleta tylko przez dwie minuty – powiedział spokojnie.

Znalazł wolne miejsce tuż przed jej domem.

– Masz szczęście do znajdowania miejsca do parkowania! – powiedziała. – Chyba że szukasz własnego samochodu, który gdzieś się schował! Często ci się to zdarza?

– Nie. Muszę przyznać, że to było dziwne. Co teraz zamierzasz robić? Zaprosisz mnie na górę? – Oczy miał błyszczące i intensywnie niebieskie jak u lalki. Wyjął z bagażnika papierową torbę i wszedł za Florence do budynku.

– Rozgość się. – Zaciągnęła zasłony w salonie. Światło nie było zbyt jasne; jej salon znajdował się na tyłach budynku, a wszelki widok czy słońce blokował drugi budynek stojący tuż za oknem, ale na samą myśl, że jest dzień, rozbolała ją głowa. – Napijesz się herbaty?

– Nie, mam coś lepszego. – Gideon teatralnym gestem wyjął zawartość torby. – Dla mnie sześciopak piwa...

a dla pani, mademoiselle, butelka schłodzonego szampana. Veuve-liquot. Mam nadzieję, że ci pasuje.

– Bosko.

Szampan nie był najlepszy, ale z pewnością do przyjęcia i pewnie kosztował z pięćdziesiąt dolarów. Poszła do kredensu w przedpokoju i wyjęła pudełko z kryształowymi kieliszkami do szampana. Były cieniutkie, niewiele grubsze od papieru i absurdalnie drogie; kilka już zdążyła stłuc. Parę lat wcześniej zaczęła kupować porcelanę i kryształy wysokiej jakości, jakby wkrótce miała rozpocząć życie w małżeństwie, dla którego kolekcja takich przedmiotów była zasadnicza. Może zainspirował ją czyjś wieczór panieński, nie mogła sobie przypomnieć. Kieliszki do brandy, martini, komplet do ponczu z lat pięćdziesiątych składający się z misy z Tomem i Jerrym i pomarańczowo-niebieskich kubków – wszystko schludnie zawinięte w folię ochronną i przechowywane w pudle, jakby należało do kogoś innego.

Znalazła dla niego kufel do piwa, a Gideon otworzył szampana i napełnił jej kieliszek. Piana podniosła się i spłynęła na podłogę.

– Zdrówko – powiedział, otwierając puszkę piwa.

– Czym się tak naprawdę zajmujesz?

– Co masz na myśli?

– Jeździsz taksówką, ale na pewno masz jeszcze jakieś inne, prawdziwe zajęcie.

– Jasne. Jestem pisarzem, chociaż jeszcze nic nie wydałem.

– Ale wydasz. Na pewno świetnie piszesz.

– Muszę być największym szczęściarzem w Nowym Jorku, skoro cię poznałem. Chyba nigdy nie widziałem piękniejszej dziewczyny. – Usiadł koło niej na kanapie i otoczył Florence ramieniem.

– Mam nadzieję, że się nie rozczarujesz – powiedziała. – Zazwyczaj jestem spokojniejsza. – Wypiła szampana, a Gideon troskliwie napełnił jej kieliszek.

– Ja też. Ale co tam, każdy ma prawo zaszaleć raz na jakiś czas. Podobasz mi się taka postrzelona, chociaż tak samo bym cię lubił, gdybyś była inna.

Wyślizgnęła się spod jego ręki.

– Chyba już pójdę spać. Na razie.

– Czekaj – powiedział. – Nie zostawiaj mnie teraz. Patrz, co mi dał Raffaello. – Wyjął fifkę i prawie pełną fiolkę. – Na zewnątrz jest tak pięknie. Nie bawisz się dobrze? Moglibyśmy pojechać na Coney Island czy gdzie indziej. Wypalmy to, złapiesz drugi oddech.

– Nie wiem, czy mam ochotę na dalszy ciąg.

Podniósł jej dłoń do ust.

– Spójrz na swoje ręce. Masz najpiękniejsze brudne ręce, jakie kiedykolwiek widziałem. Nie mogę znieść tego widoku. Przypominają łabędzie, umierające łabędzie czy coś w tym rodzaju.

– Trochę mi niedobrze.

– Nie poczujesz się gorzej, tylko pewnie lepiej. W nocy możesz się przespać, a jutro będziesz jak nowa. – Dolał jej szampana i przygotował fifkę.

Nie wiadomo kiedy zdjął z niej połowę ubrania. Teraz była naga od pasa w dół. Poczuła w sobie jego palce.

Rozpiął rozporek, spuścił spodnie do kolan i zaczął się w nią wciskać.

– Czekaj. – Usiłowała się spod niego wygramolić. – Nie jestem pewna... Nawet cię nie znam, nie możemy po prostu...? – Wszystko na nic, nie mogła mu się wyrwać. – Przestań! Złaź ze mnie!

Ale chociaż głowa protestowała, dolna część tułowia Florence wyszła na spotkanie Gideonowi, zupełnie jakby ich podbrzusza były organizmami na dnie oceanu – rozgwiazdami, kałamarnicami lub strzykwami, ślepymi i bez mózgu.

– Chcesz tego? Chcesz tego? Chcesz tego? – Stęknął. – No, powiedz, że tego chcesz!

Usłyszała jakiś dźwięk przypominający miauczenie kota i uświadomiła sobie, że to ona go wydaje.

– Prezerwatywa. – W końcu udało jej się wyrzucić z siebie te słowa. – Co... z... prezerwatywą?

– Nic się nie martw. – Grube kciuki tak mocno wcisnął w miękkie ciało między jej żebrami, że wydawało jej się, że usłyszała chrupnięcie, jakby ktoś wbijał galwanizowane gwoździe w drewniany kloc.

4

Usnęła. Kiedy się obudziła, minęła piąta po południu. Właściwie był już wczesny wieczór, chociaż początkowo myślała, że to piąta rano. Datownik na cyfrowym zegarze wskazywał, że upłynęło prawie czterdzieści osiem godzin. Ciężarówka z lodami na ulicy w dole zagrała swą obłąkaną melodyjkę. Florence niewiele sobie przypominała z tego, co zaszło. Większa część dnia, od chwili powrotu do mieszkania aż do wyjścia taksówkarza, stanowiła czarną dziurę.

Było jej słabo, a głowa pękała z bólu. W kuchence nie znalazła do jedzenia nic oprócz torebki zupy miso w proszku. Zagotowała wodę i wsypała zupę do miski. Po wypiciu jej poczuła się trochę silniejsza – chyba od paru dni nie miała nic w ustach – a słony smak był przepyszny, ale nadal czuła się fatalnie, zupełnie jakby została z niej sama skorupka po owadzie wyssanym przez pająka. Skórę miała jak abażur, a kości – niczym proch w martwej błonie. Jej oczy pod papierowymi powiekami były suche jak padlina na pokrytym smołą poboczu na pustyni.

Grzechotnik rozjechany przez samochód, ale jeszcze drgający. Brązowa papierowa torba. Garść zębów.

Ale najgorsze okazało się to, że każda komórka jej ciała żyła i błagała o trochę cracku. Do tej pory jej komórki nigdy nie krzyczały tak rozpaczliwie i każda z osobna, ale teraz Florence miała wrażenie, że każda z nich jest jak ośmiobok albo inna figura geometryczna, z której usunięto jeden bok. Komórki nie znosiły dziury, luki, a na nowo skleić je, wypełnić lub połączyć mogła tylko kokaina.

Dopiero teraz przekonała się, co to znaczy chcieć umrzeć. Jakaś część jej, coś niezwykle istotnego, zostało sprzedane dla miski zupy i odeszło już na zawsze. Jej ciało krzyczało z głodu. Przed oczami migały jej obrazy zwierzęcego zachowania – gorszego niż zwierzęce – ironiczne i drwiące, rozedrgane jak ekran źle odbierającego starego, czarno-białego telewizora.

Może znajdzie kawałek czekolady. Musi gdzieś tu mieć pół torebki rodzynków w czekoladzie, pół pralinki z nadzieniem truskawkowym z tej bombonierki Godiva, którą dostała od kogoś całe wieki temu (a może sama ją kupiła) i schowała, żeby do niej wrócić podczas szczególnie silnego ataku napięcia przedmiesiączkowego, czekoladowe toffi Callard & Bowser. Otwierała jedną po drugiej wszystkie swoje torebki i wytrząsała z nich paprochy i drobniaki zalegające na dnie, z nadzieją, że coś znajdzie. W końcu wnętrze szafek w kuchni ujawniło obecność starego wielkanocnego jajka z czekolady w błyszczącym sreberku i z wgniecionym bokiem. Zdjęła folię.

Czekolada była tak stara, że pokryła się białawym nalotem, ale mimo to Florence wepchnęła ją do ust.

Wszystko na nic. Nadal miała apetyt na kokę. Odkręciła kran, by wziąć prysznic i obejrzała się w lustrze. Wyglądała na zmęczoną, ale to była jedyna widoczna zmiana – być może nikt by niczego nie zauważył. Puściła wodę tak gorącą, jaką tylko mogła wytrzymać, ale nie odwróciło to uwagi komórek wołających o kokainę. Przypomniało jej się, że na ten wieczór, na wpół do ósmej została zaproszona na przyjęcie przed narodzinami dziecka Katherine Monckton. Zapisała to sobie w kalendarzu. Parę tygodni wcześniej nawet kupiła prezent – srebrną grzechotkę od Tiffany'ego, najmniej praktyczny przedmiot, jaki tylko udało jej się znaleźć. Takiego jednak od niej oczekiwano. Kosztowała sto siedemdziesiąt dolarów. Jeżeli jednak Florence nie poczuje się lepiej, nie ma mowy o wyjściu z domu.

Zakręciła gorącą wodę i puściła zimną. Tak lepiej. Przynajmniej komórki na jakiś czas się znieczuliły, zbyt zaszokowane, by kontynuować swe wrzaskliwe żądania. Do złudzenia przypominały monstrualne pisklęta w gnieździe, pterodaktyle gotowe zadziobać matkę na śmierć.

Pewnie powinna zostać w domu, ale czuła się tak nieszczęśliwa i pełna nienawiści do samej siebie, że myśl o samotnym wieczorze wydała jej się odrażająca. Przez półtorej godziny drżącymi rękami goliła nogi, nakładała makijaż, przymierzała jeden strój po drugim. Wreszcie jej wybór padł na grzybowobrązową, jedwabno-satynową sukienkę o kroju halki, na którą narzuciła cienki, długi płaszcz z jedwabiu i szyfonu w różnych odcieniach brązu i matowej jasnej zieleni. Nogi pod sukienką miała gołe, a na stopy założyła ręcznie szyte we Francji perłowe sandały na koturnach. Całość wyglądała prosto, lecz ślicznie.

A jednak, niezależnie od tego, w co się ubrała, jak kosztowny czy ładny był jej strój, zawsze miała wrażenie, że jej sukienka czy garsonka to tylko marna imitacja elegancji. Sto lat wcześniej za pieniądze naprawdę można było kupić ubranie. W tamtych czasach z materiałów lepszej jakości szyto suknie z ręcznie podwijanymi rąbkami obciążonymi ołowiem, delikatnie haftowanymi dziurkami do guzików. Teraz nawet najdroższych sukien z najlepszych domów mody nie wyszywano prawdziwymi perłami. Poza tym zawsze jej się wydawało, że cokolwiek włoży, będzie to pół kroku za modą. Jeżeli kupiła ubranie w salonie wystawowym – nie to znajdujące się w sprzedaży, lecz pochodzące z następnej kolekcji – zanim zrobiła się odpowiednia pogoda, w sklepach już pojawiały się podobne fasony. A w następnym sezonie każdy, kto naprawdę znał się na modzie, zaczynał się interesować już czymś innym.

Usiłowała upiąć włosy w fantazyjny kok, ale po prysznicu nie chciały się układać, wiły się jak elektryczne węgorze. W końcu przypomniała sobie o słomkowych kapeluszach z tiulem i wcisnęła jeden z nich na głowę. Pewnie ubrała się zbyt strojnie jak na przyjęcie przed narodzinami dziecka, ale dom, w którym impreza miała się odbyć – w ekskluzywnej okolicy – znajdował się nieopodal. Na zaproszeniu napisano, że od dziewiątej panowie są mile widziani. Może potem ktoś ją zaprosi na kolację.

W każdym razie chodziło o to, by nigdy nie ubierać się całkowicie odpowiednio: na eleganckie przyjęcie w dziewięciu przypadkach na dziesięć lepiej było włożyć obcisłe czarne dżinsy i czarny T-shirt – dzięki czemu pozostałe kobiety w małych garsonkach czuły się zbytnio wystrojone – albo piękną spódnicę lub sukienkę na bardziej nieoficjalną imprezę, robiąc z innych dziewczyn flejtuchy. Oczywiście wszystko w granicach rozsądku. Gdyby wybrała zbyt wymyślny strój, na przykład wieczorową suknię bez ramiączek, tylko wyszłaby na idiotkę, nie mogłaby się rozluźnić, a inne kobiety by się z niej śmiały. Ubranie musiało być śliczne, lecz proste i niekrępujące ruchów.

Poświęciwszy sobie tyle czasu, przynajmniej poczuła się lepiej; przebranie odniosło właściwy skutek. Przejrzała się w dużym lustrze za drzwiami sypialni, po czym doszła do wniosku, że przyda się jakaś biżuteria. Przerzuciła zawartość szkatułki. Same rupiecie, jedne zbyt modne, inne przestarzałe. Nagle przypomniała jej się torba z biżuterią Virginii Clary. Zawierała parę ładnych rzeczy. Florence nie widziała powodu, dla którego nie miałaby ich pożyczyć na ten wieczór. Po co mają leżeć bezużytecznie, zanim znajdzie czas, by zanieść je do Quayle'a?

Odnalezienie torby z Wal-Marta zajęło jej trochę czasu. Pewnie ona albo jej gospodyni przełożyła ją w inne miejsce. Minęło dwadzieścia minut, zanim wypatrzyła torbę za krzesłem pod innym rzeczami koło sterty pudeł w salonie. Robiło się późno. Wyrzuciła zawartość torby na kanapę. Nie miała pewności, ale wydawało jej się, że brakuje połowy rzeczy – zniknęły przynajmniej wszystkie pierścionki i jedna wartościowa spinka schowane do chińskiego woreczka w kolorze cesarskiej żółci. Muszą być gdzieś w mieszkaniu. Może dla bezpieczeństwa wepchnęła je gdzie indziej.

Dochodziła ósma. Florence zaczęła opróżniać szuflady i na oślep ciskać ich zawartość na podłogę i krzesła. Złapała sterty teczek, stare foldery, fotografie, pudełko z lalkami Barbie. Otworzyła pokrywkę słonia z ceramiki, który służył za stolik do kawy, wyjęła garść kartoników zapałek, elektryczną lokówkę, rolki taśmy klejącej, miarkę krawiecką, śrubokręt, jedną chińską pałeczkę z laki, dwie miniaturowe buteleczki wódki z samolotu, zepsuty budzik podróżny, cztery kasety z niemodną muzyką pop, pilniczek do paznokci, kilka piór, z których wyciekał atrament, srebrne puzderko na tabletki, w kształcie żółwia, baterie alkaliczne, pewnie wyczerpane, wielką kulkę z agatu do gry, garść agrafek, ciemnoczerwoną, zużytą szminkę – ale nigdzie nie mogła znaleźć biżuterii.

Te rzeczy, te rzeczy – gdyby całe jej mieszkanie spłonęło, nie brakowałoby jej ani jednej z nich, żadnej by nawet nie pamiętała. Niektórzy ludzie mieszkają we wnętrzach urządzonych z prostotą w duchu zen. Ich szuflady są puste. Pod łóżkiem nie walają się zapinane na suwak kuferki wypchane apaszkami i szalami. Za drzwiczkami szafek nie leży siedem szminek, puste butelki po balsamie do rąk i kilka gumek do włosów. Ona jednak miała wrażenie, że tylko prawdziwi bogacze mogą sobie pozwolić na życie bez przedmiotów. Im więcej się ma, tym mniej się potrzebuje.

Porzuciła poszukiwania biżuterii. Pokój wyglądał jak splądrowany. W tak eleganckim stroju w ogóle nie powinna zaczynać tych poszukiwań. Z przodu, tuż nad kolanem znalazła plamkę po jakiejś maści lub tłuszczu. Miała ochotę zedrzeć z siebie sukienkę i cisnąć ją w kąt. Złapała dwie buteleczki wódki. Na górnej półce zamrażalnika została jedna kostka lodu, dolna była zupełnie pusta. Tylko skończony flejtuch mógł włożyć do zamrażarki pusty pojemnik na lód. Ostatnia kostka lodu pachniała nieświeżo, ale mimo to Florence wrzuciła ją do szklanki – w szafce znajdowały się tylko szklanki, gdzieś po drodze musiała stłuc lub zapodziać inne naczynie – i wlała do niej wódkę.

Po wypiciu drinka przynajmniej nie czuła się aż tak roztrzęsiona. Złapała myjkę i potarła plamę wodą z mydłem. Utworzyło się duże, pomarszczone koło, ale jego ciemniejszy środek nie zniknął. Nie może pójść w takim stanie. Pewnie i w pralni nic na to nie poradzą – tłuszcz na satynie – i będzie musiała wyrzucić sukienkę. Szyfonowy płaszczyk należał do tego rodzaju dodatków, które nie pasowały do niczego innego. Skończy w szafie. Przez lata za każdym razem, kiedy sobie o nim przypomni i go przymierzy, będzie wspominać sukienkę, którą kupiła za prawie dziewięćset dolarów na promocji w firmowym salonie wystawowym.

Miała ochotę krzyczeć. Usiłowała ściągnąć sukienkę przez głowę, lecz zaplątała się w jej warstwy. Z szuflady w kuchni wyciągnęła nóż do steków i rozcięła sukienkę na pół, atakując ją tak zaciekle, jakby żywiła do niej osobistą urazę. Wreszcie się z niej wydostała, pozostawiając na podłodze kałużę jedwabistego brązu. Potem wepchnęła ją do worka leżącego pod zlewem. Śmieci śmierdziały zepsutym mlekiem i zgniłą kantalupą – powinna je wyrzucić już tydzień wcześniej.

Była spóźniona. Nie miała co na siebie włożyć. W ogóle nie chciało jej się iść na to przyjęcie. W samych majtkach i staniku otworzyła szafę w sypialni. Zaczęła ściągać z wieszaków i rzucać na podłogę bez wyjątku wszystkie zimowe i letnie ciuchy, aż w końcu znalazła bawełnianą spódnicę w paski, nadal w torbie z pralni chemicznej, w odcieniach ochry, żółci i brązu. Była za ciasna w talii. Jak to możliwe, że Florence utyła? Miała ochotę umrzeć. Od wieków nie odwiedziła siłowni i nie biegała. Przynajmniej dół spódnicy nie był dopasowany, lecz rozkloszowany.

Z szuflady wyciągnęła obcisły półgolf z krótkimi rękawami, w stokrotki barwą harmonizujące z paskami na spódnicy. Teraz musiała znaleźć inne buty. Założyłaby białe klapki z lakierowanej skóry, bez obcasów, ale nie zrobiła sobie pedikiuru, a lakier na paznokciach u nóg był już stary i w niewłaściwym odcieniu. Sandały w grzybowym kolorze przynajmniej częściowo zakrywały palce. Wyciągała z szafy jeden but po drugim, ale ani jedna para nie pasowała do jej stroju.

Wreszcie, już prawie płacząc, znalazła parę ciemnoniebieskich belgijskich pantofelków, których nigdy nie zdążyła solidnie podzelować. Podeszwa była zrobiona z cienkiej skórki, nie nadawała się na uliczne warunki. Florence włożyła je jednak, chwyciła ciemnoniebieską, satynową torebkę na złotych łańcuszkach, wrzuciła do środka klucze, pieniądze, kartę kredytową, szminkę, puderniczkę i błękitne pudełko od Tiffany'ego przewiązane białą wstążką i zawierające srebrną grzechotkę i wyszła z mieszkania.

5

Przyjęcie odbywało się w apartamencie Victorii Ford, która mieszkała w budynku przy Piątej Alei zaledwie parę przecznic dalej. Florence nie znała dobrze Victorii i prawie od roku nie widziała Katherine Monckton, która niedługo miała urodzić dziecko, ale w czasach, kiedy mieszkała z Allison, cała ich trójka spędzała dużo czasu razem. Po drodze zaczęło padać, miękkie, pluskające, szare krople przybierały na sile. Zanim dotarła na miejsce, zdążyła sobie całkowicie zniszczyć buty.

Odźwierny zaprosił ją do środka machnięciem ręki – najwyraźniej wiedział, że Victoria spodziewa się sporej liczby gości – i skierował ją do windy po lewej stronie holu. Tam windziarz ręcznie zamknął staroświecką metalową kratę z wypolerowanego mosiądzu. Na czwartym piętrze w zewnętrznym korytarzu znajdowały się tylko jedne drzwi, przy których stał wieszak na płaszcze i stojak na parasole. Koło wieszaka zobaczyła mężczyznę w uniformie, który spojrzał na nią z dezaprobatą, gdy ociekając wodą i mlaskając butami o dywan, szła przez korytarz.

Weszła na przyjęcie, wyglądając żałośnie jak wróbel, który przycupnął na gałęzi w zacinającym deszczu. Bar obsługiwany przez barmana stał w holu urządzonym w stylu miniaturowej biblioteki. Regały były od góry do dołu zapełnione książkami. Kiedy Florence przyjrzała im się z bliska, okazało się, że to kolekcja albumów: *Wiejskie kuchnie Ameryki*, *Mongolskie pałace w Indiach*, *Baseny*, *Historia guzika*, *Kapelusze*, *Honky-Tonk Highway*, *Ptaki Serengeti* – wielkie, luksusowe księgi po pięćdziesiąt, sto dolarów od sztuki, pewnie nie do czytania, ani razu nieotwarte, jeszcze pachnące świeżym tuszem.

Wzięła kieliszek z tacy stojącej przed barmanem, z jakąś jasnozieloną, ohydnie wyglądającą cieczą, która jednak okazała się pyszną wódką z sokiem z limony. Na stole znajdowały się różne przekąski – ogromna deska z serem pleśniowym maytag i sucharkami, grzanki z wędzonym łososiem i serem śmietankowym. Florence złapała kilka, zanim zauważyła kelnerkę z półmiskiem grillowanego kurczaka na szpadkach z sosem do maczania w miseczce pośrodku.

Wsunęła kawałek kurczaka do ust i wetknęła szpadkę w stojak w kształcie jeżozwierza. Kurczak był zimny i suchy, ale czuła taki głód, że mogłaby zjeść całą zawartość półmiska. Poszła za kelnerką do salonu.

Przyjęcie już się rozkręciło. Około dwudziestu pięciu kobiet siedziało w kręgu na kanapach i krzesłach wokół Katherine, która otwierała prezenty. Florence położyła swój nieco sponiewierany pakunek od Tiffany'ego na stercie, która przechylała się na jedną stronę. Spostrzegła

Tracer, Allison i pewną kobietę, z którą razem wychowała się w Kalifornii i która mniej więcej w tym samym czasie co ona przeprowadziła się do Nowego Jorku.

Potem zauważyła Lisę Harrison, której nie widziała od przyjęcia wydanego na cześć egipskiego projektanta biżuterii. Nie zadzwoniła do niej z podziękowaniami. Może Lisa nie będzie pamiętać. Ubrała się w różowy kostium obszyty czymś, co przypominało tapicerską frędzlę – drogi, może od Chanel? – a włosy upięła w pozornie nonszalancki, misterny kok. Na jej kolanach leżał pies, obślinione, bure paskudztwo o pysku gargulca z wystającym językiem, który łatwo można było pomylić z doczepionym kawałkiem surowego bekonu. Pies miał na szyi różową obrożę z lakierowanej skóry, kolorem pasującą do kostiumu swej pani. Lisa wyglądała nieprawdopodobnie zamożnie, ale jednocześnie mizernie. Florence poczuła chwilową ulgę – komuś, przynajmniej pod względem psychicznym, powodzi się jeszcze gorzej – ale zaraz sobie przypomniała, że sama pewnie wygląda jak zmokła kura.

Nie miała całkowitej pewności, ale podejrzewała, że kobieta siedząca tyłem do niej to Natalie de Jongh. Robiła krok w jedną stronę, pilnując, by kobieta, nawet jeżeli się odwróci, nie zobaczyła jej. Nie wiedziała, co robić. Katherine trzymała srebrny kubek dla dziecka, a otaczające ją kobiety wydawały z siebie pełne entuzjazmu, ciche okrzyki. Po co dziecku srebrny kubek? Tylko go wyszczerbi albo połamie sobie na nim zęby. Następnie pojawił się telefon komórkowy – najwyraźniej tak zaprojektowany, by można go powiesić nad łóżeczkiem – z którego zwisały ogromne, czarno-białe świnki z pozłacanymi skrzydłami.

Wśród prezentów była też para malusieńkich, czarnych kowbojskich butów, malutka kurtka motocyklowa z czarnej skóry, pluszowy miś koala i wielka, ohydna, żółta, plastikowa nakręcana pozytywka w kształcie półksiężyca, która grała *Twinkle, Twinkle, Little Star*. Każdy z podarków witano zduszonymi okrzykami podniecenia, jak na pokazie fajerwerków. Antyczna dziecięca szczotka do włosów z kości słoniowej, intarsjowana ramka do zdjęcia. Miska do owsianki z Piotrusiem Królikiem wraz z dziełami zebranymi Beatrix Potter. „Och, jakie to śliczne!". Usiłowała przyłączyć się do ogólnego entuzjazmu. Cały ten rytuał wydawał się równie dziwaczny jak ceremonia w nubijskiej wiosce lub wśród mieszkańców niedostępnych gór w Myanmarze.

Formalnościom stało się zadość. Wszystkie prezenty otworzono. Przyjaciółki Katherine pochyliły się, by pozbierać sterty lśniącej bibułki, opakowania, które jak różowe chmurki i żółte błyski słońca zaśmiecały podłogę. Przyszła matka siedziała na swym tronie, z nogami rozstawionymi pod brzuchem, zadowolona z siebie i majestatyczna, otoczona aurą księżniczki lub magnatki.

Niektóre z kobiet wstały, by obejrzeć prezenty, inne skierowały się do baru. Zaczęli się pojawiać mężczyźni – znajomi Katherine, mężowie lub chłopcy zaproszonych pań. Wraz z ich nadejściem atmosfera się ożywiła. Wszyscy byli w typie chłopięcych maklerów giełdowych i mieli zbolałe miny. Przyjęcie to jedno, ale impreza przed narodzinami dziecka tylko im przypomina o uwięzieniu, które już się dokonało albo ich czeka. Wszystkie kobiety wyglądały wyjątkowo elegancko. Victoria Ford, pani domu, zatrzymała się w drodze do kuchni i przywitała z Florence.

– Co u ciebie?

– Dobrze! Nie do wiary, że lato właściwie już się skończyło!

– Oj, tak. Ja też nie mogę w to uwierzyć!

– To cudowne, że zorganizowałaś to przyjęcie dla Katherine. Tak się cieszę, że będzie miała dziecko! Bardzo fajnie.

– Podoba ci się? – Victoria najwyraźniej zrozumiała, że Florence ma na myśli mieszkanie. – Niedawno kupiliśmy mieszkanie obok i zamierzamy je połączyć. Doszłam do wniosku, że chcę mieć dzieci, i to zaraz, więc potrzebujemy o wiele więcej miejsca.

– Ale ten apartament wygląda na całkiem spory.

– Naprawdę? To tylko pozory. Są tu trzy sypialnie, ale ja i Hank musimy mieć swoje gabinety, no i przydałby się pokój dla dziecka i kolejny dla opiekunki. Przepraszam na chwileczkę. – Florence nie mogła zrozumieć, co Victoria miałaby robić w swoim gabinecie, oglądać albumy? Przygryzła wewnętrzną część policzka, usiłując powstrzymać tego rodzaju myśli.

– Tracer! – Wyciągnęła rękę i złapała Tracer za ramię. Tracer była bogata, ale z tą dużą, końską twarzą sprawiała wrażenie dobrego człowieka. Wyglądała jak ktoś, kto w końcu zostanie jej szczerą przyjaciółką. – Tracer! Nie wiedziałam, że już wróciłaś. Dostałaś mój liścik?

– Tak, dziękuję. – Tracer wyminęła ją arogancko. Florence przez chwilę wydawało się, że została fizycznie zaatakowana, dźgnięta nożem, a teraz, na oczach wszystkich, jej wątroba i reszta wnętrzności wylewały się na podłogę. Podniosła ręce do brzucha.

Jeżeli zrobiła coś Tracer, to czy przynajmniej nie mogła się dowiedzieć, o co chodzi? Usiłowała przekuć swoje upokorzenie we wściekłość. Może zraniła uczucia Tracer, zdradziła ją w jakiś sposób – po prostu nie mogła zrozumieć, co się stało. Ludzie mają obowiązek informować innych, kiedy czują się skrzywdzeni lub zranieni. Wówczas mogłaby przeprosić. Uważała, że w takich okolicznościach to ona, a nie Tracer, ma prawo do złości.

O ścianę koło Florence oparła się wysoka kobieta we włoskim, szarobrązowym garniturze o męskim kroju.

– O Boże – powiedziała. – Już sama nie wiem, czy po takich imprezach mam ochotę urodzić dziecko, czy wręcz przeciwnie. Wiem tylko, że budzą we mnie niepokój.

– Mmm – mruknęła niezobowiązująco Florence.

– A tak przy okazji, jestem Anne Barrett. Chyba się poznałyśmy parę lat temu na jakimś przyjęciu u Katherine.

– A tak, rzeczywiście. Coś sobie przypominam. Jestem Florence Collins.

– Masz dzieci, Florence?

– Nie, ale bardzo bym chciała. Chyba. A ty?

– Mój mąż wychowuje dzieci z pierwszego małżeństwa, więc mieszkają z nami. Doskonale się rozumiemy!

– Tak? W jakim są wieku?

– Cary ma czternaście lat, a Louise – dwanaście. – Anne była szczupła, miała chłopięcą urodę i regularne rysy twarzy. Włosy ściągnęła do tyłu i była bardzo delikatnie umalowana. Florence niejasno sobie przypominała, że Anne występowała w telewizji, prowadziła jakiś program rozrywkowy.

– Chłopiec i dziewczynka?

– Nie, dwie dziewczynki. Wolą mnie od własnej matki. Jeremy nie będzie zawiedziony, jeżeli nie urodzę mu dzieci. Mamy ogromny dom w Bedford Hills. Po ślubie przestałam pracować i teraz mi się wydaje, że i mnie już na tym nie zależy. Oczywiście jestem pewna, że do końca życia ta sprawa będzie we mnie budziła coraz większy niepokój. Słyszałaś o córeczce Natalie i Johna?

– Kogo?

– Natalie i Johna de Jonghów. Znasz ich, prawda? Natalie jest gdzieś tutaj. Nie mogę uwierzyć, że przyszła na to przyjęcie. Pewnie znajduje się w takim stanie, że nie może wytrzymać w domu.

– Co się stało?

– Ich córeczka – miała chyba osiem czy dziewięć lat – niedawno umarła.

– Claudia? Umarła? Nie mogę w to uwierzyć! Co się stało?

– Nie jestem pewna. Dopiero co się dowiedziałam. Ale chyba przez jakiś czas chorowała.

– O Boże. Jakie to straszne. – Bez słowa wyjaśnienia powlokła się do baru. Barman dolał jej lepkiego, zielonego drinka. Podeszła Allison, jej była współlokatorka.

– Florence! Cześć! Co u ciebie? Nie do wiary, że zdążyłam wrócić z wycieczki akurat na to przyjęcie. Było niesamowicie! Florence, musisz sama spróbować, to coś wspaniałego. Słowo daję, nie przesadzam. Trzy tygodnie na barce płynącej przez francuską wieś, jak we śnie. Czuję się, jakbym dziesięć lat spędziła w klasztorze zen. Słowo daję, teraz jestem taka poskładana; miałam czas na przemyślenia, medytacje i szczerą ocenę własnego życia. Dzieciom oczywiście też się bardzo podobało. Dzięki Bogu mieliśmy ze sobą stałą opiekunkę, bo inaczej chyba bym...

– Allison – przerwała jej Florence. – Co się stało Claudii?

– Komu?

– Claudii. Córce Natalie i Johna.

– O Boże, to straszne, prawda? Dasz wiarę?

– Co się stało?

– Nie wiem dokładnie. Zdaje się, że miała zapalenie płuc.

Z zaskoczenia zrobiło jej się słabo. To chyba jakiś żart, to nie może być prawda. Claudia nie umarła w ten sposób. Na zapalenie płuc się nie umiera, chyba że w wiktoriańskich powieściach. Brzydziło ją własne zachowanie. Mogła przecież wysłać jej kartkę z życzeniami powrotu do zdrowia albo album ze zdjęciami koni. Przypomniała jej się Claudia wyciągnięta z wody, jej blada, niemalże przezroczysta, sina skóra, strużka wiśniowego dżemu cieknąca z ust. Nawet wtedy Claudia była zdecydowana – zdeterminowana jak dorosły człowiek – ukarać swą matkę.

– Zapalenie płuc! Teraz nikt nie umiera na zapalenie płuc! Jest tyle antybiotyków...

– Podobno na początku lata o mało co nie utonęła. Wtedy niczego nie podejrzewali, ale do płuc musiało jej się dostać trochę wody. Wiesz, że pozamykali plaże? Odkryli zbyt wysokie stężenie bakterii czy jakiś wyciek. Nie znam wszystkich szczegółów, ale jej choroba, czy to było zapalenie płuc czy cokolwiek innego, nie reagowała na antybiotyki. Może miała to samo, co łapią starzy ludzie, chorzy na AIDS, czy cyto... cyto-coś-tam.

– Nie mogę w to uwierzyć.

– Coś ci powiem, bardzo mi ulżyło, że my nie spędziliśmy lata w Hamptons. Nie utrzymałabym dzieci z dala od wody...

Allison dalej trajkotała bezmyślnie, kiedy Florence kątem oka zauważyła, że Natalie ją wypatrzyła. Przeszła przez pokój z tak czystą nienawiścią malującą się na twarzy, że Florence dosłownie poczuła, że wysycha, jakby jej delikatne ciało zanurzono w wiadrze z solą i ałunem.

6

– Chcę, żebyś wiedziała, że to, co zrobiłaś mnie i mojej rodzinie, było nieprawdopodobnie okrutne.

– Natalie, właśnie się dowiedziałam o Claudii. Tak bardzo mi przykro. – Płakała.

– Oczywiście, że jest ci przykro. – Natalie mówiła spokojnym głosem, ale cała się trzęsła. – Bo teraz dopilnuję, żeby twoje życie przemieniło się w takie piekło, jakie uczyniłaś z mojego.

– Ale co ja takiego zrobiłam? – Była szczerze skonsternowana. Po policzkach nadal płynęły jej gorące łzy.

– Chciałabym usłyszeć, co ty sądzisz o tym, co zrobiłaś.

Pozostali goście przerwali rozmowy i zaczęli podsłuchiwać. Nie było to trudne; głos Natalie brzmiał bezlitośnie przenikliwie.

– Myślę, że nic nie zrobiłam.

– Wybacz, ale skoro tak mówisz, musisz być albo wyjątkową idiotką – w co nie wierzę – albo skończoną socjopatką.

Ktoś wszedł z korytarza. Florence stała tyłem do drzwi, ale usłyszała donośny głos mężczyzny.

– Cześć, Katherine! Co u ciebie? Zobacz tylko, co ci przyniosłem. Paskudniejszego prezentu na pewno nie dostałaś! – Florence kątem oka patrzyła, jak mężczyzna demonstruje białego, pluszowego szczura z czerwonymi oczami i różowym ogonem. – Posłuchaj. Spodoba ci się.

Raptownie mężczyzna wyczuł, że coś się dzieje – nie było na porządku dziennym, by na przyjęciu panowała taka cisza – i umilkł, ale już zdążył wcisnąć guzik w uchu gryzonia. Zaryczał mechaniczny głos: „Jestem szczurek! Jestem szczurek! Kocham cię! Kochaś mnie?". To dziecinne gaworzenie było parodią sztucznej ckliwości: „kochaś" zamiast „kochasz". A może po prostu jakość organów wewnętrznych zabawki lub magnetofonu nie należały do najwyższych.

Nadal trzymając jazgoczącego szczura – chyba nie dawało się go wyłączyć – mężczyzna wbiegł do drugiego pokoju.

– Natalie, strasznie mi przykro z powodu Claudii, ale nie możesz mnie oskarżać.

– Nie graj komedii. Od samego początku robisz mi takie numery.

– Wiem, że tamtego dnia zabroniłaś Claudii iść na plażę, ale równie dobrze to się mogło zdarzyć w basenie przy twoim domu. – Wtargnięcie mężczyzny z gadającym gryzoniem dało Florence czas na pozbieranie się i teraz sama się zdziwiła własnym spokojnym głosem, chociaż nie mogła opanować drżenia ust i piekących łez, które bez ustanku tryskały z jej oczu.

– Mów, co chcesz, ale prawda wygląda tak, że jesteś bezpośrednio odpowiedzialna za śmierć mojej córki. Przyjeżdżasz do mnie na weekend, mordujesz moją córkę, uwodzisz mi męża, całkowicie rujnujesz mi dom, chociaż prosiłam, żebyś nie korzystała z tej toalety, i to z jakiego powodu? Z zazdrości? Ze złośliwości? Bo przespałaś się ze wszystkimi facetami z Nowego Jorku i nic ci to nie dało?

– Natalie, wybacz. Wiem, że jesteś zdenerwowana z powodu Claudii i masz potrzebę na kogoś zrzucić całą winę, ale ponieważ sama poruszyłaś ten temat, to chyba powinnaś się dowiedzieć, że wcale nie uwiodłam twojego męża. Nie jest w moim typie, możesz mi wierzyć. Sam przyszedł do mojego pokoju i dosłownie mnie zgwałcił. Miałam wrażenie, że ciągle zapraszałaś do siebie wszystkie samotne kobiety, by zaspokoić seksualny apetyt swojego męża i nie musieć robić tego samej. – Czuła, że wygrała ten spór, bitwę, to, co zaszło, i że po tym podsumowaniu powinna opuścić ten dom.

– Mój mąż twierdzi coś zupełnie innego. – Widząc, że Florence rusza do wyjścia, Natalie chciała mieć ostatnie słowo. – Na dwóch piętrach musiałam wyremontować sufity! Masz pojęcie, ile mnie kosztowało naprawienie szkód, które wyrządziłaś?

Wychodząc, Florence nadal słyszała przesłodzone szczebiotanie szczura: „Jestem szczurek! Kocham cię! Kochaś mnie?".

Dopiero w głównym holu budynku, spoglądając na deszcz, pojęła wagę tego, co się stało, dotarło do niej, że

Claudia nie żyje, a jej własne łzy były szczere. W pewnym sensie ponosiła odpowiedzialność za śmierć Claudii, chociaż w innym – nie. Claudia umarła z powodu braku miłości. To biedactwo było takie żałosne, takie mizerne, po co w ogóle przychodziło na świat? Florence chętnie zamieniłaby się z nią miejscami.

Teraz, po wyjściu Florence, pozostali goście zgromadzą się wokół Natalie, zaczną jej współczuć, dopytywać się o wszystkie drastyczne szczegóły – a Natalie może puścić wodze fantazji. Pod względem taktycznym Florence popełniła błąd. Kto uwierzy, że John de Jongh, nudny jak flaki z olejem, kogokolwiek by zgwałcił, już nie wspominając o kradzieży? Nawet nie miała szansy wspomnieć o tych dwudziestu pięciu tysiącach dolarów, które za jego namową zainwestowała w jakieś podejrzane przedsięwzięcie.

– Nie ma pani parasola? – spytał odźwierny.

– Co takiego?

– Nie ma pani płaszcza? Ani parasola? Wezwać taksówkę?

– Taksówkę. – Na dźwięk tego słowa przypomniały jej się wydarzenia z poprzedniej nocy i Florence aż się wzdrygnęła. – Nie, chyba nie. – Wyszła wprost na ulewny deszcz.

Parę przecznic dalej stanęła przed automatem telefonicznym, wyszperała z kieszeni ćwierć dolara i wykręciła numer do Raffaello. Kiedyś publiczne telefony instalowano w budkach z ławeczką, dachem nad głową i nawet książką telefoniczną. Teraz musiała stać i moknąć przy budce z nierdzewnej stali, która nie tylko nie była dźwiękoszczelna, ale śmierdziała jak pisuar, zapewniający prywatność tylko górnej połowie ciała użytkownika.

Włączyła się jego automatyczna sekretarka.

– Halo, Raffaello? Jesteś tam? Jeżeli słuchasz, proszę, podnieś słuchawkę. – Nikt nie odpowiadał. – To ja, Florence. Czy mógłbyś... Nie chcę ci zawracać głowy, ale czy mógłbyś mnie jeszcze poczęstować tym, co braliśmy wczorajszej nocy? Nie zamierzam często tego powtarzać, ale chciałabym mieć trochę pod ręką, na wszelki wypadek, sama nie wiem... – Rozległo się piśnięcie i Florence zrozumiała, że sekretarka się wyłączyła.

Weszła do pobliskiej kafejki. Lokal był prawie pusty; tylko jakiś staruszek jedzący rybę i bezdomna kobieta, która siedziała przy kontuarze, mówiła do siebie i skubała kukurydzianą babeczkę. W okolicy znajdowało się zaledwie kilka kawiarni i nie było właściwie ani jednej restauracji. W porze lunchu lub w weekendy to miejsce mogło być całkiem zatłoczone, lecz nocami przychodziło tu tylko kilku okolicznych biedaków. Fluorescencyjne światła migały nierówno, rzucając ostre, zimne światło na żółtozieloną, winylową kanapkę i plastikowe blaty. Florence, mlaskając butami, przeszła przez salę i opadła na kanapkę w boksie dla dwóch osób.

– Dobry wieczór. – Kelner wyrósł jak spod ziemi. Był drobnym Grekiem w białej koszuli, czarnym krawacie i marynarce. – Jedna osoba?

– Tak.

Zgarnął ze stołu drugie nakrycie – papierową serwetkę, tani nóż, widelec i łyżkę. Menu było ogromne. Wydało jej się nieprawdopodobne, że w jednym miejscu podają i pieczonego indyka, i musakę z bakłażana, i kanapki z tuńczykiem, i smażonego kurczaka w stylu południowym, i naleśniki, i steki z frytkami, oraz chyba z tysiąc innych potraw.

– Coś do picia?

– Czy podają państwo alkohol? – Wskazał na tylną okładkę menu. Na pewno znajdzie coś, co ją pocieszy, drink, jakiego jeszcze nie piła, jakiś zabawny koktajl. – Może to? Mrożony truskawkowo-ananasowo-rumowo--curaçao Supreme?

– Który to?

Pokazała mu zdjęcie czegoś różowego i sztucznego.

– Daj mi mrożony Supreme! – krzyknął ponad jej głową. – Co jeszcze?

– Może filiżankę zupy pomidorowej. To wszystko.

– Tylko mrożony Supreme i filiżanka zupy? Przemokła pani, powinna zjeść kolację, żeby się nie rozchorować. Mamy dzisiaj pyszną rybę, proponuję też spaghetti...

– Dzięki. Zobaczę po zupie. – Mężczyzna za ladą wyjął karton z lodówki i zaczął wlewać sok do miksera – pewnie robił jej wymyślnego drinka z paczkowanych półproduktów.

Drink miał chemiczny posmak owoców z rozpuszczalnikiem. Nagle nawiedziło ją wspomnienie kokainy. Gdyby tylko mogła jej spróbować, powąchać, choćby raz! Komórki jej ciała wiły się żałośnie, błagając, by je wypełnić dymnym balsamem. Wstała i poszła do automatu telefonicznego. Może to głupie, ale dzwoniła do Raffaello nie po to, by się z nim spotkać – chciała tylko adres jakiegoś miejsca, do którego mogłaby się udać, albo telefon kontaktowy. Przespała się z nim przed nieco ponad dwoma dniami; niech ją diabli, jeżeli teraz będzie siedzieć i czekać na telefon od niego.

Odezwała się tylko sekretarka.

Wróciła do swojego boksu. Zupa smakowała paskudnie, drink smakował paskudnie – może zamówić galaretkę? Jednak deser, przybrany wielką górą bitej śmietany z puszki, którą musiała zepchnąć na bok, smakował jak lekko stwardniała guma.

– Niedobre? Nie smakuje?

– Nie, dobre. Tylko sama nie wiem, na co mam apetyt. Może... może talerz szpinaku? I... poproszę podwójną wódkę, najlepszą markę, z lodem i odrobiną świeżo wyciśniętego soku z pomarańczy.

Kelnerowi nawet powieka nie drgnęła. Najwyraźniej zdążył się oswoić z wszelkimi dziwactwami. Bezdomna kobieta przy kontuarze dopiła herbatę i teraz starannie owijała zużytą torebkę w kawałek folii aluminiowej, którą dostała przy ladzie.

Podłoga wokół podstawy jej stołka była zasłana pięcioma czy sześcioma torbami na zakupy, jednymi papierowymi, innymi z plastiku, wypchanymi i aż pękającymi w szwach. Z jednej wystawał upstrzony plamkami brązowy rękaw starego swetra. Ubranie, które miała na sobie, niegdyś musiało być całkiem modne, dobrej jakości. Jej buty, całkowicie zdarte w piętach i wypchane gazetami mającymi chronić przed deszczem, również pamiętały czasy swojej świetności. Na nogach miała grube, różowocieliste ortopedyczne pończochy, które kończyły się tuż pod kolanami. Na jej głowie sterczał mały kapelusik – aksamitny wieczorowy toczek modny w latach pięćdziesiątych – zwrócony w złą stronę, więc czarna woalka opadała na prawe ucho kobiety.

Florence miała trochę pieniędzy w portfelu. Nie czekając na resztę zamówienia, rzuciła całą garść na stół. Nadal padało, lecz teraz siąpiła drobniejsza mżawka. Ruszyła ulicą w stronę swojego kwartału, ale kiedy dotarła na miejsce, poszła dalej. Deszcz utworzył wielkie kałuże, miejscami głębokie na trzydzieści centymetrów, których nie dało się ominąć. Po sześciu czy siedmiu przecznicach jej buty były całkowicie zniszczone, zrujnowane, rozmoknięte na papkę. Już nie da się ich uratować, tylko utrudniały marsz. Zdjęła je i cisnęła do kontenera na śmieci.

Chodnik okazał się przyjemny pod bosymi stopami, chociaż woda w kałużach była ciepła i nieprzyjemnie oślizgła. Pewnie deszcz wymieszał się z czarną, tłustą sadzą Manhattanu i grubą warstwą plwociny pokrywającej chodniki. Najwyraźniej ulubioną rozrywką trzech czwartych męskiej populacji tego miasta było odpluwanie na każdym kroku wielkich ilości śliny. Gdyby spadła bomba nuklearna, nowe życie powstałoby może właśnie w kałużach Nowego Jorku.

Z jednej strony budynku znajdował się automat. Zepsuty. Parę przecznic dalej trzy automaty w rzędzie. Wszystkie zepsute. Jeszcze parę przecznic dalej dwa telefony przylegające do siebie tylnymi ściankami. Jeden był zajęty, więc podniosła słuchawkę drugiego i włożyła ćwierć dolara. Telefon wypluł monetę z powrotem. Spróbowała znowu. Trudno, nie działa. Poczeka na drugi. Mężczyzna, który z niego korzystał, najwyraźniej nie zdawał sobie sprawy z jej obecności. Gadał i gadał, językiem, którego nie mogła rozpoznać. Chodziła tam i z powrotem, usiłując dać mu znać, że czeka. W końcu stało się oczywiste, że mężczyzna ją dostrzegł, lecz i tak nie miał zamiaru kończyć rozmowy. Rozwodził się w nieskończoność, a jego rozmówca dawał równie rozwlekłe odpowiedzi. Florence nie mogła pojąć, o czym można gadać tak długo, zwłaszcza w nocy, na deszczu. Mężczyzna odwrócił się tyłem, żeby nie musieć na nią patrzeć.

Minęło przynajmniej dwadzieścia minut. Florence krążyła nerwowo, sądząc, że lada chwila telefon się zwolni. W końcu mężczyzna zerknął przez ramię i zobaczył, że Florence nadal tam stoi.

– To jeszcze trochę potrwa – powiedział wściekłym głosem z silnie zaznaczonym akcentem.

Znajdowała się blisko budynku Raffaello. Może już jest w domu, mogłaby też zaczekać na jego powrót. Tak czy inaczej nie miała nic innego do roboty. Weszła do marmurowego holu, ociekająca wodą i zszargana jak zużyty papierowy ręcznik. Włosy miała przemoczone i przyklejone do czoła. Kropelki wody wpływały jej do oczu. Odźwierny podejrzliwie pociągnął nosem.

– W czym mogę pani pomóc?

Spróbowała otrząsnąć trochę kropel.

– Przyszłam do Raffaello di Castignolli.

Odźwierny z dezaprobatą popatrzył na nią i na kałużę na podłodze.

– Proszę chwilę zaczekać. – Wykręcił numer interkomu Raffaello. – Nikt nie odpowiada. Nie ma go w domu... czy była pani umówiona?

Zignorowała to pytanie.

– Jeszcze nie wrócił? Czy mógłby mnie pan wpuścić do jego mieszkania, żebym na niego poczekała? Mogłabym się osuszyć.

Zagapił się na nią z mieszaniną zażenowania i potępienia.

– Nie, niestety nie.

– Jestem jego przyjaciółką.

– Nie wątpię, ale nie mogę pani wpuścić.

Gdyby nie wyglądała jak zmokła kura, nie potraktowałby jej w ten sposób. Jeszcze mu pokaże. Usiadła na podrabianej kanapie w stylu Le Corbusiera między stanowiskiem odźwiernego a rzędem wind. Wchodziło i wychodziło bardzo niewiele osób – jakiś mężczyzna z dwoma terierami West Highland, dostawca z jedzeniem na wynos, starsza para wracająca z kolacji – ale za każdym razem, kiedy kogoś widziała, odgrywała przedstawienie polegające na trzęsieniu się i udawaniu jeszcze bardziej godnej współczucia, niż była w rzeczywistości. Naprawdę było jej przeraźliwie zimno; to nic zabawnego czekać w mokrym ubraniu i boso, ale była zdeterminowana i postanowiła wytrzymać. Minęło potwornie dużo czasu.

Odźwierny usiłował nie zwracać na nią uwagi. W końcu albo wpadł w desperację, albo zaczął się nudzić, bo podszedł do kanapy, na której siedziała.

– Na pewno była pani umówiona?

Podniosła wzrok, wycierając nos wierzchem dłoni.

– O tak. Zawsze się spóźnia. Powiedział, że jeżeli się spóźni, mam poczekać w jego mieszkaniu. Po drodze strasznie przemokłam, ale myślałam, że mnie pan wpuści, żebym się osuszyła. Raffaello się zdenerwuje, jeżeli się przeziębię.

– Przepraszam. – Odźwierny miał zaniepokojoną minę. – Po prostu... gdyby zostawił mi wiadomość, ustną lub pisemną... Może pani wie, gdzie on teraz jest? Mogłaby pani do niego zadzwonić i dać mnie do telefonu, poprosiłbym go o zgodę.

– Nie wzięłam ze sobą jego numeru. Nie przyszło mi do głowy, że aż tak się spóźni. – Wiedziała, że powinna sobie pójść, że nigdy jeszcze nie zachowała się tak żałośnie, ale z jakiegoś powodu nie mogła. Determinacja przykleiła ją do miejsca. Czuła ten sam przymus, za jakiego sprawą czternastolatki nagabują chłopaka, na okrągło do niego wydzwaniając.

W tej chwili zobaczyła Raffaello i się podniosła; kanapa pod nią zaskrzypiała.

– Jest. – Na twarzy odźwiernego pojawiła się ulga. Oboje jednocześnie spostrzegli, że z Raffaello idzie jakaś dziewczyna, ale to nie był problem Florence.

– Raffaello! – zawołała. Próbowała się zachowywać tak, jakby Raffaello rzeczywiście był z nią umówiony.

– Co... co ty tu robisz?

Odwróciła wzrok od skonsternowanej twarzy odźwiernego.

– Próbowałam się dodzwonić, ale chyba masz zepsuty telefon i... potrzebuję czegoś od ciebie... czegoś ważnego. Przecież mówiłeś, żebym wpadła dzisiaj wieczorem?

Nie odpowiedział. Obcięła wzrokiem elegancką blondynkę, która mu towarzyszyła. Dziewczyna była nieco do niej podobna, ale dziesięć lat młodsza, nie przesadnie wystrojona i przemoknięta do suchej nitki, lecz ubrana z nonszalancką elegancją. Mimo wszystko nie dorównywała urodą Florence; nijaki, taśmowo wyprodukowany android.

– Nie rozumiem – syknął w końcu. – Co ty tu robisz, nie masz do mnie żadnej sprawy...

– Myślałam... po ostatniej nocy... Boże drogi, Raffaello, przecież mówiłeś, żebym wpadła! Przyszłabym dużo wcześniej, ale miałam swoje plany i nie mogłam ich odwołać... – Spojrzała protekcjonalnie na dziewczynę i uśmiechnęła się z fałszywą skromnością. – Jestem Florence Collins. – Wyciągnęła dłoń. Dziewczyna ujęła ją lekceważąco, rozdymając nozdrza, i wymamrotała coś, co mogło oznaczać jej imię.

– Wcale cię nie zapraszałem! Nie możesz przychodzić bez uprzedzenia i czekać na mnie!

– Po co się tak złościsz? To małe nieporozumienie i już... Zresztą widzę, że jesteś... jak zawsze zajęty, ale czy mogłabym z tobą zamienić słówko? Muszę cię spytać o coś ważnego.

– Niestety nie teraz. – Widziała, że Raffaello prawie ma załamanie nerwowe, zachowuje się tak, jakby chciała go zaatakować nożem. Dobrze mu tak. – Jeśli chcesz, możesz jutro do mnie zadzwonić, do biura. A teraz musimy cię przeprosić. – Ujął dziewczynę pod ramię, minęli Florence i poszli do windy. Dziewczyna miała triumfalny wyraz twarzy; jakże smętna i patetyczna wydawała jej się Florence.

– Nie wyszło tak, jak pani chciała, co? – spytał odźwierny zbyt poufałym tonem.

7

Weekend przed Świętem Pracy[1] nie minął ani wolno, ani szybko. Florence mogła się dokądś wybrać, sama nie była pewna dokąd, ale z pewnością znalazłaby okazję, gdyby zechciała jej poszukać – a jednak nie zechciała. Ciągle rozmyślała o Claudii, zastanawiała się, czy mogła ją wtedy uratować. Czy kogokolwiek można uratować? Darryl chciał ocalić ją, ale jego miłość wydawała jej się nierealna jak sen, który sam stworzył i który go pochłonął. Powtarzała sobie, że nie ma to z nią nic wspólnego, lecz nie znajdowała w tej myśli żadnego pocieszenia; zastanawiała się, czym wypełnić długie godziny świątecznego weekendu w mieście.

Wypożyczyła parę filmów wideo, zamówiła chińskie jedzenie na wynos, pobiegała po parku i poszła na siłownię. Musiała odnowić członkostwo, więc opłaciła kartą kredytową półtora tysiąca dolarów.

W Nowym Jorku czasami tak bywa, zwykle w weekendy, ale niekiedy miała wrażenie, że żyje samotnie na

---

[1] W Stanach Zjednoczonych Święto Pracy obchodzone jest w pierwszy poniedziałek września.

szczycie góry: nikt nie dzwonił, nie miała czym się zająć, całkowita izolacja. Potem znowu następował ruch w interesie. Już się nauczyła, jak przetrwać chwile zastoju i nie wpaść w panikę, kiedy wszystko zaczynało jej się zwalać na głowę. Nigdy nie miała tylko jednego obiektu zainteresowania: zawsze było ich trzech lub czterech, lub w ogóle żadnego.

We wtorek rano zadzwonił telefon. Sięgnęła po słuchawkę.

– Halo? – Jej głos zabrzmiał chrapliwie, jeszcze nawet nie zdążyła wypić kawy. Pomimo wydarzeń z poprzedniego wieczoru czuła, że jest w porządku; teraz już na pewno ten zastój się skończy.

– Florence? Mówi Marge Crowninshield. Dobrze się czujesz? Co z twoim głosem?

– Nic takiego. Czasami mam chrypkę.

– Spałaś? Obudziłam cię?

– Nie, nie. – Spojrzała na zegar. Minęła dziewiąta.

– To dobrze. Bardzo mnie zdenerwowałaś, Florence. Wysyłam kuriera po biżuterię. Niedługo u ciebie będzie, więc chciałam cię prosić, żebyś nie wychodziła. Zostaniesz w domu?

– Przez jakiś czas.

– Wyjeżdżałam, przez większą część sierpnia byłam na Peloponezie...

I co z tego? – miała ochotę spytać. Nawet teraz Marge nie mogła się powstrzymać przed przechwałkami. To jej głęboko zakorzeniony nawyk. Czy Florence ma okazać podziw? Westchnąć „o rany" albo „o kurczę"? Dziwiła się, że Marge nie uznała za konieczne dodać, że właśnie się wybiera na lunch do Four Seasons.

– Przez jakiś czas jeszcze będę w domu. Jeżeli będę musiała wyjść przed przyjściem kuriera, zostawię biżuterię u odźwiernego.

– Nie rób tego! Zawsze zachowywałaś się tak nieodpowiedzialnie, czy po prostu jesteś na mnie zła o to, że cię zwolniłam? Jeżeli chcesz, napiszę ci rekomendację. Z pewnością zdajesz sobie sprawę z tego, że Quayle nie mógł cię zatrzymać z wielu powodów. Naprawdę próbowałam cię uprzedzić z dużym wyprzedzeniem, żeby dać ci czas na poprawę. A teraz to! To nieprawdopodobne, że jeszcze nie odesłałaś tej biżuterii. Ta biedna kobieta ciągle do nas wydzwania.

– Cóż... ja też wyjechałam. Następna aukcja ma się odbyć dopiero pod koniec października. Zakładałam, że gdyby biżuteria była ci potrzebna, kogoś byś po nią wysłała. – Niezbyt delikatnie odłożyła słuchawkę. Dopiero kiedy poszła do kuchni, żeby zrobić sobie filiżankę herbaty, przypomniała sobie, że brakuje części biżuterii. Może nikt nie zauważy. Zaginionych przedmiotów nie było na jej liście; zawsze może powiedzieć, że nigdy ich nie widziała. Nie wiedziała, co robić. Kilku cennych broszek i pierścionków z pewnością nie było w jej mieszkaniu. Każdy mógł je wynieść: sprzątaczka, Raffaello, Gideon, odźwierny, który przyniósł paczkę.

Nie czuła wyrzutów sumienia – w końcu nic takiego nie zrobiła, prawda? – jedynie lęk, że wszystko się wyda, że zostanie przyłapana, oskarżona, upokorzona i ukarana. Może to źle, że nie miała poczucia winy. Ale przecież nie ukradła tych rzeczy ani ich nie zgubiła. W tej sytuacji to Marge powinna czuć się winna. Gdyby jej nie zwolniła, Florence już dawno temu przyniosłaby tę biżuterię do pracy.

Zgarnęła ze stołu plik korespondencji, zrzucając ją na stertę na podłogę. Rachunki, rachunki – naprawdę musi coś z tym zrobić, bo inaczej lada chwila odetną jej gaz i prąd. Zaczęła sączyć herbatę z miodem, usiłując pozbyć się bólu głowy. Chyba powinna umówić się na wizytę u dentysty, być może przez sen zgrzyta zębami.

Przez godzinę raz jeszcze szukała brakującej biżuterii, przewracając wszystko do góry nogami – choć już i tak w jej mieszkaniu panował straszny bałagan. Sto razy zajrzała w każdy zakamarek. Wiedziała, że to okropne, okraść kaleką wdowę. Pewnie złamała jedno z dziesięciorga przykazań. Ale to nie jej wina. Fala paniki przypływała i odpływała.

W końcu zadzwonił odźwierny z wiadomością, że przybył kurier. Wpuściła go na górę i w drzwiach podała mu torbę. Posłaniec był nastolatkiem w wypchanych dżinsach i jakiejś idiotycznej czapeczce. Zdaniem Florence z nieco zbyt dużym zaciekawieniem zerkał ponad jej ramieniem do mieszkania. Skoro Marge tak się denerwowała, mogła sama przyjść po te rzeczy lub wysłać Sonię.

Właśnie zamykała drzwi, kiedy znowu zadzwonił telefon. Ostatnio odzywał się tak rzadko, że aż się wystraszyła.

– Halo? – Nadal chrypiała.

– Dzień dobry! Mówi Max Coho!

– ... Cześć, Max. – Żałowała, że podniosła słuchawkę.

– ... Co tam u ciebie? – Nie było to jedynie uprzejme pytanie; próbował ją wybadać.

– W porządku.

– To dobrze. Co słychać? – Było za wcześnie, by słuchać tego śpiewnego głosu, chłopięcego i pełnego życia. Miała niemal całkowitą pewność, że już się dowiedział o scenie, jaką poprzedniego wieczoru urządziła jej Natalie, i chciał poznać szczegóły.

– Niewiele. – Nie zamierzała ni z tego, ni z owego, mu się zwierzać.

Niemal słyszała jego niedowierzanie.

– Właściwie to dzwonię, żeby cię dzisiaj zaprosić na małą kolacyjkę u Mike'a Grunlopa – znasz Mike'a, prawda? Tego malarza i jego żonę Peony? Ma się odbyć w jego apartamencie. Wpadnę po ciebie powiedzmy o siódmej, siódmej piętnaście. Możemy pójść na otwarcie, a potem się przenieść.

– Dobrze. – Nie chciała okazać zbytniego entuzjazmu. – Ile osób ma być na tej kolacji?

– Nie wiem. Chyba ze trzydzieści, czterdzieści. Kateringiem ma się zająć galeria. To przyjęcie przed wystawą jego prac. Mieszkają w ogromnym byłym magazynie. Jeżeli nie będzie padać, pewnie usiądziemy na dachu. To wspaniałe miejsce. Do zobaczenia!

Jak to miło z jego strony, że po nią przyjdzie i zabierze na przyjęcie. Zanosiło się na niezłą imprezę. Wreszcie ktoś się nią zainteresował. Może pozna jakiegoś samotnego, heteroseksualnego malarza. Gdyby jeszcze odnosił sukcesy, oznaczałoby to, praktycznie rzecz biorąc, najwyższy status, jaki w tym mieście może zdobyć kobieta.

Wiedziała, że powinna poświęcić ten dzień na pisanie życiorysu, rozmowy telefoniczne, informowanie wszystkich ze swojego otoczenia, że szuka pracy. Powinna się do tego zabrać już dawno temu. Ale był dopiero dzień po Święcie Pracy; przez ten czas i tak nic by się nie działo, nikt by jej nie zatrudnił. Niektórzy dopiero wracali ze wsi. Nie ma pośpiechu. Poza tym to strasznie przygnębiające. Jeżeli rzeczywiście już musi szukać pracy, to powinna zadbać o wygląd – również na ten wieczór.

Na szczęście udało jej się umówić na wizytę u Enrique. Oczywiście recepcjonistka ciągle powtarzała, że brak miejsc, lecz Florence nalegała, by ją połączono z Enrique, który zgodził się gdzieś ją wcisnąć.

Niestety, chociaż powiedział, że ją przyjmie, mówił to samo wszystkim innym. Przyszła do salonu o jedenastej, ale zanim ufarbowano jej włosy, położono odżywkę i wymodelowano fryzurę, zrobiła się prawie piąta. Nieprawdopodobne. Zdarzyło się to nie po raz pierwszy. Ale, tak jak zawsze, przynoszono tam na lunch dobre kanapki i policzono jej połowę ceny – sto pięćdziesiąt dolarów za farbowanie, drugie tyle za modelowanie – która w normalnej sytuacji wyniosłaby sześćset dolarów, więc Florence nie mogła narzekać. Po fryzjerze popędziła do domu, żeby się przebrać.

W jednej z szaf w sypialni znalazła krótką, obcisłą, czarną spódniczkę, upchniętą z tyłu, i włożyła do niej dopasowany czarny top, który bardziej przypominał stanik sportowy niż bluzkę. Potem doszła do wniosku, że strój ten jest nieco zbyt nędzny i wpadła w panikę, lecz w końcu przypomniała sobie o ślicznej sukience, której nie nosiła od lat – bez rękawów, z bawełny drukowanej w czarne zakrętasy na białym tle. Była nieco w stylu lat pięćdziesiątych, lecz na tyle obcisła, by Florence wyglądała w niej jednocześnie skromnie i seksownie. Ładna i dziewczęca, pomyślała, podziwiając swoje odbicie w lustrze. O siódmej zadzwonił telefon.

– Bardzo byś się obraziła, gdybyśmy się spotkali w galerii?

Rozejrzała się po sali w poszukiwaniu Maksa. Galeria zajmowała ogromną powierzchnię na trzecim piętrze na Pięćdziesiątej Siódmej Ulicy odchodzącej od Piątej Alei. Znajdowały się tam lśniące wybielone podłogi, a barman nalewał słodkie białe wino do plastikowych kubków przed tłumem obdartych trzydziestolatków ubranych głównie w stroje ze sklepów z używaną odzieżą. Prawdziwi kolekcjonerzy widzieli wystawiane prace już wcześniej; nie przyszli na otwarcie, lecz pewnie stawią się na kolację. Wypatrzyła małą enklawę – trzech zwariowanych mężczyzn po sześćdziesiątce, znanych jako Mo, Curly i Larry. Mieli na sobie tanie garnitury, a ich ramiona pokrywał łupież. Ani jedna wystawa malarstwa w Nowym Jorku nie mogła się bez nich obyć. W jakiś sposób dowiadywali się o każdym otwarciu; byli wszechobecni. Nikt jednak nie miał pewności, czy przychodzili, by napić się taniego wina, czy kontynuować swe niekończące się, bezowocne próby podrywania kobiet.

Curly – ten z łysą głową okoloną wianuszkiem kędzierzawych włosów o długości przynajmniej dwudziestu centymetrów, które sterczały sztywno do góry – dostrzegł ją pierwszy i ruszył w jej stronę niczym wół, który zauważył farmera z workiem ziarna osłodzonego melasą. Szybko go wyminęła i weszła do głównej sali.

Znalazła tam Alonso Buttsa. Aż zmartwiała i czmychnęła do kąta, by uniknąć rozmowy z nim. Kiedy wyjeżdżał na Bali, urządzono mu przyjęcie pożegnalne, a po jego powrocie – powitalne. Było to przed pięcioma laty. Twierdząc, że pisze książkę, załatwił sobie darmowy przelot i ekskluzywne hotele. Wątpliwe było, czy ta książka kiedykolwiek powstała. Jeśli tak, to nie znalazł wydawcy. Teraz wyjeżdżał co rok. Jeżeli Florence się z nim przywita, Alonso powie jej, że właśnie wrócił z podróży albo niedługo wyjeżdża. Znowu zacznie się zachwycać pięknym domem, w którym tam mieszkał – wynajął go lub kupił – oraz dietą wegetariańską. Żadnych produktów pochodzenia zwierzęcego, co dotyczy również owoców morza, jajek i produktów mlecznych. Był wprost stworzony do diety wegetariańskiej. Dzięki niej stał się czystszy, spokojniejszy. Ludzie, którzy konsumują mleko i ser cuchną masłem. W Indonezji łatwo zachować ścisłą wegetariańską dietę. Mają tam mleczko kokosowe, ryż i kluski – pożywienie ludu. Oczywiście Alonso nie tolerował żadnych przypraw, miał zbyt wrażliwy żołądek, co na Bali może stanowić pewien problem, ale mógł sobie pozwolić na własnego balijskiego kucharza. Bali, Bali, Bali.

Jego egocentryczny monolog był rozdzierająco nudny, zwłaszcza że nie miał żadnego sensu ani nie zawierał interesujących anegdotek. Rozmówca musiał słuchać uważnie, podczas gdy Alonso opluwał go śliną. Zawsze wygłaszał długie sagi. Na przykład już nie znał wszystkich gwiazd filmu, bo w indonezyjskiej wiosce, gdzie mieszkał, obywał się bez najnowszych filmów i telewizji. Florence przypuszczała, że miało to wszystkim imponować.

Na drugim końcu sali stał pewien aktor, ten, który dziesięć lat wcześniej zagrał w przeboju filmowym. Raz się z nim przespała – ale kto tego nie zrobił, przed jego ślubem z o wiele starszą spadkobierczynią lub po nim? Jak to możliwe, że w prasie nie znalazła się ani jedna wzmianka o jego miniliftingu i implancie podbródka? Ani o fakcie, że od lat robi wyprawy do Harlemu po heroinę? Za każdym razem, kiedy go widziała, gadał tylko i wyłącznie o filmach, w których ma zagrać, z których jakimś cudem ani jeden się nie zmaterializował, albo o tym, że wszystkie garnitury szyje sobie w Londynie. Florence mogła tylko modlić się o to, by te same osoby nie przyszły na kolację.

– Florence! Florence, jak się masz? – W jej stronę toczyła się Hypatia Bradstreet, zbudowana jak kula armatnia.

– Hypatia! Cześć! Co u ciebie?

– Och, wspaniale! Właśnie wybieram się do Indii, zostałam zaproszona do pałacu w Kerali, gdzie mam zrobić kilka grafik. Wiesz, że po powrocie szykują mi się cztery wystawy? Jedna w San Francisco, jedna...

Ciągnęła swój monolog nawet wtedy, gdy podszedł do nich Fritz Czykwicz.

– Cześć, Florence, cześć, Hypatia. Jak się masz? Idziesz później na kolację? Nie wiem, czy iść, czy nie; muszę pilnie dokończyć scenariusz. Zdjęcia zaczynają się w styczniu. Załatwiliśmy bardzo słynnego aktora do głównej roli. Jeszcze nie mogę zdradzić kogo.

Do ich trójki przyłączył się Ned Halstead-Heath.

– Okropnie się czuję po zmianie stref czasowych! – wykrzyknął. – Właśnie wróciłem z Peru. Byłem w Limie, gdzie pisałem artykuł o pewnej księżnej lesbijce, która zamordowała swoją indiańską kochankę. Podróż pierwszą klasą, całą drogę! Nie dacie wiary, ile tam mieszka ludzi. Zatrzymałem się u przyjaciół w przepięknym domu, było niesamowicie! Dwa razy mnie postrzelono...

Jeszcze chwila, a zacznie krzyczeć. Wszyscy tam obecni potrafili mówić tylko o sobie. Każdy musiał udowodnić, jaka ważna z niego osoba. Dlaczego? Czy dzięki temu miała ich bardziej polubić? Ich potrzeba zwrócenia na siebie uwagi była rozpaczliwa, trawiąca jak choroba. Podejście do znajomego na przyjęciu i rozpoczęcie przemowy na temat swoich obecnych lub przyszłych sukcesów nie było uważane za niegrzeczność. Podobnie nie uważano za niegrzeczną osoby, która w odpowiedzi rozpoczynała własny monolog. To pewnego rodzaju choroba, rak końca dwudziestego wieku.

Wtedy dostrzegła Dereka Richardsona.

– Och, muszę pogadać z Derekiem. – Miał intensywnie rude włosy, irlandzki typ urody i figlarny, choć jednocześnie lubieżny wyraz twarzy. Unikając Alonso Buttsa i aktora filmowego, podbiegła do Dereka.

– Derek! Jak się masz? – Zawahał się. – Florence Collins – przypomniała mu.

– Oczywiście, nie wygłupiaj się. – Cmoknął powietrze koło jej ucha. – Jak zwykle wyglądasz cudownie. Schudłaś?

– Och, chciałabym! Derek, jak tam otwarcie nowej restauracji? Wymyśliłam dla niej parę nazw...

Pogłaskał ją po plecach i przesunął rękę na ich dolną część. Pochlebiało jej to; zamruczała jak kotka.

– Jakiej nowej restauracji? – spytał.

– Nie dokuczaj mi! Tej, której otwarcie ma być jesienią. Kupiłam jedną trzecią udziałów.

– Nie mam pojęcia, o czym mówisz.

– Nabierasz mnie, prawda?

– Nic z tego nie rozumiem. Od kogo kupiłaś te udziały?

– Jedną trzecią. Załatwił je dla mnie John de Jongh.

– O. – Nastąpiła chwila milczenia. – W takim razie pogadam z nim i sprawdzę, czy coś mi umknęło, dobrze?

– Derek, ja... dałam mu wszystkie pieniądze – powiedziała płaczliwym tonem. – Tak się cieszyłam, kiedy powiedział, że mogę wejść w spółkę.

– Nic się nie martw. Pogadam z nim i później zadzwonię do ciebie. Na pewno wszystko się wyjaśni. – Oddalił się od niej raptownie.

– Zaczekaj, nie chcesz mojego telefonu? Nie ma go w książce telefonicznej.

– Nie, na pewno go mam albo jakoś zdobędę. – Nagle jego oczy zasłoniły dwie wielkie, białe dłonie o paznokciach pomalowanych na winogronowy odcień czerni. Derek się odwrócił. – Och, jesteś! Czy znasz... – Derek spojrzał na Florence pustym wzrokiem.

– Florence.

– Florence, to moja narzeczona...

Dałaby sobie uciąć głowę, że ta dziewczyna ma na imię Derma. Wyglądała na nie więcej niż trzynaście, najwyżej szesnaście lat, miała przynajmniej metr osiemdziesiąt wzrostu i włosy białe jak u albinosa. Była oszałamiająco piękna, niewątpliwie modelka. Żuła różową gumę i mogłaby być córką Dereka. Klepnął ją po pupie odzianej w obcisłe, opalizujące turkusowe spodnie i odeszli.

Spowiła ją szara chmura. Pewnie miała nadzieję lub też podświadomie przypuszczała, że flirt z Derekiem – którego, jako właściciela restauracji, niegdyś uważałaby za pośledniejszego od siebie – dokądś ją zaprowadzi.

Koło niej stanął Max.

– Przepraszam za spóźnienie – powiedział, chociaż wcale nie wyglądał na skruszonego.

Cały aż lśnił. Wyglądał – choć może była to tylko iluzja lub aura, jaką wokół siebie wytwarzał – jakby przed chwilą wyszedł spod prysznica, wykąpawszy się tego dnia już przynajmniej trzy, cztery razy. Miał wyszorowaną twarz, świeżo uprane i uprasowane spodnie khaki, nawet jego bawełniana, ciemnoniebieska koszulka polo sprawiała takie wrażenie, jakby została wyprasowana. To miasto zamieszkiwał milion jego klonów, a każdy z nich o wzroście metr siedemdziesiąt trzy, lekko pachnących wodą po goleniu i talkiem, z równiutko ułożonymi włosami i szczerym spojrzeniem chłopięcych oczu, którymi strzelały po całej sali.

– Nic z tego nie rozumiem – powiedziała.

– Chodzi ci o te obrazy? Mnie się podobają.

Po raz pierwszy rzuciła okiem na obrazy. Wydawały się... źle namalowane, amatorskie, bezduszne imitacje chińskiej kaligrafii, gęste, niemal oleiste, czarne linie na matowym tle barwy tablicy szkolnej. Miały oznaczać szczyt eleganckiego wyrafinowania. Może i nim były. Jeżeli kiedykolwiek się wzbogaci, powiesi jeden z nich nad kanapą w salonie.

– Nie, nie mówiłam o obrazach. Właśnie rozmawiałam z Derekiem Richardsonem. Zainwestowałam w jego nową restaurację, otwarcie ma być jesienią. A teraz on mówi, że nic mu o tym nie wiadomo.

– Kochanie, możesz się pożegnać z tymi pieniędzmi. Gdzie ty miałaś głowę? Każdy, kto zainwestował w jego poprzednią restaurację, wszystko stracił. Ludzie dawali siedemdziesiąt pięć tysięcy, restauracja odniosła wielki sukces, ale nikt nie zobaczył ani centa zysku, nie zwróciła im się nawet inwestycja.

– Ale... jak to?

– Kreatywna księgowość. No, chodźmy. Jeżeli będę musiał gadać z Alonso Buttsem i słuchać o jego wewnętrznym życiu duchowym na Bali, chyba zacznę krzyczeć.

8

Kiedy wyszli z budynku, podeszła do nich jakaś kobieta – bezdomna czy włóczęga, wszystko jedno, ubrana na cebulkę w brudne szmaty – zerkając przez ramię jak uciekająca norka czy łasica.

– Przepraszam! Przepraszam! – Mówiła dość agresywnie jak na kogoś tak roztrzęsionego i przestraszonego. – Czy mogliby mi państwo pomóc? Macie pięć dolarów?

– Zupełnie jak upadek Cesarstwa Rzymskiego – powiedział z zachwytem Max, ignorując jej prośbę i wchodząc na jezdnię, by znaleźć taksówkę. Florence nagle przypomniało się coś dziwnego. W dzieciństwie wysyłano ją do ogrodu, by zabijała ślimaki, które zjadały rośliny. Początkowo czuła wstręt, posypując solą sflaczałe ciała i patrząc, jak się wiją i skręcają w przedśmiertnych drgawkach, lecz po jakimś czasie przyzwyczaiła się; przestała używać soli i by nadać ich śmierci niepowtarzalny charakter, dźgała je czubkiem noża. Zabijała je setkami, lecz po nieczęstych deszczach wyłaziły całe miliony. Raz, w środku nocy, obudziła się i znalazła jednego na twarzy: pewnie przykleił się do niej lub wpełzł na nią w ciągu dnia i stopniowo wdrapywał się ku jej wilgotnym ustom i oczom, zostawiając za sobą szlak śluzu.

Kobieta zastawiała jej drogę, błagając:

– Proszę, panienko.

Już miała ją wyminąć, kiedy dostrzegła coś w jej oczach – nie była pewna, co. Zaczęła grzebać w torebce, odwracając wzrok. Zamierzała dać bezdomnej dolara, ale się rozmyśliła. Pięćdziesiąt centów wystarczy.

– Proszę – podała kobiecie monety.

– Pięćdziesiąt centów! – wykrzyknęła kobieta. – Co se za to kupię? Twój „Vogue" kosztuje pięć dolarów, a cappuccino dolara siedemdziesiąt pięć...

Florence usłyszała, jak Max chichocze na ulicy. Podjechała taksówka.

– Okay, okay – powiedziała kobieta. – Masz papierosa? – Florence pokręciła głową. – A zapałkę? – W kobiecie była pustka, pustka nie do wypełnienia, niczym nieróżniąca się od niewypełnionej przestrzeni we Florence. Rzuciła kobiecie banknot, nie sprawdzając jego nominału.

– Możesz się pospieszyć? – Max otworzył drzwi taksówki. – Co ty tam robisz tyle czasu? Ależ ona paskudna. Nie powinnaś nic dawać takim ludziom. Wszystko wydadzą na narkotyki. – Wychylił się do przodu i powiedział do kierowcy: – Poproszę na Leonard Street. – Szturchnął Florence, wskazując na przód taksówki. Kierowca miał na sobie uroczysty, ślubny, hinduski strój, skomplikowanie zawiązany różowy turban i kurtkę wyszywaną drogimi kamieniami.

– Możesz mi wierzyć, że gdybym wylądowała na ulicy, od razu kupiłabym sobie narkotyki albo butelkę wódki. – Zaskoczył ją własny zaczepny ton. – Proście, a będzie wam dane. Myślę, że każdy, kto upadł tak nisko, że musi żebrać, powinien dostać pieniądze.

– Och, święta Florence. Florence Nightingale. Czyżby ktoś tu miał poczucie winy? Możesz się zwierzyć swojemu Maksiowi. Dochowam tajemnicy.

– Jestem bardzo zdenerwowana... Max, powiem ci, czego tak naprawdę chcę. Chciałabym zapalić trochę cracku. – No, wreszcie to powiedziała.

– Żartujesz?

– Nie. Masz trochę?

– Nie... ale wiem, gdzie można go zdobyć, jeżeli rzeczywiście chcesz.

– O, a więc i ty paliłeś.

– To nic wielkiego. Nie mogę powiedzieć, żebym dotąd sam się o niego starał. Zazwyczaj paliłem w klubie lub na jakiejś imprezie, zawsze ktoś mnie częstował. Moim rekreacyjnym narkotykiem jest właściwie heroina, oczywiście nie dożylnie, tylko do wąchania.

Z wdzięcznością pokiwała głową. Może to rzeczywiście nic takiego. Max ma dobrą pracę, dużo podróżował. Narkotyki na Manhattanie to po prostu kolejna forma rozrywki, jak wizyta w dobrej restauracji. Tylko ci, którzy nie potrafią nad tym zapanować, słabi, lądują u Anonimowych Alkoholików lub Anonimowych Narkomanów.

– Nic dziwnego, że dałaś tej kobiecie ćwierć dolara. Nie chciałaś się z nią spotkać u tego samego dilera.

– Max, ja paliłam tylko raz.

– Wszyscy tak mówią. Panie kierowco! – zawołał. – Poprosimy na róg Dziewiątej Alei i Osiemnastej Ulicy. – Dalej jechali w milczeniu. – To tutaj! – powiedział i zaczął wysiadać. Zwrócił się do kierowcy: – Proszę tu zaczekać i nie wyłączać licznika. Tylko skoczę po coś; zajmie mi to minutkę.

Siedziała, gapiąc się na brudnoczerwone drzwi, za którymi zniknął. Kierowca na przednim siedzeniu wiercił się niecierpliwie. Z jego radia czy też interkomu co jakiś czas wydobywało się chrapliwe trzeszczenie i wrzask mężczyzny, który zdaje się mówił w urdu.

Max wrócił po paru minutach.

– Proszę. – Podał jej fiolkę. – Pamiętaj, że mi wisisz za jedną działkę.

– Jak szybko to załatwiłeś! Niesamowite! – Zarzuciła mu ręce na szyję.

– Na miłość boską, to tylko dwadzieścia dolarów za fiolkę. Dziewczyno, gdzie twoja godność?

Odsunęła się od niego.

– Skąd to wziąłeś?

– To mój mały sekret. Widzisz, że potrafię dochować tajemnicy? No, gadaj.

– Może.

– Może jak zapalisz? Panie kierowco, czy może nas pan zawieźć na Jedenastą Aleję?

– Po co tam jedziemy?

– Możemy zapalić.

– Nie mam fifki.

– Kupiłem ci. Nie mów, że się tobą nie opiekuję, chociaż wydaje mi się, że latem ktoś na mnie nakrzyczał przez telefon.

Na Jedenastej Alei wysiedli i ruszyli w poszukiwaniu pustej alejki lub bocznej uliczki. Prostytutki wystrojone w winylowe minispódniczki, wydekoltowane topy wyszywane złotymi cekinami oraz siatkowe pończochy, usiłowały zatrzymać przejeżdżające ciężarówki i samochody osobowe. Jedna podeszła do nich i zaproponowała Maksowi swoje usługi.

– Przepraszam, złotko, ale ja nie lubię dziewczyn.

– Nie szkodzi – odparła prostytutka. – Nie ma sprawy. Pod spodem jestem prawdziwym chłopcem. Mam na imię Pinokio. Za każdym razem, kiedy słyszę komplement, mój penis rośnie. – Chłopak zaśmiał się przenikliwie. Jego smutne oczy były podkreślone grubą warstwą tuszu. – Zaczekaj chwilę!

Pinokio był śliczny jak z obrazka. Pewnie wyglądałby jak wzięty model, gdyby nie krzykliwy strój i zbyt intensywny makijaż. Niegdyś prostytutki ubierały się inaczej niż pozostałe kobiety. Florence usiłowała to wytłumaczyć Maksowi.

– Pamiętam, jak raz, w Halloween, zostałam zaproszona na imprezę, a ponieważ właśnie zerwałam z chłopakiem, postanowiłam się zemścić. Chciałam wyglądać jak najseksowniej, więc włożyłam króciutką spódniczkę i szpilki. Poznałam pewnego faceta. Nie spodobał mi się, ale zaczęliśmy rozmawiać. Parę tygodni później spotkałam go na innym przyjęciu. Podszedł do mnie i powiedział: „Pamiętam cię, w Halloween przebrałaś się za prostytutkę!". A ja wcale nie przebrałam się za prostytutkę, tylko chciałam wyglądać atrakcyjnie.

Zerknęła na Maksa, by sprawdzić jego reakcję. Nie słuchał. Posiadł nowojorską umiejętność całkowitego wyłączania uwagi, gdy ktoś rozpoczynał historię składającą się z więcej niż dwóch zdań, chyba że każde z tych zdań dotyczyło jego samego.

Z otwartych drzwi od strony kierowcy zaparkowanego samochodu wystawała para pięknych nóg. Były tak długie, że sięgały aż do chodnika, a na stopach tkwiły buty z fioletowej lakierowanej skóry i na obcasach tak wysokich, że ich właściciel z pewnością znosił takie niewygody, jakby miał stopy skrępowane na chińską modłę.

– Albo to prostytutka, której odrąbano górną część ciała – powiedział Max – albo robi komuś laskę. Chodź, tam jest dobre miejsce. – Wskazał na zadaszoną wnękę za śmietnikiem. Unosił się tam smród starego moczu, męski odór amoniaku gorszy od woni sfory kotów.

Czekała. Max napełnił fifkę, kusząco pomachał nią pod nosem Florence, po czym przytknął ogień i zagarnął całość dla siebie.

– Och, Max, nie wygłupiaj się! – zaczęła błagać. – Nawet tego nie lubisz.

– Może powinnaś ładniej poprosić.

– Och, proszę. – Padła na kolana, chcąc, by wypadło to ironicznie i dowcipnie, lecz zbyt późno uświadomiła sobie, że nie odniosło zamierzonego skutku.

Rzucił jej szkliste spojrzenie pełne potępienia, ponownie napełnił fifkę i podał ją Florence.

– Boże, Florence, jakie to żałosne. Jesteś odrażająca.

Nic jej to nie obchodziło. Przynajmniej uspokoi krzyczące komórki, skamlące nieprzytomnie jak głodne dzieci. Wzięła od niego zapalniczkę i niecierpliwie przytknęła płomień do kryształków koki w główce fifki. Tym razem bardzo się rozczarowała. Właściwie nic nie poczuła. Dzieci przestały krzyczeć, ale nadal narzekały, jakby podejrzewając, że ktoś im rozwodnił mleko w butelce. Zupełnie jakby miała wielki apetyt na wspaniały kawał czekoladowego tortu, soczysty i ciemny, a potem się przekonała, że ciasto smakuje jak kawałek tektury.

Na Jedenastej Alei nie było taksówek, więc musieli kawał drogi pokonać pieszo, kierując się na wschód, a potem na południe, zanim dostrzegli jedną. Do TriBeKi dotarli spóźnieni.

Do otwierania drzwi wejściowych zatrudniono tam służącego. Wyglądało na to, że Grunlopowie są właścicielami całego budynku. Florence już miała wejść przez drzwi po prawej stronie, kiedy służący zatrzymał ją.

– Przyjęcie odbywa się na trzecim piętrze – powiedział. – Proszę pojechać windą.

– Tam jest pracownia Mike'a – wyjaśnił Max, mając na myśli drzwi, które chciała otworzyć. – W piwnicy znajduje się warsztat garncarski i piec do wypalania. Pracownia Peony i ciemnia są na pierwszym piętrze. Zapomniałem, co mają na drugim, chyba kuchnię i pokoje dzieci. Na trzecim jest salon, na czwartym sypialnia, a wyżej dach z ogrodem.

Wsiedli do windy przemysłowych rozmiarów, która wychodziła na ogromny hol o powierzchni wynoszącej przynajmniej tysiąc metrów kwadratowych. Jeżeli każde piętro jest takiej wielkości, to znaczy, że Grunlopowie dysponują ponad pięcioma tysiącami metrów kwadratowych powierzchni mieszkalnej. Apartament Peony mieścił się na dwustu pięćdziesięciu.

Wnętrze urządzono z prostotą, wręcz surowością w stylu zen, ale stając za drzwiami windy na trzecim piętrze, Florence zauważyła, że to jedno z tych miejsc, gdzie każdy starannie dobrany przedmiot wyglądał tak, jakby jeszcze nie zdjęto z niego metki z ceną. Wisiał tam żyrandol ze stalowych i szklanych rurek, który, jak wiedziała, musiał kosztować około dwudziestu tysięcy dolarów. Ogromna japońska komoda pod ścianą zrobiona z jakiegoś drewna o niezwykle nasyconej barwie – siedemnasty wiek? – z pewnością miała taką samą wartość.

Nad oknem wisiał dziób kanu z Nowej Gwinei, być może dzieło plemienia Asmat. Nie zdziwiłaby się, gdyby się okazało, że jest wart sto tysięcy dolarów, chociaż nie znała się zbyt dobrze na sztuce Oceanii i plemiennej. Na ścianach zobaczyła wspaniałe prekolumbijskie tkaniny o barwach i wzorach tak prostych i nowoczesnych jak u Mondriana, w które kiedyś zawijano zwłoki i które dzięki suchemu pustynnemu piaskowi zachowały się w idealnym stanie. Sto lat wcześniej domy artystów były po brzegi zapchane ciężkimi, wiktoriańskimi meblami i aksamitnymi draperiami w orientalnym stylu. Bez wątpienia za sto lat ten apartament stanie się tak banalny i śmiechu warty jak obecnie dom Rodina lub jakiegoś malarza ze szkoły Hudson River.

– No, chodź – powiedział z irytacją Max, ciągnąc ją za rękę.

Gdy weszli do pokoju, zesztywniała.

– Max, co to za muzyka?

Przystanął tylko na chwilę.

– Callas... *Gianni Schicci*.

Źle go zrozumiała.

– Z reklamy Gianniego Versace?

– Bardzo śmieszne. Puccini.

Zawstydziła się. Modliła się w duchu, by Max naprawdę uwierzył, że żartowała, gdyż inaczej nigdy nie wybaczy jej głupoty. Teraz żałowała, że w college'u nie chodziła na zajęcia z historii muzyki, by mieć chociaż podstawy. Nigdy zbytnio nie przepadała za muzyką, z wyjątkiem najnowszych przebojów, dzięki którym nadążała za modą. Im więcej zdobywało się informacji opartych na faktach – właściwie wystarczała znajomość nazwisk – tym mniejsze występowało ryzyko popełnienia pomyłki. Największym błędem w tym mieście było okazanie ignorancji. Przypomniała sobie, jak ktoś kiedyś wspomniał o stole Gillowsa, który wypatrzył w sklepie z antykami w Aleksandrii i kupił za bardzo małe pieniądze. Zdarzyło się to całe wieki wcześniej – była wtedy o wiele mniej wyrobiona niż teraz – i spytała na głos, co to takiego, ten stół Gillowsa. Nigdy nie zapomni niedowierzania, które pojawiło się na twarzy jej rozmówcy. Natychmiast zrozumiała, że jej wartość spadła.

Pokój był zatłoczony, zbyt pełny, by się rozejrzeć i sprawdzić, jak go urządzono. Z pewnością nie zanosiło się na małą nasiadówkę dla czterdziestu osób – Grunlopowie zaprosili setki ludzi.

– Gdzie jest bar? – spytał Max.

– Nie wiem. Jaki tu tłok! Mówiłeś przecież, że...

– Wiem! Mike powiedział, że to będzie kameralne przyjęcie. W ogóle bym nie przychodził, gdybym wiedział, że zwalą się takie tłumy.

– Kto cię zaprosił?

– Asystentka Mike'a.

A więc to nawet nie zamknięta impreza, skoro asystentce malarza wolno było zaprosić własnych znajomych. Przepchnęli się do baru. Mike stał pośrodku grupy osób, które mówiły, że to jego najlepsza wystawa.

– Cześć, Mike – powiedział Max. – Moje gratulacje. – Nie cierpiała jego przymilnego, dziewczęcego stylu bycia, kiedy zwracał się do kogoś bogatego lub sławnego. – Gdzie Peony? – Mike wskazał na drugi koniec pokoju. We własnym tłumku stała jakaś Chinka w fioletowej sukni z brokatu. Włosy miała spięte w dwa kucyki, lecz twarz pomarszczoną i zimną jak cesarzowa wdowa.

– Wszyscy wiedzą, że Peony zrobiła karierę jako fotografik tylko dlatego, że jest żoną sławnego malarza – powiedział Max. Florence pomyślała, że nadal znajdują się w zasięgu słuchu Mike'a, ale Max nie zwracał na to najmniejszej uwagi. – Jej zdjęcia, widziałaś je w ogóle?, są okropne. Fotografie w technikolorze zdychających zwierząt i kundli. Każdy, kto da jej zlecenie, dostaje w prezencie mały szkic albo rysunek Mike'a. Niezły prezent! Zawsze można go sprzedać za dwadzieścia albo trzydzieści kawałków. Myślę jednak, że jej prace nie są gorsze od zdjęć tego starego, jak-mu-tam, który fotografuje jamniki w ubrankach.

– Fajnie musi być wyjść za mąż za bogatego, sławnego artystę i zrobić karierę, nawet niezasłużenie.

– Wiem, ale Mike ma jedną kochankę po drugiej, a Peony jest patologicznie zazdrosna. Myślę, że nie rozwodzi się z nią tylko dlatego, że się jej boi. Tylko spójrz na nią! Wyobrażasz ją sobie w łóżku, z tymi pazurami? Jak ona w ogóle może robić zdjęcia?

Florence poprosiła barmana o wódkę z sokiem żurawinowym, a Max wziął butelkę piwa, by podtrzymać swój chłopięcy wizerunek. Zerknęła przez ramię. W tym pokoju z pewnością znajdzie się jakiś przystojniaczek, a przynajmniej ewidentny heteroseksualista.

– Ursulo, to jest Florence. Florence, to Ingo Crandall, Ursula i Ingo Crandallowie. – Odwróciła się i podała im dłoń. Para była niezwykle atrakcyjna. Przypominali wysokie, chude bliźnięta, nie tyle androginiczne, co rodzaju nijakiego. Oczy mieli ogromne jak u kosmitów, identyczne włosy krótko obcięte na chłopaka oraz takie same, szczupłe i chłopięce figury. – Już wróciliście z Albanii? – spytał Max. – I jak było?

– Cudownie – powiedziała Ursula. – Zastanawiamy się nad wynajęciem tam domu na następne lato.

– Zatrzymaliśmy się w zamku Victora – dodał Ingo. – Znasz Victora, prawda, Max? Następcę tronu?

Niesamowite, rząd zwrócił mu cały majątek, chociaż oczywiście ten zamek to właściwie rudera.

– Nie wiedziałam, że w Albanii nadal panuje król – powiedziała Florence. – Myślałam... czy to nie komunistyczny kraj? – Ingo i Ursula popatrzyli na nią oceniająco jak modliszka na ofiarę, po czym – z lekceważącym kiwnięciem głową – zniknęli w tłumie.

– On jest dość kiepskim piosenkarzem kabaretowym – wyjaśnił Max. – Ale podróżuje po całym świecie i dzięki swemu zasmarkanemu, fałszywemu numerowi bawi w tak ekskluzywnych miejscach jak Carlyle.

– Ale są małżeństwem?

– Tak. On ma kochanków, ona – kochanki, ale sypiają tylko z utytułowanymi osobami. Ostatnio Ursula spotyka się z księżną Jugosławii, Magdą, a on od dwóch lat – z pruskim baronem Leonidem.

– Wiesz wszystko o wszystkich.

Max wskazał na ponurą kobietę, która byłaby atrakcyjna, gdyby nie posępny wyraz twarzy.

– Ta kiedyś na dwa lata wyjechała z Korpusem Pokoju do Tybetu, do Nepalu, czy w inne podobne miejsce, gdzie uczyła, i tam zaraziła się robakami. – Nagle podniósł głos aż do ryku i krzyknął do równie ponurego mężczyzny stojącego w połowie długości pokoju: – Henry, jakimi robakami Missy zaraziła się w Nepalu?

– W Tybecie! – poprawił go Henry, odkrzykując. – Tasiemcem!

– Tasiemcem, dzięki. A więc Henry pojechał ją odwiedzić i właśnie mieli zacząć się kochać, kiedy spojrzał w dół, wiesz, tam, i zobaczył, że wystaje jej coś białego. Pochylił się, żeby się temu przyjrzeć, a to była główka robaka, który gapił się prosto na niego.

– Miał oczy? – spytała Florence.

– Nie wiem, czy miał oczy; chcesz, żebym spytał?

– Nie trzeba.

– Dokładnie pamiętam, jak mi powiedział, że robak miał małą paszczę. Oczywiście nie mógł się powstrzymać i krzyknął. A Missy na to: „O co chodzi?". Spojrzała w dół, zobaczyła główkę tasiemca i zaczęła go wyciągać. Najwyraźniej ciągle jej się to przytrafiało.

– Ale się nie przerwał?

– Co? spytał Max.

– Tasiemiec. Słyszałam, że mają około dwóch metrów długości.

– Nie wiem. – Max znowu ryknął przez cały pokój: – Henry, czy ten tasiemiec się przerwał, kiedy Missy wyciągnęła go sobie z pochwy? – Znowu odwrócił się do Florence. – Myślisz, że to było bardzo niegrzeczne z mojej strony?

– Co?

– Że tak głośno krzyknąłem „pochwa"? Byłem obrzydliwy?

9

Stanęli w kolejce po jedzenie – przyprawione rozmarynem risotto z grzybami cremini, grochem i prosciutto. Parmezanem, kromkami włoskiego chleba i zieloną sałatą w ogromnej salaterce goście częstowali się sami. Nie starczyło krzeseł dla tak wielu zaproszonych. Parę stolików przykrytych białymi obrusami i ustawionych w pokoju było już zajętych. Przyszło przynajmniej sto osób, jeśli nie więcej. Balansowanie na stojąco talerzem, sztućcami i drinkiem nie należało do łatwych zadań. W końcu postanowili usiąść na schodach. Niemal natychmiast koło nich na najbliższym stopniu przycupnęła inna para również szukająca miejsca.

– Cześć, Clifford – powiedział przymilnie Max. Z jego tonu Florence wywnioskowała, że Clifford jest albo bogaty, albo słynny, albo interesuje Maxa jako potencjalny kochanek.

– Cześć, Max. To moja dziewczyna, Rosemary.

Rosemary była Angielką. Florence miała wystarczające doświadczenie z Angielkami, by nawet nie zaczynać z nią rozmowy. Zazwyczaj Anglicy okazywali się mili, ale Angielki chciały lub potrafiły przyjaźnić się tylko z innymi Angielkami. Z jakiegoś powodu zachowywały się tak, jakby Amerykanie – przynajmniej kobiety – niezbyt ładnie pachnieli.

Clifford był Amerykaninem, ale mieszkał w Anglii.

– Czym się zajmujesz? – spytała go Florence.

– Jestem powieściopisarzem.

– Florence, na pewno słyszałaś o Cliffordzie! – wykrzyknął Max, przerywając rozmowę z Rosemary.

– Jak mogła o mnie słyszeć? Moja pierwsza powieść nawet jeszcze się nie ukazała w tym kraju.

– O czym jest?

Westchnął ze zmęczeniem, jakby już milion razy odpowiadał na to pytanie. Żałowała teraz, że je zadała.

– O tym, jak w wieku siedmiu lat zostałem zmuszony przez rodziców do występowania w filmach porno.

– To... to powieść?

Wzruszył ramionami, najwyraźniej myśląc o czymś innym.

– Postanowiłem, że nie będę udzielał wywiadów. Uważam, że prawdziwy pisarz nie powinien uprawiać autoreklamy.

– Jaki jest jej tytuł?

– *Podglądacz niczego*.

– Kiedy ma wyjść? Chciałabym ją kupić.

– Mój agent jeszcze nie zdecydował, którą ofertę w tym kraju wybrać – wykręcił się Clifford. – W Anglii wyszła sześć lat temu. Niedawno prawa do jej ekranizacji sprzedano telewizji. Budżet jest dość duży: to produkcja BBC. Teraz pracuję nad dalszym ciągiem: o tym, jak na Aleutach uratowałem dziecięcą prostytutkę. To było bardzo niebezpieczne, dwukrotnie zostałem trafiony harpunem. Jest też równoległy wątek: wielopokoleniowa historia New Jersey, sięgająca jeszcze czasów epoki lodowcowej i trwająca do tego okresu, kiedy wysłano mnie do szkoły z internatem. Doszedłem już do sto dziesiątej strony.

– Och. Skąd znasz Mike'a i Peony?

– Poznałem ich przez Rosemary. Rosemary pracuje jako przedstawiciel fotografów. Jest w Anglii agentką Peony. Wiesz, na czym polega problem Angielek?

– Nie.

– Żadna nie potrafi porządnie zrobić laski. W końcu domyśliłem się, dlaczego: dlatego że Anglicy są tak beznadziejni w łóżku.

– No, Florence – powiedział Max. – Chodźmy na dach.

Wstał, zostawiając na podłodze talerz, serwetkę i kieliszek. Na dachu ustawiono karłowate drzewka w donicach ze żwirem, kamienne latarnie, co wraz ze stawem z rybkami koi miało przypominać japoński ogród. Rozciągał się stamtąd wspaniały widok, budynki jak kostki wcinały się w niebo, lecz gdy Florence przyjrzała się uważniej dachowi, zobaczyła, że powierzchnię wszystkich przedmiotów pokrywa cieniutka warstwa szarawoczarnego kurzu.

Przy poręczy stali dwaj angielscy chłopcy, pulchni jak cherubinki i przypominający Humpty-Dumpty i Tweedledee. Gadali jak najęci, najwyraźniej odnaleźli w sobie bratnie dusze. Z jakiegoś powodu wyglądali tak, jakby mieli na sobie niewidzialne słomkowe kapelusze – może dzięki zbyt ciasnym garniturom w prążki, w których upodobnili się do staroświeckich artystów wodewilowych.

– No i jeszcze to straszne leczenie zimną łyżką – powiedział jeden z nich.

– Och, leczenie zimną łyżką! Okropność!

– Co to takiego leczenie zimną łyżką? – spytał Max. Florence wiedziała, że udaje głupiego Amerykanina, co wiele osób najwyraźniej uznawało za czarujące.

– Leczenie zimną łyżką – powiedział Tweedledee – odbywało się w szkole publicznej...

– Czyli tutejszej szkole prywatnej – dodał Humpty-Dumpty.

– Kiedy byłeś chory i szedłeś do pielęgniarki, musiała cię zbadać...

– Brała zimną łyżkę, jeżeli miałeś... – Tweedledee zerknął na Florence z udawanym skrępowaniem, po czym podniósł głos: –... erekcję, co oczywiście niekiedy zdarza się mimowolnie, to odruchowa reakcja. No więc pielęgniarka szybko uderzała cię w penis zimną łyżką...

– Żeby erekcja zniknęła! – powiedział wesoło Humpty-Dumpty. – To okropnie bolało!

Stanowili przykład mizdrzących się idiotów, którzy przejmowali władzę nad Nowym Jorkiem. Ponad dwieście lat wcześniej, po rewolucji Amerykanie wyrzucili Brytyjczyków. Teraz Anglików witano z powrotem, zapraszano, zachwycano się nimi – potomkami tych samych fircyków, którzy szydzili z kolonistów i patrzyli na nich z góry. Potomkowie kolonistów znowu są przedmiotem drwin, choć teraz może słusznie. Jaki to miało sens: śmierć, gangrena, życie poświęcone wielkiej sprawie? Jedyna różnica polegała na tym, że skorumpowany rząd amerykański opodatkował herbatę ekspresową.

Max przyłączył się do grupki osób, które stały w kręgu, paląc jointa. Florence postanowiła wrócić do środka. Nie cierpiała marihuany. Niewiele spośród jej znajomych kobiet lubiło trawkę. Z jakiegoś powodu był to męski narkotyk. Jedyne, co czuła po wypaleniu skręta, to nieprawdopodobne podenerwowanie. Każde zdanie, jakie wypowiadała, nawet niewinna uwaga na temat pogody, rezonowało jej w głowie i potem przez kolejną godzinę zastanawiała się, jak mogła powiedzieć coś tak głupiego.

Na klatce schodowej jakiś mężczyzna perorował na temat swej nowej obsesji na punkcie dzieł Madame Blavatsky. Rozmawiał z dwoma innymi mężczyznami – wszyscy wyglądali na heteroseksualistów, a przynajmniej nie byli tak atrakcyjni, zadbani i świetnie ubrani jak jej znajomi geje. Jeden z nich przerwał wywód, by opowiedzieć o zajęciach z Gurdżiejewa, na które uczęszczał. Zamierzała przyłączyć się do tej grupki i zacząć słuchać z wytężoną uwagą, lecz nie miała na to siły. Tylko nie kolejny nawrócony na Gurdżiejewa! Podczas tych lat, które spędziła w Nowym Jorku, już dość się nasłuchała rozmaitych Elmerów Gantrych: buddystów recytujących mantry, zwolenników Guru Mai, kwestujących akolitów dalajlamy, czcicieli kolejnej nowej diety wykluczającej chleb i ryż.

Wstąpienie do jednej z takich sekt dawało poczucie wyższości – przynajmniej na rok czy dwa, dopóki moda na nią nie minęła wśród oskarżeń, wytykania palcami i obaw jej wyznawców, że czas żniw nie nastąpi tak szybko. Raz musiała przesiedzieć całą kolację, podczas której pewna bogata pani dermatolog wygłosiła przed gośćmi wykład na temat swego nawrócenia na islam i o pielgrzymce do Mekki. Od tamtej pory liczba jej pacjentów się potroiła.

Gdyby tylko Florence wyznawała jakąś religię! Żadna jednak do niej nie przemawiała. Czy rzeczywiście była o tyle gorsza od reszty ludzi? Nie mogła uwierzyć, że ma mniej rozwinięte życie duchowe niż inni, ci, którzy przypominali lemingi rywalizujące o to, który z nich pierwszy wskoczy do morza... Zaczęła przechadzać się po apartamencie, oglądając dzieła sztuki, które Mike i Peony kupili bądź dostali za własne prace.

Ich kolekcja składała się z najdroższych współczesnych prac: podrabianych, pseudodziecięcych obrazków, czarnych bazgrołów na szarym tle; miniaturowych, figlujących w błocie klaunów o zielonych twarzach; ciężkich, matowych szarych rzeźb o wysokości dwóch i pół metra, które przypominały zaschnięte łajno. Wśród gości byli i twórcy tych dzieł – Chip Moony o zwiotczałej, świńskiej twarzy, Dorp Whitman, neurastenicznie chudy, jakby miało to zrównoważyć jego ogromne domy w Telluride i East Hampton, w dżelabie z kapturem nadającej mu pozory świętości – sami mężczyźni.

No dobrze, może i nie miała żadnych wartości. A kto je miał? Ten prawnik, Neil Pirsig, który zgarniał miliony z posiadłości zmarłych artystów, a potem szedł do sądu po więcej? Uśmiechnął się do niej z drugiego końca pokoju, ona jednak go zignorowała. Z pewnością wie, jak złe zdanie Florence ma na jego temat. Skrzywił się i oddalił chyłkiem jak kundel, zupełnie jakby czytał w jej myślach. Żona malarza z rozdętymi nozdrzami, ciemnymi włosami spływającymi na ramiona, pełna poczucia wyższości i snobistyczna?

A więc nie ma kręgosłupa moralnego. Kto go ma? Tylko czerwonogwardzista bijący starego profesora w imieniu Mao Tse-tunga.

W końcu, wbrew temu, co twierdziła Natalie, nikogo nie zabiła – Natalie sama do tego doprowadziła, nie dając córce miłości, z czym jednak nie mogła sobie poradzić. Florence nie ukradła pieniędzy. Wszystko, co się wydarzyło, miało swoją przyczynę. Nawet jeżeli jej myśli nie były zbyt czyste, to czy popełniła w ten sposób przestępstwo? To dziecko, Claudia, wydawało się tak żałosne, pozornie miało wszystko, a jednak, gdy się przyjrzeć tym pozorom, okazywało się, że miało mniej niż najuboższy ulicznik w slumsach Rio. A jednak... Florence już wolałaby sama utonąć.

To niemożliwe, ale na przyjęciu nie było mężczyzn. Przy telefonie stały dwie kobiety, z których jedną niezbyt dobrze znała. Podeszła do nich.

– Florence, chyba nie chcesz skorzystać z telefonu, co?
Nie mogła sobie przypomnieć jej imienia.

– Nie, ja...

– Czekam na telefon. – Dziewczyna uśmiechnęła się z fałszywą skromnością. – Naturalnie od mężczyzny. Kazałam mu tu zadzwonić, bo mam mu powiedzieć, czy chcę się później z nim spotkać. Udaję niedostępną. Jest bajecznie bogaty.

– I wspaniały – dodała druga. – Fiona zawsze ma szczęście.

– Oczywiście sposób, w jaki zbił majątek, wcale nie był tak wspaniały! – Fiona i jej znajoma ryknęły śmiechem.

– Dlaczego? – spytała Florence. – W jaki sposób się dorobił?

– Chodził z Tajką, która miała dziecko, ośmio- czy dziewięcioletnią dziewczynkę. Razem z Jasonem przemycała prochy z Tajlandii... – Fiona ucichła.

– Wkładali heroinę temu dzieciakowi do tyłka! – dokończyła druga. – Nikomu by nie przyszło do głowy, żeby rewidować dziecko. Obrzydliwe, co?

– To było całe wieki temu, Jason już się wycofał z tego interesu. Teraz zarabia zupełnie legalnie. Ale co ja zrobię, jeżeli nie zadzwoni? Wydawało mi się, że niedługo mi się oświadczy.

10

Już miała wracać do domu, kiedy podszedł do niej Max.

– Spadajmy stąd. Beznadzieja.

– Dokąd pójdziemy?

– Do domu.

Była rozczarowana.

– Nie chcesz gdzieś skoczyć?

– Nie. – Wyglądał na znudzonego i rozdrażnionego.

– Jeżeli chodzi o mnie, to w porządku – powiedziała, chociaż na myśl o samotnym powrocie do pustego mieszkania ogarnęła ją panika. – Gdzie pan i pani domu? Nie powinniśmy się pożegnać?

– Już to zrobiłem. Są na górze w sypialni, udają Johna i Yoko. Nie zamierzam tam wracać, mam dosyć składania hołdów. Wychodzę. Zostań, jeśli chcesz.

– Nie, nie, ja też idę.

Z bufetu usunięto półmiski z daniami głównymi i zastąpiono je talerzami truskawek – każda wielka jak pięść i ze spiczastym czubkiem zanurzonym w czekoladzie – wszelkiego rodzaju dekorowanymi maślanymi ciasteczkami i rozmaitymi malutkimi pasztecikami. Zainteresowała ją tylko czekolada. Trzy dziewczynki – jedna mniej więcej dziesięcioletnia, pozostałe mające po trzynaście, czternaście lat – pożerały słodycze. Wszystkie były dość brzydkie, a jeśli już nie brzydkie, to zupełnie nieciekawe. W dwóch rozpoznała córki Mike'a i Peony, w trzeciej – dziecko jeszcze bogatszego i sławniejszego malarza. Pomyślała, że dwie starsze powinny nosić imiona „Babcock" i „Gudrun". Miała nadzieję, że nie obudzi się w środku nocy, usiłując sobie przypomnieć ich imiona.

– Cześć! – powiedziała, myśląc, że jej się przedstawią.

Dziewczynki spojrzały na nią z nienawiścią, już świadome tego, że mają wyższy status społeczny. Ubrane w rozepchane dżinsy, z włosami zbitymi w dredy i splecionymi w warkoczyki, niewątpliwie od najmłodszego wieku chodziły do najbardziej ekskluzywnych prywatnych szkół i spędzały ferie zimowe w Grecji lub Indiach. Sprawiały wrażenie całkowicie, hermetycznie oddzielonych od świata, jakby nieustanne obcowanie z tym, co ich rodzice nazywali kulturą, zostało zmarnowane dla trzech idiotek. Florence zawinęła dwie truskawki w serwetkę i poszła za Maksem.

Pojechali jedną taksówką do centrum.

– Dzięki Bogu, że nie spotkałem tam Collina z nowym chłopakiem – powiedział Max. – Nadal sądzę, że to on mi ukradł te zdjęcia. Tę Tinę Modotti, którą znalazłem na pchlim targu w Paryżu! I srebrne sztućce po babci. Coś okropnego. Ciągle myślę, że to musiał zrobić Collin. To znaczy...

Nie mogła znieść ponownego słuchania tej sagi.

– Dzięki Bogu, że ja nie spotkałam Natalie – przerwała mu z nadzieją, że w ten sposób zmieni temat. Wyjęła z serwetki jedną truskawkę, tak idealną, że aż nierzeczywistą. Czerwona skórka była upstrzona drobniutkimi zielonymi ziarenkami, szypułka pozostała nienaruszona, zatopiona w lśniącym brązie.

– Tak? – powiedział Max. Jej taktyka okazała się skuteczna. Chwycił z rozłożonej serwetki drugą truskawkę. – Słyszałem, że wczoraj wieczorem nakrzyczała na ciebie na jakimś przyjęciu.

– Kto ci powiedział? – Truskawka nie miała smaku. Stanowiła jedynie miękką, pozbawioną smaku papkę, jaką w środowisku wodnym mogliby wyhodować kosmici usiłujący odtworzyć ziemskie owoce. Nawet czekolada była pozbawiona smaku. Niemniej jednak Florence wrzuciła resztę owocu do ust.

– Och, z dobrego źródła.

– Nie wiedziałam, że cała ich rodzina to świry. Nie miałam pojęcia, że Claudia umarła; biedne dziecko. Pamiętam, że uwielbiała konie i że Natalie ciągle ją gasiła, wyśmiewała się z niej i powtarzała, że jest do niczego. Nie miałam pojęcia, że Natalie będzie mnie oskarżać. Przecież tego wirusa, bakterię, czy co tam, złapała przypadkowo, prawda? To takie nierzeczywiste. Znasz Johna? Natalie zrzuciła całą winę na mnie, a to on sam przyszedł do mojego pokoju i dosłownie mnie zgwałcił. Miałam wrażenie, że wszystko było ukartowane, że Natalie umieszcza w tym pokoju samotne kobiety i przymyka oko na zachowanie Johna, żeby nie musieć z nim spać. Ale, co gorsza, John miał mi pomóc i wziął ode mnie pieniądze, żeby zainwestować w nową restaurację Dereka Richardsona. Dzisiaj spotkałam Dereka i okazało się, że on o niczym nie wie...

Max nie słuchał. Wyglądał przez okno na chłopców na rolkach, którzy krążyli wśród samochodów, czepiając się zderzaków taksówek, które zwalniały na światłach.

– Och, to najładniejszy dzieciak, jakiego kiedykolwiek widziałem – westchnął. – Ciekawe, czy przychodzi tu co wieczór. Przydałby mi się nowy asystent. Myślisz, że skończył osiemnaście lat? Wygląda na młodszego.

Wysiadła pierwsza. Zaczęła grzebać w portfelu w poszukiwaniu pieniędzy, żeby dorzucić się do opłaty za przejazd.

– Nie trzeba – powiedział Max. – Ja zapłacę.

– Na pewno? Dzięki. – Cmoknęli się i wyślizgnęła się z taksówki. Poniewczasie, dopiero kiedy wchodziła do mieszkania, przypomniało jej się, że nie zamierzała mu o niczym mówić.

Rano poczuła dziwny przypływ energii, jakby, wbrew rozżaleniu, że zwierzyła się Maksowi, zmniejszyło się jej poczucie krzywdy spowodowane niesprawiedliwym oskarżeniem. Nadal bolała ją głowa, co już przeszło w stan chroniczny, lecz teraz była to jedynie fizyczna dolegliwość. Wzięła prysznic, ubrała się, wydepilowała nogi, zrobiła sobie makijaż – w ciągu minionych tygodni wszystkie te czynności udawało jej się wykonać dopiero późnym popołudniem.

Znalazła swój stary życiorys i ręcznie dopisała do niego aktualne informacje: stanowisko u Quayle'a, zakres obowiązków, cele i zadania. Potem wydrukowała je w punkcie usługowym i zrobiła kopię. W drodze powrotnej kupiła „Timesa", chociaż w dni powszednie pojawiało się mniej ogłoszeń typu „Potrzebna pomoc" niż w niedzielę. Poza tym wcale nie miała pewności, czy ogłoszenia w gazecie są legalne. Prawdziwe posady zdobywało się dzięki poczcie pantoflowej. Ale nie zaszkodzi sprawdzić.

Wracając do domu, została zatrzymana przez Miltona, jednego z odźwiernych. Był to starszy mężczyzna z sumiastymi, starannie wypomadowanymi i podkręconymi do góry wąsami, który zazwyczaj pracował tylko w weekendy.

– Panno Florence! – Miał grzmiący głos i staroświeckie maniery. – Jakże się pani miewa? Nie spodziewałem się, że panią zobaczę. Co za miła niespodzianka. Wzięła sobie pani wolne?

– Cześć, Milton. Właściwie szukam nowej pracy.

– Poprzednia przestała się pani podobać?

– Coś w tym rodzaju.

– Niech się zastanowię. Jeśli się nie mylę, to pracowała pani w domu aukcyjnym?

– Zgadza się.

– Zdaje się, że w Sotheby?

– U Quayle'a. Chciałabym się dostać do Sotheby albo Christie.

– Rozumiem. A pani obecna sytuacja; od jakiegoś czasu jest pani w kiepskim położeniu?

– Tak. Można tak to ująć.

– Rozumiem. Może nie powinienem tego mówić... – Milton zerknął przez ramię, kiedy otworzyły się drzwi windy. – Pani Arthur! Dzień dobry. Właśnie przyszła do pani paczka. Wysłać ją na górę do pani mieszkania?

– Nie, dziękuję, Milton – powiedziała pani Arthur. – Odbiorę ją po powrocie.

– Proszę bardzo. Życzę miłego dnia, pani Arthur. – Przytrzymał przed nią drzwi wejściowe.

– Co chciałeś mi powiedzieć, Milton? – spytała Florence.

– Nie chciałbym pani urazić, ale myślę, że powinna się pani dowiedzieć.

– Strzelaj.

– Zdaje się, że zarząd spółdzielni planuje zebranie, na którym mają przedyskutować kwestię pani eksmisji. Wiedziała pani o tym?

– Nie... Na jakiej podstawie?

– Chyba chodzi o to, że nie płaciła pani czynszu. Z pewnością pani zapomniała. Po prostu pomyślałem sobie, że mam obowiązek panią poinformować, żeby nie była pani zaskoczona, że tak powiem. Ponadto kilku mieszkańców skarżyło się na nocne hałasy.

– ... dzięki. Bardzo ci jestem wdzięczna. – Nic więcej jej nie przyszło do głowy. Weszła do otwartej windy.

W Sotheby nie było wakatów, lecz poproszono ją, by zostawiła swój życiorys w dziale personalnym. Znała pewną kobietę z Christie, która powiedziała, że jej zdaniem brakuje tam wolnych miejsc, ale zaproponowała, że popyta i napomknie, że Florence szuka pracy.

Pewien jej znajomy, który pracował u Doyle'a, wyjechał pół roku wcześniej. Obecnie nie było tam wolnych posad i nawet nie zasugerowano, żeby zostawiła swoje dokumenty.

Nagle przypomniała jej się Marisa Nagy, która pracowała w ekskluzywnej galerii sztuki. Z tego, co wiedziała Marisa, poszukiwano tam jedynie recepcjonistki – a na to stanowisko Florence miała zbyt wysokie kwalifikacje, a zresztą nie przyjęłaby pracy tak nisko opłacanej i bez perspektyw rozwoju – asystentki osiemdziesięcioletniego pana Berryfoksa, wnuka założyciela, lecz z Florence, która niezbyt dobrze pisała na maszynie, byłaby marna sekretarka (chociaż Marisa wyznała jej w tajemnicy, że musiałaby również pełnić rolę pielęgniarki) oraz asystentki samej Marisy.

– Właśnie mnie awansowano na kierownika działu!

– Gratuluję! – W ustach jej zaschło, język przypominał ślimaka, który utknął na rozżarzonej skale.

– Bardzo bym chciała, żebyś przyjęła tę posadę.

– Muszę się nad tym zastanowić. Jeszcze się do ciebie odezwę.

Mowy nie ma, żeby przyjęła posadę asystentki. Jakie to poniżające, że Marisa, mimo że młodsza, choć przez sekundę sądziła, że Florence zniży się do czegoś podobnego.

W ogłoszeniach typu „Potrzebna pomoc" nic nie znalazła. Postanowiła się zdrzemnąć i wróciła do łóżka.

11

Dzwonił telefon. Ostatnio codziennie to brzęczenie wyrywało ją ze snu.

– Dzień dobry! Obudziłem cię?

– Yyy... – Dopiero po chwili uświadomiła sobie, że to Max. – Nie, nie. Już nie spałam.

– Kochanie, dzisiaj znowu trafiłaś do gazet. Ponownie nie wymieniono twojego nazwiska, ale artykuł jest dość ekscytujący. – Udawał głupiego, jakby to nie on sam podał tę informację do prasy.

– Max! – Natychmiast się obudziła. – Sprzedałeś prasie jakieś informacje na mój temat?

– Ależ skąd!

– Czy to coś okropnego?

– Och, nic mi o tym nie wiadomo. Nie mogę powiedzieć, że artykuł jest miły, ale wiesz, kochanie, co zawsze mawiał Andy: liczą się centymetry. – Co on sobie wyobraża? Zachowywał się jak naśladowca jakiejś, już od dawna nieżyjącej, królowej towarzystwa z lat czterdziestych, a może wzorował się na pewnej aktorce ze starych filmów, grającej nowojorskie matrony z lat dziewięćdziesiątych dziewiętnastego wieku. Usiłowała sobie przypomnieć, z kim jej się kojarzy sposób mówienia Maksa. Może z Margaret Dumont ze starych filmów braci Marx? Miała wielką ochotę na filiżankę kawy. – Muszę już kończyć – powiedział Max. – Jestem na lotnisku i chciałem tylko na chwilę zadzwonić przed odlotem! Lecę do Kopenhagi, żeby napisać artykuł o sekretach rodziny królewskiej.

– Max, chwileczkę, co jest w tej gazecie?

– Och, wszystkiego po trochu, głównie to, co mi mówiłaś wczoraj w nocy w taksówce.

– Max, chyba nie podałeś tego do prasy, co? Jak mogłeś?

– Tylko usiłowałem wyjaśnić sytuację. Dla twojego dobra. Nie powinnaś narzekać, zabroniłem Jimmy'emu pisać o tym, że paliłaś crack. Masz u mnie dług wdzięczności.

Na chwilę straciła rezon.

– ... ale tylko ty wiedziałeś, że paliłam.

– Och, słyszałem o tym już wcześniej. Możesz mi wierzyć, że takie wieści się rozchodzą. Wszyscy wiedzą, co robią inni. No, muszę lecieć, wzywają pasażerów do odprawy! Zadzwonię po powrocie.

Przynajmniej była na tyle ważna, by zapewnić sobie wzmiankę w dziale plotkarskim. Ściągnęła włosy w koński ogon, włożyła białą bluzę od dresu, czarne legginsy i buty do joggingu. Nie cierpiała legginsów, które wydawały jej się strasznie niemodne, ale były za to wygodne. Nie musiała robić żadnych zakupów, ale włożyła do portfelika pięćdziesiąt dolarów – całą gotówkę – i wyszła. W tej okolicy najbliższy kiosk, gdzie mogła kupić gazetę, znajdował się dwie przecznice dalej. Na pierwszej stronie była wiadomość o częściach ciała, które znaleziono w bagażniku limuzyny gwiazdy pop. Florence otworzyła gazetę na dziale plotkarskim, jeszcze zanim rzuciła drobne na ladę. Stanęła na chodniku, usiłując znaleźć notatkę na swój temat. Początkowo wydawało jej się, że nic takiego nie ma. Starzejąca się gwiazda filmowa i jej córka jednocześnie wszczepiły sobie implanty piersi. Bajecznie bogaty biznesmen wylądował w szpitalu dla pacjentów z zaburzeniami obsesyjno-kompulsywnymi. Wszyscy goście pewnej eleganckiej restauracji ulegli zatruciu pokarmowemu.

„Sierpień to miesiąc ogórkowy w plotkarskim świecie – zaczynała się notatka. – Z gorącymi przeprosinami przedstawiamy więc te nędzne resztki z kręgów towarzyskich... KTÓRA jasnowłosa niszczycielka małżeństw ostatnio...".

Notatka była tak wstrętna, okropna i brzydka, tak bezpośrednio w nią wymierzona, że oczy Florence wypełniły się łzami. Nawet nie mogła skończyć jej czytać. Wrzuciła gazetę do kontenera na śmieci, oglądając się przez ramię, jakby się bała, że ktoś ją obserwuje.

Potem kupiła „Timesa" i weszła do kawiarni. Domy aukcyjne nie oferowały miejsc pracy, lecz znalazła ogłoszenia o zbliżających się aukcjach u Teppera i Dixona, do których zapomniała zadzwonić. Zauważyła też zawiadomienia o zbliżających się aukcjach organizowanych przez firmę o nazwie Quince Rector Co. & ASM Auctions Inc. Firma ta najwyraźniej specjalizowała się we wszystkim – na Brooklynie organizowała aukcję hurtownika odzieży; w Amityville na Long Island – aukcję sześćdziesięciu przejętych przez bank samochodów, w tym hyundai elantrę, dodge'a neona, pontiaca grand am, chevy lumina, hondę civic i mercury couguara; w obiekcie w New Jersey – przetarg ogromnej liczby towarów nieodebranych z magazynów oraz wyprzedaż wyposażenia posiadłości, w którego skład wchodził „mahoniowy komplet do jadalni z sześcioma krzesłami, obrazy olejne, komody, biurko, biżuteria, wysokiej jakości bibeloty, figurynki, platery, antyczne skrzypce, wiele nowych artykułów wciąż jeszcze w skrzyniach". Ta ostatnia wyprzedaż miała się odbyć tego dnia po południu na dolnym Broadwayu. Firma wystawiała na przetarg jeszcze wiele innych przedmiotów: pewnie same śmieci, jeszcze gorsze niż to, co oferowały najpośledniejsze domy aukcyjne na Manhattanie.

W pewnej galerii sztuki poszukiwano pracownika, lecz specjalizującego się w art nouveau. Poza tym, mając trzydzieści dwa – prawie trzy – lata, nie chciała zaczynać od początku jako recepcjonistka. Mnóstwo ogłoszeń dla grafików, agentów nieruchomości, sprzedawców w firmach wodno-kanalizacyjnych, asystentów wydawców. Dokończyła kawę i zostawiła gazetę na stoliku.

Może podczas spaceru przejaśni jej się w głowie. Nie miała ochoty na jogging – już i tak była dość roztrzęsiona

– wiedziała jednak, że jeżeli zrezygnuje z ruchu, poczuje się jeszcze gorzej. Ruszyła, mijając po drodze ekskluzywne magazyny na Madison Avenue – sklep z ręcznie szytymi butami kowbojskimi, każda para ze strusiej lub krokodylej skóry, sklep z odzieżą dla dzieci, gdzie każdy strój, każda sukieneczka, kosztowały więcej, niż wynosiła tygodniówka opiekunki do dziecka, sklep z antycznymi piórami – ale Florence nie zauważyła ani jednego. Miała wrażenie, że jeśli nada sobie dość duże tempo i będzie szła, nie rozglądając się na boki, nie będzie musiała myśleć: zostawi w tyle nieszczęsny zamęt, jaki zapanował w jej wnętrzu.

Przechodnie wymijali się w delikatnym, milczącym balecie, w którym każdy mieszkaniec miasta został tak wyszkolony, by jak najbardziej zbliżyć się do innego, nie dotykając go. Po zmianie światła czmychali przez ulice niczym kraby tańczące między samochodami.

Ona jednak nie obserwowała tego subtelnego ulicznego tańca. Zanim się zorientowała, minęły trzy lub cztery godziny. Nieźle się spociła i była zadowolona, że przez tak długi czas nie musiała myśleć, widzieć. Jakimś cudem wylądowała na Broadwayu, chociaż z pewnością kluczyła po drodze, i teraz znalazła się daleko za Canal Street.

Nieopodal miała się odbyć aukcja tego Quince'a jak-mu-tam. Postanowiła wstąpić. Może wszystko to zostało zaplanowane przez Boga: jej ślepy, bezmyślny marsz wiodący prosto do fantastycznego miejsca pracy. Może się okaże, że Quince jak-mu-tam to bardzo dystyngowany, bogaty i tajemniczy mężczyzna. Może się w niej zakocha, nie będzie potrafił żyć bez niej. Florence unowocześni jego firmę, przemieni ją w dom aukcyjny jeszcze bardziej ekskluzywny niż Christie czy Spink.

Na witrynie sklepu, gdzie odbywała się aukcja, zobaczyła więcej śmieci, niż tego oczekiwała. Znajdowały się tam sterty biurek, powykrzywiane metalowe szafki na dokumenty, otwarte pudła z setkami buteleczek lakieru do paznokci i próbek perfum. Półki załadowano azjatyckimi eksportowymi towarami: kilkoma niebiesko-białymi dzbankami na piwo imbirowe, z pokrywkami nie od kompletu, pochodzącymi z epoki Ming, współczesną porcelaną z manufaktur Imari i Satsuma, podstawkami pod kadzidełka, stojakami na parasole. Był tam i ponadmetrowy koń z jadeitu, wyrzeźbiony z grubsza i mający przypominać antyk. Sterty dywanów z czystej wełny, lecz w krzykliwych kolorach. Trzy indyjskie motocykle, prawdopodobnie z lat czterdziestych. Koń z karuzeli ze złamaną nogą. Oprawiony łeb tygrysa z plastiku i sztucznego futra. Poduszka, na której rytualnie pali się opium. Stosy brudnych talerzy nie od kompletu, niektóre z restauracji, inne z całkiem niezłych serwisów do herbaty Belleeka. Istny groch z kapustą. Artykuły te stanowiły śmietnisko społeczeństwa pozbawionego kultury czy wartości. Wszystko pokrywała sadza i kurz, jakość zastępował *horror vacui*. Pudła z czarno-białymi zdjęciami dawno zapomnianych gwiazd filmowych, kartony gumowych kurczaków. Na ścianach wisiały oprawione zdjęcia na aksamitnym passe-partout – kwiaty, źle skadrowane krajobrazy. Niemal każdy przedmiot był imitacją czegoś bardzo pięknego, a tych kilka autentycznych dzieł sztuki było połamanych i wyszczerbionych.

Zaczęła się przechadzać po sali. Dwóch Azjatów o dość złowieszczym wyglądzie, pakujących, czy też może wypakowujących towary, nie zwróciło na nią uwagi. Zza parawanu shoji, z którego schodziła farba, błysnęła na nią para oczu i Florence, przestraszona, cicho krzyknęła. To, co tam przycupnęło, wyglądało jak olbrzymia ropucha, masywna i o grubych wargach, językiem zbierająca okruszki z babeczki oblanej różowym lukrem.

– Przepraszam... – powiedziała Florence. – Czy pan tu pracuje?

– W czym mogę pomóc? – Ropucha najwyraźniej była ubawiona. – Aukcja zaczyna się o trzeciej, a pokaz ma się odbyć oficjalnie dopiero o pierwszej. Ale może się pani rozejrzeć już teraz.

Zerknęła na zegarek.

– Dochodzi pierwsza. Właściwie to chciałam złożyć ofertę pracy. Czy rozmawiam z panem Quince'em?

– Z panem Quince'em! A to dobre! – Resztki babeczki najeżone wiórkami kokosowymi, zostały wepchnięte do paszczy ropuchy niczym wyjątkowo pulchna, smakowita mucha. – Tak, jestem Quince Rector. A pani jest...

– Florence Collins. Pracowałam u Quayle'a, w dziale biżuterii, ale latem były tam cięcia...

– Czego pani ode mnie oczekuje?

– Sama nie wiem. Pomyślałam, że skoro już się znalazłam w tej okolicy...

– Rozumiem. Uhmmm. Muszę się zastanowić. – Tu zapadło milczenie. – Nie, nie potrzebuję nikogo.

– Czy mogłabym, dzisiaj nie mam go przy sobie, ale czy mogłabym któregoś dnia podrzucić mój życiorys? Wzięłabym nawet jakąś tymczasową pracę...

– Chwileczkę. Rzeczywiście coś mam, ale to pani raczej nie zainteresuje.

– Przyjmę każdą posadę, naprawdę, chociaż na przetrwanie...

– Do niedawna pracowała dla mnie pewna młoda kobieta. Oczywiście zdaje sobie pani sprawę z tego, że wielu dilerów przychodzi do mnie na aukcje, a ponieważ nigdy nie mogę przewidzieć, ilu się stawi, potrzebuję kogoś, kto by... utrzymywał stawki powyżej minimalnego poziomu. Inaczej mówiąc, zgodnie z prawem muszę mieć przynajmniej dwa zgłoszenia do przetargu, żeby rozpocząć aukcję. Jeżeli, powiedzmy, Joe Schmoe przelicytuje moją minimalną cenę, a nikt inny nie weźmie udziału w licytacji, nie mogę mu sprzedać danego artykułu. Dajmy na to, że rozpocznę licytację od stu dolarów, Joe przystępuje do licytacji, ale nikt nie podnosi stawki. Pani zadaniem byłoby podbić stawkę do – powiedzmy stu pięćdziesięciu dolarów czy innego oczekiwanego przeze mnie poziomu i czekalibyśmy, aż Joe zaoferuje dwieście.

Jeszcze nigdy nie słyszała o podobnych praktykach w świecie aukcyjnym. Miała wrażenie, że Quince zmyśla.

– Ale jeżeli on... a ja kupiłam coś, czego wcale nie chciałam?

– Nie, nie. W takim wypadku nie ma mowy o sprzedaży. Nie mogę sobie pozwolić na to, by oddawać te towary poniżej ceny hurtowej. Moja firma to hurtownia, muszę upłynnić wszystko, jeżeli więc nie sprzedam czegoś na aukcji, to albo pozbywam się tego hurtem, albo jeszcze raz wystawiam na przetarg.

To ją zaintrygowało.

– A jeżeli ktoś przyjdzie jeszcze raz i zorientuje się, że ten sam przedmiot został znowu wystawiony na aukcję?

– Kiedy ktoś o to pyta, mówię po prostu, że miałem więcej niż jeden egzemplarz, a drugi wziąłem z magazynu. Jeżeli chciałaby pani spróbować dzisiaj po południu – aukcja przeważnie trwa od dwóch do dwóch i pół godziny – mogę zaproponować pięćdziesiąt dolarów. Zobaczymy, jak pani pójdzie.

– Skąd mam wiedzieć, kiedy przestać podbijać stawkę?

– Niech pani usiądzie z przodu, żeby wszyscy widzieli, jak pani licytuje. Musi pani samodzielnie ocenić sytuację. Dam znak, kiedy ma pani przerwać. Sama się pani zorientuje.

Mniej więcej za pięć trzecia Azjaci ustawili pośrodku pokoju dwadzieścia czy trzydzieści składanych metalowych krzeseł. Florence jeszcze nigdy nie widziała na aukcji tak przedziwnej zbieraniny. Przyszedł tybetański mnich; trzech olbrzymich, kłótliwych Rosjan, którzy, jak się domyślała, byli matką, ojcem i dorosłą córką; siedem czarnych kobiet wyglądających tak, jakby przyszły na mszę; czterech dość ponurych chłopców w typie mieszkańców z Long Island lub Brooklynu; kilka typków ze świata Soho i sztuki; para z Belgii lub Holandii; odpychający mężczyzna z długim kucykiem wyglądający na dilera, i tak dalej. W sumie stawiło się nie więcej niż dwadzieścia pięć osób.

Przez dwie godziny koncentrowała się na podbijaniu stawki do ceny, którą chciał osiągnąć Quince. Czarne kościelne panie kupiły dużo haftowanych chińskich poszewek na poduszki po osiem dolarów od sztuki – dokładnie za taką samą cenę, po jakiej sprzedawano je w sklepach w Chinatown. Rosjanie pokłócili się, kiedy córka przystąpiła do licytacji obrzydliwej rzeźbionej szkatułki indiańskiej na świecidełka – dziewczyna zaoferowała czterdzieści dolarów, rywalizując z Florence, a Quince już miał krzyknąć „Sprzedane!", kiedy ojciec wrzasnął, że daje pięćdziesiąt. Córka zaczęła na niego krzyczeć po rosyjsku, lecz było oczywiste, że wyzywa go od idiotów za to, że się nie zorientował, iż to ona zaoferowała czterdzieści dolarów.

Belgijska para rozpoczęła trzyosobową walkę z mężczyzną z kucykiem o ogromny dywan wiszący na ścianie.

– Ręcznie tkany jedwab, ponad tysiąc węzłów na cal – zaczął Quince. – W AKZ Carpets poszedłby za dwadzieścia tysięcy. Czy mogę rozpocząć licytację od dziesięciu tysięcy? – W końcu cena wywoławcza obniżyła się do tysiąca. Ostatecznie belgijska para, ze zmartwionym wyrazem twarzy, kupiła go za prawie pięć tysięcy. Florence była zaintrygowana. Może dywan rzeczywiście był coś wart; nie znała się na tkaninach ozdobnych. Przedmioty, które wcześniej uznała za śmieci, teraz przemieniały się w prawdziwą okazję.

Usiłowała udawać, że robi notatki dotyczące towarów, które „zakupiła" podczas licytacji. Pod koniec popołudnia, gdyby rzeczywiście brała udział w aukcji, kupiłaby ponadmetrowego, rzeźbionego bawołu domowego, dwa złote wazony z manufaktury Satsuma przerobione na lampy, aligatora z kości słoniowej i ogromną szafę z palisandru. To wszystko nie miało sensu.

Kiedy wszyscy wyszli, dał jej pięćdziesiąt dolarów. Powiedział, że wraca jej poprzedniczka, ale jeżeli Florence da mu swój telefon, z pewnością zachowa ją w pamięci jako ewentualną zmienniczkę.

– Dzięki – rzekła. – Myślę jednak, że powinnam sobie znaleźć coś na cały etat.

Pięćdziesiąt dolarów! Kupiła żetony na metro i skierowała się do centrum. Pięćdziesiąt dolarów, co jej to da? Musiała tam siedzieć przez kilka godzin, praca była męcząca, nie rozwijała intelektualnie i nie stanowiła żadnego wyzwania. Za pięćdziesiąt dolarów nie stać jej będzie nawet na przyzwoitą kolację. Ledwo by starczyło na manikiur i pedikiur, nie włączając napiwku. W innej sytuacji pojechałaby do domu taksówką, ale ponieważ zarobienie pięćdziesięciu dolarów zajęło jej tyle czasu, nie chciała wydawać dziesięciu czy dwudziestu na powrót.

W godzinie szczytu metro było tak zapchane, że brakowało miejsc siedzących, a Florence stała ściśnięta w tłumie pasażerów. Pociąg podskakiwał na nierównych torach, ludźmi rzucało na wszystkie strony, a ktoś uderzył ją w bok jednym z tych ohydnych plecaków. Inny człowiek śmierdział frytkami od McDonalda, charakterystycznym odorem łoju i tłuszczu. Jeszcze inny siorbał napój. Następny obcinał paznokcie, jakaś kobieta się czesała.

Cały wagon osobników na niższym etapie rozwoju, równie nieokrzesanych jak szympansy. Pasażerowie mieli szkliste oczy i ponure miny. Z odrazą zamknęła oczy. Nie wyobrażała sobie, by miała codziennie, nawet dwa razy, jeździć w ten sposób: jak zwierzę wiezione na rzeź. W metrze panowała duchota i skwar. Pociąg gwałtownie i ze zgrzytem zatrzymał się między stacjami.

Nikt się nie ruszył ani nie odezwał. Ci ludzie zachowywali się jak organizmy stanowiące przeciwieństwo ameby: zamiast rozmnażać się przez podział, byli zmuszeni wbrew własnej woli łączyć się, stapiać lub umrzeć.

Florence wydawało się, że minęła cała wieczność. Silnik pociągu czy też to, co powodowało głośny hałas, został wyłączony, następnie światła zamigotały i zgasły i zapanowała ciemność i cisza.

– Panie i panowie. – Ogłoszenie nadawane przez głośniki było tak kiepskiej jakości, że z powodu przenikliwego trzeszczenia i syczenia trudno było rozróżnić słowa. – Z powodu pożaru na stacji przy Pięćdziesiątej Dziewiątej Ulicy, mamy opóźnienie. Pociąg ruszy, gdy tylko pożar zostanie ugaszony.

Ogłoszenie powtórzono cztery czy pięć razy, zanim, niemal pół godziny później, uruchomiono silnik i pociąg znowu ruszył do przodu.

Odźwierny – tym razem był to Mario – nie odezwał się ani słowem, kiedy weszła do holu i wyjęła korespondencję ze swojej skrzynki w niszy koło wind. Nie szkodzi; była zbyt zmęczona na pogawędkę, chociaż zawsze usiłowała zachowywać się przyjaźnie. Przeglądając stosik listów – skrzynka była nimi zapchana – stanęła pod drzwiami swojego mieszkania.

Klucz nie pasował do zamka. Kilka razy usiłowała go przekręcić, aż wreszcie zauważyła, że coś się zmieniło: na drzwiach, jak billboard, wisiała tabliczka z napisem: ZAWIADOMIENIE O EKSMISJI/MIESZKANIE ZOSTAŁO OPLOMBOWANE Z NAKAZU KOMORNIKA/W IMIENIU LIBERTY POINT BANK I ZARZĄDU SPÓŁDZIELNI.

12

Patrzył w stronę windy, lecz odwrócił wzrok, kiedy zobaczył wysiadającą Florence.

– Mario, mogłeś przynajmniej coś powiedzieć, żeby mnie uprzedzić, zanim weszłam na górę!

– Przepraszam. – Wzruszył ramionami. – Nie wiedziałem, co powiedzieć.

– Czy mógłbyś mnie przynajmniej wpuścić na noc do mojego mieszkania? Dokąd mam teraz iść?

– Nie mogę pani wpuścić. Nie mam klucza.

– Zmienili zamki?

– Przykro mi.

– Ale na pewno masz zapasowy klucz?

Pokręcił głową.

– Co z moją kartą kredytową? Ubraniami? Tam są moje rzeczy. Muszę wejść, żeby je zabrać.

– Musi pani iść do sądu.

– Kto za tym stoi? June? – June była prezesem zarządu spółdzielni, znaną z tego, że lubowała się w przysparzaniu problemów innym.

– Bank też twierdzi, że pani nie płaciła.

– Powinni mnie uprzedzić! Wysłać zawiadomienie! Pierwszy raz o tym słyszę. – Spuściła wzrok na wyłożoną marmurem podłogę, na startą biało-czarną kratkę. Może i coś już wcześniej obiło jej się o uszy. Przychodziły do niej sterty rachunków w kopertach ze złowieszczymi, czerwonymi stemplami, których nigdy nie otwierała. – I co ja mam teraz zrobić? Dokąd mam pójść?

– Nie może się pani zatrzymać u jakiegoś przyjaciela? Z pewnością za dzień czy dwa cała sprawa się wyjaśni.

– Nie, nie mam żadnego przyjaciela! Chcę wejść do własnego domu! – W panice zaczęła go atakować; mogłaby go zabić. Łatwo mu mówić, że powinna zatrzymać się u przyjaciela.

– Ma pani prawnika? – Widziała, że odźwierny próbuje jej pomóc.

– Prawnika? Nie mam prawnika. Nigdy nie był mi potrzebny. Moja matka miała prawników, ale to było jeszcze w Kalifornii. No dobrze, może zadzwonię do jakiegoś.

Mario podał jej telefon stojący na biurku w recepcji.

– Ale jeżeli wejdzie pani Koblenz, musi pani szybko odłożyć słuchawkę.

– Dlaczego? Co mi zrobi ta podła June Koblenz? Wykopie mnie stąd?

– Nie chcę narobić sobie kłopotów. – Wymamrotał to cicho, zawstydzony na samą myśl, że mógłby znaleźć się w takiej sytuacji.

– Prawnik, prawnik. Który z moich znajomych jest prawnikiem? – Nagle przypomniał jej się Neil Pirsig.

Wiedziała, że jest obrzydliwy, lecz zawsze się w niej durzył, więc prawdopodobnie chętnie jej pomoże, nawet jeżeli kiedyś nim wzgardziła.

Kancelaria Neila była już zamknięta, ale na szczęście zdobyła jego telefon domowy w informacji.

– Nie mogę uwierzyć, że muszę znosić coś takiego! – poskarżyła się Mario, czekając na połączenie z Neilem. – Nawet nie mogę wejść po karty kredytowe i notes z adresami. Po bieliznę na zmianę! To z pewnością nielegalne... Neil? Cześć, jak się masz? Mówi Florence Collins.

– Kto?

– Florence? – Nie cierpiała, kiedy intonacja jej głosu automatycznie przybierała formę pytającą.

– Nie...

– Znasz mnie! Mam długie jasne włosy. Niedawno spotkaliśmy się u...

– A tak, tak. Florence. Jak się masz?

Nie wiedziała, czy rzeczywiście ją sobie przypomniał. Prawdopodobnie tak – w jego głosie zabrzmiało zażenowanie.

– Neil, znalazłam się w trudnej sytuacji. Eksmitowano mnie z...

– Chodzi o sprawę sądową? Czy mógłbym jutro oddzwonić do ciebie z kancelarii? Bo właśnie wszedłem do domu i...

– Stoję w holu mojego budynku, bo zmieniono mi zamki w drzwiach i...

– Dzisiaj naprawdę niewiele możemy na to poradzić. Poza tym ja raczej nie zajmuję się takimi przypadkami, to nie moja specjalizacja. Obecnie nawet nie przyjmuję nowych spraw, no i, nie wiem, czy zdajesz sobie z tego sprawę, moja stawka wynosi pięćset dolarów za godzinę. Wiesz co? Może podsunę ci parę nazwisk. Oddzwonię.

– Neil, nic nie rozumiesz! Ja nie mam telefonu, nie mogę się dostać do środka!

– Słuchaj, w takim razie wynajmij pokój w hotelu i zostaw wiadomość na mojej sekretarce, gdzie cię można złapać.

– Nie mam nawet karty...

Za późno. Już odłożył słuchawkę. Mario krążył pod drzwiami wejściowymi – pewnie mając nadzieję, że nikt nie zobaczy, że pozwolił Florence korzystać z telefonu w celach osobistych. Czym się tak przejmował? Dla odźwiernych było mnóstwo miejsc pracy. Ktoś musi jej pomóc w tych tarapatach.

Darryl. Już dawno powinna do niego zadzwonić, dowiedzieć się, jak sobie radzi z... z tą chorobą, o której wspominał. Darryl ją kochał. Mogłaby się z nim pogodzić, przyjąć jego oświadczyny. Przynajmniej miał mieszkanie, miejsce, gdzie mogła się zatrzymać. Dzięki Bogu od razu przypomniała sobie jego numer telefonu, zupełnie jakby na stałe wrył jej się w pamięć. Wykręciła numer. Ostry dźwięk, niemal wrzask, który popłynął ze słuchawki, był tak głośny, że aż się wzdrygnęła: „Telefon został wyłączony". Nagranie – głos osoby z firmy telefonicznej – aż ociekało jadem. Zupełnie jakby jej przedstawiciel wyobrażał sobie właśnie taką sytuację, w jakiej znalazła się Florence. Ciągle jej się wydawało, że głos ten poda jej nowy numer, lecz takiego widocznie nie było. Gdyby jednak Darryl się przeprowadził, z pewnością zostawiłby informację o nowym numerze.

Za drzwiami wejściowymi trzy grube golden retrievery na smyczach z plecionki jednocześnie przykucnęły, by się wysiusiać na samym środku drogi prowadzącej do budynku. Florence wykręciła kolejny numer telefonu.

– Allison, musisz mi pomóc. Nie mam gdzie przenocować.

– Masz remont w domu, czy jak? Szczerze ci współczuję. Kiedy u mnie był remont, miałam się wyprowadzić z domu na trzy miesiące, a ostatecznie trwało to prawie dwa i pół roku.

– Nie, nie o to chodzi. Ja...

– O Boże, Florence. Bardzo bym chciała zaproponować ci nocleg, ale u mnie nie ma ani centymetra wolnego miejsca. Thomasina i May tak się kłóciły, że musieliśmy przerobić pokój gościnny na pokój dla May. A Georgie i jego niańka muszą spać w jednym pokoju, dopóki nie wyremontujemy dziecięcego. Nawet moja matka musi zatrzymywać się w hotelu, kiedy tu przyjeżdża! Strasznie się czuję. Kochana, muszę już kończyć, bo Archie mnie zabije, ale gdybyś mnie kiedykolwiek potrzebowała, jestem do usług. Zawsze możesz zadzwonić. Wiesz o tym, prawda? Postaram się oddzwonić do ciebie, kiedy wrócę do domu, jeżeli tylko nie będzie zbyt późno i jeżeli dzieciaki tym razem się nie obudzą. Nie wiesz, co to znaczy, mieć troje dzieci i tylko jedną niańkę...

Odłożyła słuchawkę. Czuła się tak, jakby każda komórka jej ciała miała w sobie wydrążoną dziurę i krzyczała, by ją zatkać.

Usiłowała sobie przypomnieć wszystkich znajomych, lecz zaczynała wątpić, czy którykolwiek jej pomoże. Czy powodem było to, że tymczasowo stała się wyrzutkiem z powodu sprawy de Jonghów? Jednak bardziej prawdopodobna przyczyna leżała w tym, że przede wszystkim żadna z tych osób nie była jej przyjacielem. Gdyby to do niej ktoś zadzwonił z podobną prośbą, też by mu kazała spadać.

Zadzwoniła do Lisy Harrison. Nie wiedziała, dlaczego właśnie ona jej przyszła do głowy. Za każdym razem, kiedy sobie o niej przypominała, było już dawno po czasie, kiedy powinna jej podziękować za zaproszenie lub się zrewanżować. Lisa – ze swym przestylizowanym mieszkaniem, przyjęciami wydawanymi na cześć projektantów biżuterii i innych nieudaczników – może i miała więcej pieniędzy niż Florence, lecz prawdopodobnie była jedyną osobą, której powodziło się gorzej: wpadła w większą desperację.

– Kochanie, niestety jutro wyjeżdżam do Europy – powiedziała Lisa. – Bardzo chętnie bym cię do siebie zaprosiła, tylko że... wynajęłam mieszkanie. Ale możesz przenocować, jeśli to cię urządza.

Wyraz ulgi na twarzy Mario był przytłaczający. Wychodząc, wdepnęła w kałużę psiego moczu.

– Czuj się, jak u siebie w domu, Florence! – zawołała Lisa z górnego piętra swego dwupoziomowego mieszkania.

Florence usiadła z ulgą. Aż do tej chwili nie zdawała sobie sprawy z tego, że praktycznie rzecz biorąc przez cały dzień była na nogach. Bolały ją łydki.

– Liso, czy mogłabym skorzystać z telefonu?

– Proszę bardzo. W lodówce stoi otwarta butelka białego wina, możesz też sprawdzić, czy jest czerwone. Próbuję się pozbierać. Wczoraj w nocy zabalowałam i nie zdążyłam się spakować, a dopiero wstaję z łóżka. Robię sobie maseczkę i dlatego mówię tak dziwnie. Zupełnie jakbym miała twarz w gipsie.

W barku znalazła książkę telefoniczną i zaczęła sprawdzać numery korporacji taksówkowych.

– Pracuje u ciebie jakiś Gideon?

– Co?

– Gideon. Taki wysoki i...

– Jak ma na nazwisko?

– Nie wiem, ale jeździ na nocną zmianę i... jeżeli u ciebie pracuje, na pewno byś go rozpoznała, kiedyś był mormonem i...

– Moja droga, czy ty wiesz, ilu mamy kierowców? Niektórzy pracują tylko tydzień albo i jeden dzień, nie wiem, kto jest kto. Musisz mi podać jego nazwisko albo numer taksówki. Znasz jego numer? Jeśli chodzi ci o biuro rzeczy znalezionych, to kierowca nie jest ci potrzebny. Niczego nie znaleziono.

Zadzwoniła do trzech czy czterech korporacji taksówkowych, zanim zrozumiała, że to na nic.

– Długo jeszcze? Muszę zadzwonić na chwilkę – powiedziała Lisa.

– Przepraszam, przepraszam. Proszę, dzwoń. Nie znasz przypadkiem telefonu do Darryla Levera, co?

– Do kogo?

– Tego faceta...

– Kogo? Powiedz. – Nagle w głosie Lisy zabrzmiało ożywienie. Wyłoniła się z sypialni i wychyliła przez balkon. Całą twarz miała pokrytą spękaną lawendową skorupą.

– To mój stary przyjaciel, adwokat bezdomnych, który w moim obecnym położeniu jest dla mnie idealny.

– Powiedziałaś: Darryl Lever?

– Tak. Masz jego telefon?

– Nie! Znasz go? Jest cudowny. Od lat szaleję na jego punkcie. W s z y s c y się w nim kochają.

– W Darrylu? – spytała Florence.

– No!

– Już nie mam jego telefonu.

– O. – Lisa, rozczarowana, wycofała się.

Florence krążyła po pokoju, gdy Lisa rozmawiała przez telefon. Jej rozmowa trwała prawie godzinę. Florence ponownie obejrzała mieszkanie. Z bliska krezy i falbany wyglądały na brudne. Parapety lepiły się od sadzy. Takie było to miasto: niezależnie od bogactwa nie dało się na dłuższy czas zachować czystości. Chociaż Lisa jeszcze nie wyjechała do Europy, do jej domu wkradła się już pustka, jakby nikt w nim nie mieszkał. Było to miejsce zbudowane na pokaz; kiedy nikt – oprócz Florence – go nie oglądał, przypominało scenę teatru, na której nie wystawiano sztuki.

– Kochanie, oddaję ci telefon! Bardzo przepraszam, że trwało to tak długo.

Zadzwoniła do Tracer Schmidt.

– Mówi Florence Collins. – Tracer się nie odzywała. – Słuchaj, wiem, że z jakiegoś powodu mnie nie lubisz, ale tak sobie myślę... – próbuję znaleźć Darryla Levera, ale odłączono jego telefon. Może wiesz...

– Jest tutaj. Sprawdzę, czy chce z tobą rozmawiać.

– Bardzo proszę.

– Cześć, Florence. – Podszedł do telefonu. Na dźwięk jego głosu Florence poczuła niespodziewaną ulgę, zupełnie jakby okryto ją ciepłym kocem. – Co u ciebie?

– Och, Darryl. Chyba dobrze. Chociaż właściwie to nie. Stęskniłam się za tobą! Co ty u niej robisz? Próbowałam się do ciebie dodzwonić, ale usłyszałam tylko takie nagranie...

– Tracer się mną opiekuje. Nie czuję się zbyt dobrze. Gruźlica nie reaguje na leczenie.

– W takim razie prywatna pielęgniarka musi być ci bardzo przydatna. – Nie zamierzała mówić z taką ironią, ale samo tak wyszło.

– Właściwie to jesteśmy zaręczeni.

Minęła chwila, zanim odzyskała głos.

– Och. Gratuluję. Kiedy ślub?

– Jeszcze nie jesteśmy pewni. Za jakiś czas. Chyba pobierzemy się w domu moich rodziców. Właściwie to u mojego ojca i macochy. Będzie miło, prawda?

– Nie wiem... skąd mam wiedzieć? Gdzie jest ten dom?

– Byłaś tam. – Zaczął kasłać. – W Bridgehampton.

– Nie.

– Widziałaś go.

– Kiedy?

– Tej nocy... pamiętasz, kiedy poszliśmy do rosyjskiego nocnego klubu? Kiedy odwiozłem cię do miasta? Musiałem na chwilę wstąpić do rodziców. Ty chyba wtedy czekałaś w samochodzie.

– Ale to... to był prawdziwy pałac! To dom twoich rodziców? – Florence nie mogła złapać tchu. – Słuchaj, mam poważny, skomplikowany problem prawny i potrzebuję twojej pomocy.

– Wiesz, ale... właśnie wychodziliśmy. Jedziemy do Szwajcarii. Jest tam lekarz, który chyba może mi pomóc, a potem zamierzamy wyruszyć w podróż po Rosji i państwach nadbałtyckich. Mam nadzieję, że się na mnie nie wściekasz.

– O co, Darryl? Jeśli masz na myśli to, że nie potraktowałam poważnie twoich oświadczyn...

– Och, nie o to mi chodzi. Po prostu... ze względów moralnych czułem się zobowiązany powtórzyć to, o czym mi powiedziałaś.

– O czym?

– O tej biżuterii, że zamierzałaś zgłosić jej kradzież, żeby ją sprzedać, a właściciel miał dostać odszkodowanie.

– Nie rozumiem. Nie twierdziłam, że chcę sobie przywłaszczyć tę biżuterię, to znaczy nie serio.

– Byłaś pijana, ale tak powiedziałaś. Chyba po prostu miałem wrażenie, że... no... wpadłaś w tarapaty, potrzebujesz kogoś, kto by ci wyjaśnił, co się z tobą dzieje, ostrzegł, że zmierzasz w złym kierunku – tu zniżył głos; pewnie Tracer słuchała – i że zwróciłaś się do mnie o pomoc.

– Gdybym tylko wiedziała, że... – Nie dokończyła tego zdania. Jak mogła powiedzieć, że gdyby tylko wiedziała, że Darryl jest bogaty, sprawy potoczyłyby się zupełnie inaczej. – A więc powiedziałeś komuś, gdzie pracuję? Komu?

– Naprawdę nie mogę powiedzieć... Przekazałem tę informację... anonimowo. Czy jesteś... oskarżona?

– Och, nie. Oczywiście, że nie. Wiedzą, że nigdy bym nie... Słuchaj, nie przejmuj się tym. Muszę... muszę kończyć. Życzę miłej podróży! – Odłożyła słuchawkę, zanim zdążył cokolwiek powiedzieć.

13

Przez okna wlewało się słońce. Pościel była czysta i biała, a koc – z miękkiej, białej bawełny. Spała dziwnie dobrze, tak mocno, że po przebudzeniu przez chwilę nie miała pojęcia, gdzie się znajduje. W końcu wstała i zeszła na dół, gdzie włożyła biały szlafrok frotowy, który pożyczyła jej Lisa.

Zajrzała do lodówki. Nie znalazła ani mleka, ani kawy, nic do jedzenia. Z obrzydzeniem włożyła te same brudne ubrania, które miała na sobie poprzedniego dnia – może uda jej się pożyczyć parę rzeczy – i poszła do ekskluzywnego sklepu na rogu, gdzie wydała majątek na cappuccino na wynos, ciastka kawowe, babeczki i świeżo wyciśnięty sok pomarańczowy. Gdyby tylko Lisa pozwoliła jej zostać! Czuła się tak, jakby kupowała ofiarę dla Lakszmi[1], choć za kwiaty i kadzidełka pewnie zapłaciłaby mniej.

Dochodziło południe, kiedy z sypialni wyłoniła się Lisa, spychając po schodach walizkę od Vuittona.

---

[1] Lakszmi – hinduska bogini piękna, bogactwa, rozkoszy i szczęścia.

– Uff! Całe szczęście, że wczoraj zawiozłam swoje mopsy do schroniska, bo na widok walizki dostałyby histerii. Czy odźwierny dzwonił, żeby zawiadomić o przybyciu mojej limuzyny?

– Nie, jeszcze nie.

– A więc... ty chyba też już musisz się zbierać.

– Yyy... tak. Czy mogłabyś mi pożyczyć jakieś ubranie? Oddam je do pralni i zwrócę ci je, kiedy tylko będę mogła.

– Ojej. – Lisa obcięła ją wzrokiem. – Chyba nie nosimy tego samego rozmiaru. Nie wiem, co by na ciebie pasowało. Mam jakieś stare dżinsy, ale to rozmiar dwadzieścia sześć. Będą pasować?

– Dwadzieścia sześć...! – Florence urwała. – Chyba pasowałyby w talii... ale jaka to długość? Jestem od ciebie dużo wyższa. Ile masz wzrostu?

– Metr sześćdziesiąt trzy.

Lisa nie mogła mieć więcej niż metr pięćdziesiąt osiem wzrostu.

– O rany, ja mam metr siedemdziesiąt trzy. Będą o wiele za krótkie. – Przynajmniej teraz Lisa nie mogła stwierdzić, że Florence nie zmieściłaby się w spodnie o rozmiarze dwadzieścia sześć. Nie wierzyła, że Lisa nosiła taki rozmiar – nikt nie mógł mieć aż tak wąskich bioder.

– No to... – Lisa podeszła do okna i wyjrzała na zewnątrz. – To chyba mój samochód czeka pod domem. Florence, czy mogłabyś zadzwonić po odźwiernego, żeby przyszedł po mój bagaż?

Florence pomyślała, że Lisa nigdy nie miała wady wymowy, tylko po prostu udawała francuski akcent. Do tej pory sądziła, że to drobny, wręcz czarujący defekt, lecz teraz uświadomiła sobie, że jej sposób mówienia jest zamierzony i pretensjonalny.

– Pewnie! Och, byłabym zapomniała! Słuchaj, kupiłam ci cappuccino, mieszane ciasteczka i sok pomarańczowy. – Spojrzała na Lisę błagalnym wzrokiem. Jeżeli Lisa zamierza zaproponować jej gościnę, to właśnie teraz.

– Wezmę kawę do samochodu. Rano nie mogę nic przełknąć. No, kochanie, jadę. Dwa tygodnie w Londynie, cały miesiąc na jachcie na Morzu Egejskim. Jeżeli wytrzymam. Stanisław nie cierpi upału, ale w październiku chyba nie będzie tak źle, jak myślisz? Potem pewnie pojadę na jakiś czas do Rzymu. No, muszę pozamykać. Idziemy? – Jej wyraz twarzy złagodniał. – Poradzisz sobie? Naprawdę żałuję, że nie możesz zostać. Po prostu... mam dość kiepskie doświadczenia z oferowaniem noclegu znajomym. W tym budynku... obowiązują pewne przepisy dotyczące pobytu gości podczas nieobecności właściciela mieszkania. Okropne, prawda? Zagrozili mi eksmisją, gdybym zrobiła to ponownie. Sama rozumiesz.

– Dam sobie radę. Baw się dobrze. – Nie czekała, aż Lisa odprowadzi ją do drzwi; wyszła sama.

Ruszyła przez park. W jej umyśle, niczym zdarta płyta, powtarzały się te same myśli. Tamten pałac należał do jego rodziców. Darryl tylko udawał biedaka. Pałac jego ojca. Darryl jest bogaty.

Liście zaczęły zmieniać barwę na pomarańczową, żółtą i ciemnoczerwoną przechodzącą w różowość. Na jaskrawozielonym trawniku drapały się wiewiórki. Płacząc, przycupnęła na brzegu ławki. Nawet nie miała papierowej chusteczki. Niedługo miał jej się zacząć okres. Kiedy słońce schowało się za chmury, zrobiło się zimno.

– Co się stało? – ktoś stojący nieopodal zabrzęczał natrętnie jak pszczoła.

Podniosła głowę. To tylko ten paskudny stary Ptasznik. Od lat karmił tu gołębie.

– Nic. Eksmitowano mnie za to, że nie płaciłam rachunków. Bank ma zająć moje mieszkanie.

– Straszne. Niedługo czeka mnie to samo.

Spojrzała na niego sceptycznie. Trochę przypominał ptaka – miał haczykowaty nos Samuela Becketta, rozbiegane sokole oczy i koszulę poplamioną zaschniętym makaronem lub czymś gorszym.

– Bank ma zająć twoje mieszkanie?

– Tak. Właściwie to nie mieszkanie, tylko kamienica. Mmm. Mmm... – bez przerwy mruczał.

– Gdzie?

– Między Piątą a Madison. Zaledwie przecznicę stąd. Chcesz ją obejrzeć? Już prawie skończyłem karmienie. – Podniósł papierową torbę. – Dzisiaj poszło dwadzieścia pięć kilo śruty kukurydzianej! Kiedy zacząłem, ta torba była pełna. Hmmm, mmm, mm. Zwykle nie wpuszczam do domu nikogo oprócz Marcii, która pomaga mi przy ptakach, ale dla ciebie zrobię wyjątek. Wyglądasz mi na osobę, która lubi ptaki.

Nienawidziła ptaków, zwłaszcza gołębi z czerwonymi dziobami, rybimi oczami, stworzeń, które wszędzie zostawiały białozielone kleksy. Nie cierpiała sposobu, w jaki samiec napastował nieszczęsną samicę – napuszony i dumny jak Charlie Twigall chwalący się swym aktem – oraz tego, jak samica usiłowała mu się wyrwać. Samiec wcale nie był nią zainteresowany – chodziło mu tylko o jej podziw.

Niemniej jednak wstała i poszła za Ptasznikiem. Kiedy nie mruczał, to bez przerwy gadał.

– Widuję tylu ludzi, którzy są niedobrzy dla ptaków, pozwalają swoim dzieciom je gonić i tak dalej. Nie potrafię zrozumieć podobnego okrucieństwa. Mmmm, hmmmm, hmm. Wiedziałaś, że ptaki pochodzą bezpośrednio od dinozaurów? A jednak osoba, którą fascynują dinozaury, nie waha się kopnąć gołębia.

Rzeczywiście mieszkał w kamienicy, która z zewnątrz wyglądała na ładny budynek z wapienia, stojący na osiedlu, niegdyś z pewnością należącym do najlepszych. Ptasznik otworzył kluczem drzwi wejściowe. Smród ptaków i starych odchodów buchnął na Florence jak odór guana z jaskini zamieszkanej przez nietoperze lub spod mostu nad autostradą.

– Nie mogę otwierać okien. Sama rozumiesz. Moje ptaszki, które uratowałem, są chore i potrzebują ciepła.

Kiedyś musiała to być wspaniała rezydencja. Pośrodku ogromnego pokoju wisiał olbrzymi wenecki żyrandol – skrzące się, cukierkoworóżowe i błękitne różyczki, wiszące zielone paprocie, w całości ze szkła. Oglądając go z bliska zobaczyła, że jest najeżony gołębiami, które na nim przycupnęły. Ptaki były wszędzie – na kanapach i krzesłach w stylu empire, w drucianych klatkach – a ich ciche, stłumione gruchanie brzmiało dokładnie tak samo jak mruczenie Ptasznika.

– Główne piętro zarezerwowałem dla najbardziej chorych – powiedział. – Na pierwszym piętrze trzymam ptaki, które niedługo wypuszczę na wolność, na drugim mewy, wrony i inne gatunki, które nie żyją w zgodzie z gołębiami, a na ostatnim te, które już wróciły do zdrowia, ale nie przeżyją bez mojej pomocy. Niektórym musiałem amputować skrzydło, innym brakuje nogi.

Otworzył tekturowe pudło stojące na blacie mebla, który niegdyś z pewnością był bardzo eleganckim koreańskim stolikiem, a teraz stał porysowany i pokryty wapnistymi odchodami. Włożył rękę do środka i wyjął gołębia – całkowicie pozbawionego piór, lecz dorosłego, i z pustymi oczodołami. Ptak wypróżnił się na dywan. Kiedyś musiał to być aubusson doskonałej jakości, teraz obrastała go włochata pleśń. Florence odwróciła wzrok. Jej oczy już się przyzwyczaiły do mroku i zauważyła, że sufit przecieka tak bardzo, iż odpadają z niego ogromne płaty rokokowego tynku. Na jednej ścianie pojawiła się rdzawa plama z krwi lub przeciekającej rury, parkiet wybrzuszał się jak kadłub gnijącego statku.

– Biedactwo – powiedział Ptasznik, całując gołębia w różowy, łysy łepek.

Była dobrym piechurem. Przynajmniej jeszcze to jej zostało. Szła. Mijały godziny. Był jeden z tych dni, kiedy całe miasto śmierdziało rybami i zatęchłą wodą, ze stawów i rzeki unosił się pierwotny zapach. Tak musiała pachnieć ziemia miliony lat wcześniej, spowita odorem czegoś, co usiłowało przybrać inną postać. Raz jeszcze Florence pomyślała o zabijaniu ślimaków w ogrodzie. Gdzieś wyczytała, że ślimaki prowadzą o wiele bardziej namiętne życie seksualne niż ludzie. Kiedyś, zakłuwając wyjątkowo dużego żółtego ślimaka w czarne cętki, z przerażeniem zobaczyła, że na ceglany chodnik wylała się jego wątroba i wnętrzności – miniaturowa replika organów wewnętrznych człowieka. Czy właśnie za to trafiła do piekła? Za to, że jako siedmiolatka zabijała w ogrodzie ślimaki? Że za mało dała bezdomnej na ulicy? Może za to, że nie wysłała kartki z życzeniami dziecku leżącemu w szpitalu – lub dlatego że z powodu własnych lęków i poczucia zagubienia uprawiała seks bez miłości. A jeżeli nie ma piekła, istnieje zaś reinkarnacja, jest skazana na popełnianie błędów nie tych samych, lecz podobnych – jak uczeń powtarzający klasę – bo chociaż chciała, nie potrafiła zrozumieć sensu lekcji.

Był koniec dwudziestego wieku, co oznaczało, że każdy, kto okradał wdowy i sieroty, mógł znaleźć pewne usprawiedliwienie dla swego postępowania. Może nigdy nie było inaczej. A jednak w tych czasach można by się spodziewać większej liczby dowodów na ewolucję ludzkiej rasy. W końcu i ona była sierotą – sierotą, która nigdy szczerze nie poważała ojca ani matki. Nie z własnej winy. Jej rodzice nigdy nie istnieli. Byli równie nierealni jak ona sama. Stanowili jedynie kompendium oczekiwań, koktajl złożony z tego, czego powinni pragnąć. Czy rzeczywiście popełniła inną zbrodnię poza tą, że zabrała na plażę dziecko wbrew zakazom jego matki? Jednakże dojście do takiego wniosku oznaczało pyrrusowe zwycięstwo.

Szła, wyczerpana, pustymi ulicami. Zaświtało jej w głowie, że Darryl pewnie jest jedyną osobą, którą mogła poprosić o pieniądze, lecz świadomość ta pojawiła się zbyt późno. Już pewnie wyjechał. W każdym razie w swej lojalności i przyjaźni okazał się bardziej destruktywny niż wróg.

Parę kroków przed nią uśmiechała się jakaś kobieta w stroju przypominającym puszysty, różowy kostium króliczka – bardziej przystający dwulatce w Halloween niż czterdziestoletniej kobiecie. Może rozpoznała kogoś idącego za Florence, gdy jednak ta się odwróciła, zobaczyła pustą ulicę. Zaintrygowana, przyjrzała się uważniej kobiecie, która była obcięta na chłopaka, miała ufarbowane na czerwono włosy, czarne rajstopy i różowe buty na wysokich obcasach. Florence zawsze się zastanawiała, co widzą tacy ludzie, przeglądając się w lustrze.

– Jak się masz? – Początkowo Florence nie miała pojęcia, kto to taki. – Nie zmarzłaś? – spytała kobieta. – Gdzie twój płaszcz?

– Przepraszam, czy my się znamy? – Zaczynała sobie przypominać, że to kobieta, którą poznała u Natalie i która brała dwieście dolarów za godzinę za to, że podstawiała bogaczkom pod nos lawendowy zapach. Nadal jednak nie dawała po sobie nic poznać.

– Jestem aromaterapeutką. Kochanie, wszystko w porządku? Może ci kupić kawę? Mogę coś dla ciebie zrobić? Wyglądasz tak smutno...

Aromaterapeutka Natalie! Do tego już doszło! Nawet teraz nie mogła się zmusić do uścisku wyciągniętej dłoni. Było to nie lepsze niż spotykanie się z kelnerką, przyjaźń z trenerem aerobiku lub umawianie się z budowlańcem – niczym jakaś zdesperowana, starzejąca się gwiazda muzyki pop. Otworzyła torebkę i bez słowa wyminęła kobietę, udając, że nie słyszy, gdyż jest zajęta szukaniem czegoś w portfelu.

Na dnie znalazła pół starego batonika Hersheya z migdałami, trochę kłaczków i kawałków papieru. Wyrzuciła śmieci na ziemię. Szczoteczka z włosiem oplątanym jasnymi włosami. Wykałaczka o miętowym smaku, jeszcze w opakowaniu. Pusta szklana fiolka z zieloną zatyczką, która kiedyś zawierała crack. Wizytówka od osoby, której nie mogła sobie przypomnieć i która pracowała w branży filmowej. W bocznej kieszeni wyczuła jakieś wybrzuszenie. Otworzyła zamek i znalazła chiński woreczek z żółtego jedwabiu wypchany bibułką. W środku znajdowały się szlachetne kamienie, broszka, garść pierścionków, lśniący kamień, który wypadł z oprawy.

Zdjęła srebrną folię z czekoladki i zaczęła ogryzać jej stwardniałe brzegi, idąc przez gęstniejący mrok w stronę ujścia rzeki Hudson i Statui Wolności.

Rytuał

Ścigała pędzącego demona,
T-shirt z napisem ILUZJA, z którego wyrosła,
wykałaczkę wirującą na niewidocznym horyzoncie.

Natura hojnie go obdarzyła – brutalność,
wąskie pięty – gdyby wszedł, wygrałby,
lecz go nie wpuszczą.

Nawet na pokładzie biega
tak szybko, że kapitan
nie może go złapać i rezygnuje,

szlochając, nieruchomieje. Och, wszyscy go ścigamy –
mężczyźni, kobiety, w każdym wieku – chcemy tylko
łączyć się w pary, poczuć

coś nie na sprzedaż – rzęsę, tak niewiele.
Teraz jej kolej, by się wycofać
nie dogoniła go. „Szybciej" on mówi, a potem

gardłowo: „Płać". „Och, zamknij się" –
odpowiedziałaby, gdyby mogła, temu brzęczeniu
w jej uszach i mózgu, całym kruchym

ciele: „Płać".

Och, drodzy turyści, czas

się pożegnać z wyspą łkającej

plaży i księżycem na niebie, świetlikiem

z obiektywem, z domkiem krytym gontem, z delikatnym, oświetlonym

pokojem, w którym bawiliśmy tak krótko, a tak pięknie.

Phyllis Janowitz

Książkę wydrukowano
na papierze Amber Graphic 70 g/m²

wyprodukowanym przez Arctic Paper
www.arcticpaper.com

Warszawskie Wydawnictwo Literackie
MUZA SA
ul. Marszałkowska 8, 00-590 Warszawa
tel. (0-22) 827 77 21, 629 65 24
e-mail: info@muza.com.pl

Dział zamówień: (0-22) 628 63 60, 629 32 01
Księgarnia internetowa: www.muza.com.pl

Warszawa 2003
Wydanie I

Skład i łamanie: Magraf s.c., Bydgoszcz
Druk i oprawa: Drukarnia Naukowo-Techniczna, Warszawa